Traduit de l'anglais par Julien Ramel

Titre original : *Bloodfever*
Édition originale publiée par Penguin Books Ltd
© Ian Fleming Publications Ltd, 2006, pour le texte
© Gallimard Jeunesse, 2006, pour la traduction française

Charlie Higson

La mort est contagieuse

la jeunesse de James Bond

GALLIMARD JEUNESSE

À Jim

*Merci à Michael Meredith et à Nick Baker
à Eton pour leur aide précieuse.*

Le Magyar

Confortablement installée à bord du yacht de son père, Amy Goodenough ne boudait pas son bonheur. Quelle chance de se trouver là, en pleine Méditerranée, alors même qu'elle aurait dû être à l'école !

La journée était magnifique. À part une longue traînée de fumée noirâtre, au sud, rien ne venait troubler le bleu profond de l'azur. Elle tourna la tête, leva le nez au vent et s'abandonna à la douce chaleur du soleil. Un sourire se dessina sur ses lèvres : la jouissance du moment volé.

Peu avant l'été, un incendie avait ravagé certains bâtiments de l'école, obligeant l'institution à fermer plus tôt que prévu. La plupart des autres filles avaient promptement été rapatriées vers d'autres établissements pour finir le trimestre, mais pas Amy. Elle avait persuadé son père, en croisière annuelle dans les îles grecques, de l'autoriser à le rejoindre – notamment en acceptant qu'une préceptrice soit de la partie. Depuis que la mère d'Amy avait été emportée par la scarlatine, deux ans auparavant, son père était très seul. Dans un sens, il était heureux de pouvoir profiter un peu de sa fille.

Amy passait les matinées en cabine, avec sa préceptrice,

Grace Wainwright, après quoi, la journée lui appartenait. Grace était une jeune femme sérieuse et un peu collet monté, originaire de Leeds, qui s'était montrée sévère au début. Heureusement, l'envoûtant parfum des îles grecques, associé à la chaleur et au doux clapotis des vagues contre la coque du bateau, avait rapidement agi comme un charme puissant sur la jeune préceptrice. Chaque jour, les leçons étaient plus courtes, et l'air soucieux qui ornait son visage à son arrivée disparaissait peu à peu. Une lueur plus intense brillait au fond de ses yeux.

Ce matin, elles avaient arrêté les leçons à onze heures. Avec un profond soupir, Grace avait repoussé le manuel de grammaire française avec lequel elles se débattaient, puis elle avait longuement fixé le disque parfait de ciel bleu que dessinait le hublot :

– C'est bon pour aujourd'hui. Mais n'en dites rien à votre père.

Amy grimpa au bastingage, à la proue du bateau et scruta l'eau. Elle était très bleue, transparente, quasi cristalline. La chaîne de l'ancre plongeait sous la surface, dessinant une tangente parfaite. Elle était entourée par un banc de minuscules poissons qui scintillaient et s'éteignaient en passant de l'ombre aux taches de lumière dorée.

La jeune fille étira son long corps gracile, se préparant à plonger.

– Tu ne devrais pas être en train d'étudier ? demanda son père.

Amy fit comme si elle n'avait rien entendu. Elle se hissa sur la pointe des pieds et, après une légère extension, quitta le pont du yacht. Elle demeura un instant suspendue dans les airs, planant au-dessus de la mer Égée dont les eaux turquoise miroitaient sous elle comme un tapis merveilleux.

Puis elle rentra la tête entre les épaules et fonça vers l'eau en piqué. Le plongeon était parfait. À peine avait-il troublé la surface. Un nuage de bulles argentées accompagna sa percée au milieu des poissons un peu effrayés par cette étrange intrusion. Elle remonta à la surface et s'éloigna du yacht à la nage en direction des rochers qui formaient un mur autour du mouillage. Après quelques dizaines de mètres, elle se retourna et vit son père, appuyé au garde-corps, qui lui faisait de grands signes.

– Amy ! N'es-tu pas censée étudier ? hurla-t-il depuis le pont.

– Grace a la migraine, cria-t-elle en retour, travestissant la réalité avec une facilité déconcertante. On reprendra les leçons dès qu'il fera moins chaud.

– J'y compte bien…

Son père tentait de se montrer sévère à son égard, mais avec ce temps, au milieu de ce magnifique paysage et avec ce rythme de vie si langoureux, il lui était aussi difficile qu'à Grace de maintenir un semblant de discipline. En outre, pensa Amy en plongeant à nouveau sous la surface, créant la débandade dans un banc de rougets, elle avait toujours fait ce qu'elle voulait de lui, pas comme Mark, son frère aîné. Si le feu avait pris dans son école, il aurait immédiatement été envoyé dans un autre établissement. Jamais il n'aurait été autorisé à venir en Grèce.

Leur père, sir Cathal Goodenough, était marin jusqu'au bout des ongles. Il s'était engagé dans la Navy à seize ans. Au cours de sa carrière, il avait servi sous les ordres de Jellicoe lors de la bataille du Jütland et, en 1917, il avait été nommé amiral. Durant la Grande Guerre, il avait assuré la protection de nombreux convois maritimes contre les attaques des sous-marins ennemis. Ces faits d'armes lui avaient valu d'être fait chevalier. Quand sa femme était

9

morte, il avait quitté la Navy, mais n'avait pas renoncé pour autant à sa passion pour la mer. Il détestait être à terre. Dès qu'il le pouvait, il embarquait sur l'un de ses trois bateaux : la *Calypso* dont le port d'attache se trouvait dans les Caraïbes ; la *Circé*, un yacht de course, amarré à Portsmouth ; et, enfin, celui qui était le plus cher à son cœur, une goélette à trois mâts, enregistrée dans le port de Nice et baptisée la *Sirène*.

La *Sirène* pouvait emmener dix passagers en plus des huit hommes d'équipage. Amy jeta un œil au bateau, ancré dans son abri naturel. Sa brillante coque noire se reflétait dans la mer. Le voilier était parfaitement à sa place au milieu de cet environnement paradisiaque, tout comme Amy, qui avait appris à nager avant même de savoir marcher et qui, toute petite, pouvait rester à barboter dans l'eau pendant des heures. Elle n'avait plus besoin de bonnet de bain car, au grand désespoir de son père, elle avait récemment coupé ses longues boucles et adopté une coupe courte, plus dans l'air du temps. De ce fait, on la prenait souvent pour un garçon. Cela ne l'ennuyait pas : elle savait qui elle était.

Elle nagea jusqu'aux rochers, sortit de l'eau et s'installa au soleil pour se réchauffer. On était à la fin du mois de mai. La mer était encore froide, et, par endroits, un courant glacé courait entre deux eaux.

Elle s'ébroua. Sa peau couverte de taches de rousseur étincelait de mille feux à la faveur des rayons de soleil venant jouer dans les gouttes d'eau salée qui perlaient sur son corps. Elle observa la côte. Une épaisse forêt de cyprès faisait une tache vert sombre jusqu'à la petite plage de sable où, la veille au soir, ils avaient dîné au clair de lune. Cette île, qui faisait partie des Cyclades, l'archipel qui s'étend au sud d'Athènes, était inhabitée et si petite qu'elle n'apparaissait pas sur la plupart des cartes.

Amy portait un étui de cuir accroché à la jambe, d'où sortait le manche d'un couteau de plongée. Il appartenait à Louis, l'immense gaillard français qui occupait le poste de second sur le bateau. Il lui avait montré comment décrocher les coquillages de leur rocher avec la lame de la dague. À la taille, elle portait un filet qui servait à transporter ses prises : moules, praires, oursins… Assise sur son rocher, le couteau à la main, elle s'imaginait à l'âge des cavernes, à l'ère des chasseurs-cueilleurs. En tout état de cause, elle se trouvait à des années-lumière de l'Angleterre et de son assommante école. Elle était la plus heureuse de toutes les filles du monde et, si cet endroit n'était pas le paradis, il y ressemblait fortement.

Elle entendit le bateau avant de le voir. Un ronron régulier et lointain auquel elle ne prêta pas attention immédiatement – la Méditerranée est une mer fréquentée depuis des siècles –, préférant reprendre sa traque des coquillages sans se préoccuper davantage du bruit de moteur qui approchait. Mais, quand elle releva la tête, elle eut un choc en découvrant la lourde silhouette d'un cargo au beau milieu de son champ de vision. Une épaisse fumée noire et nauséabonde s'échappait par bouffées de sa petite cheminée. Elle observa le navire qui vint se positionner à côté de la *Sirène* avant de jeter l'ancre. Plusieurs hommes d'équipage, la peau tannée par le soleil et vêtus de bleus de travail tachés et usés, s'activaient bruyamment sur le pont.

À côté des lignes tendues et épurées du voilier, le contraste était saisissant, une brique à côté d'une flèche. Amy scruta l'avant du bateau pour lire le nom du navire, qui s'étalait en grosses lettres rouges écaillées sur le flanc de la coque. *Charon.*

Le vent forcit. Une bourrasque étala le panache de fumée devant le soleil, assombrissant le mouillage. Amy, qui se trouvait dans une petite piscine naturelle avec de l'eau jusqu'aux genoux, frissonna.

Depuis le pont de la *Sirène*, son père observa l'arrivée du cargo avec curiosité. Hormis le nom, il ne remarqua aucun autre signe d'identification du navire – ni fanion, ni pavillon – et se demanda pourquoi il avait choisi de jeter l'ancre dans un coin aussi isolé que celui-ci.

À l'évidence, cette arrivée n'annonçait rien de bon.

– Holà de la *Sirène* !

Goodenough jeta un œil par-dessus le bastingage et remarqua la silhouette d'un homme blond, court et trapu, qui portait une barbe impeccablement taillée.

– Ohé ! Tout va bien, capitaine ? demanda Goodenough en forçant la voix.

– Problèmes moteur, je le crains, répondit l'inconnu.

Goodenough tenta vainement d'identifier l'accent dont les intonations lui semblaient venir d'Europe de l'Est, sans autre précision.

– Besoin d'un coup de main ? hurla le capitaine de la *Sirène*.

Il est d'usage que les marins se portent mutuellement assistance en cas d'avarie. Mais, dans le cas présent, l'inconnu n'avait pas attendu la fin de la question pour mettre une chaloupe à l'eau. Sans un mot, le petit blond râblé sauta par-dessus bord et atterrit adroitement dans le canot. Pour peu académique qu'il soit, le mouvement n'en était pas moins spectaculaire.

Six marins costauds s'activèrent sur les rames. La chaloupe s'approcha de la *Sirène*.

Goodenough fronça les sourcils. Quelque chose clochait. L'équipage de l'annexe se composait de deux Chinois, deux Africains, un grand gringalet à la peau très blanche et au nez cassé ainsi qu'un géant des mers du Sud, pratiquement nu et entièrement tatoué, qui portait un chapeau de paille de femme et qui fumait un gros cigare.

Le capitaine aux cheveux blonds se tenait debout à l'arrière, un large sourire sur les lèvres, les bras croisés sur son immense poitrine. Ses biceps étaient aussi épais que ses cuisses. Il portait de hautes bottes s'arrêtant au-dessus du genou et une ample tunique largement ouverte sur le torse, tenue par un large ceinturon.

Non sans soulagement, Goodenough constata qu'aucun d'entre eux n'était armé.

Le canot aborda le voilier et le capitaine gravit l'échelle aussi aisément que s'il s'était agi d'une volée de marches de pierre.

Il sauta à bord et fit un petit signe de tête en guise de salut. Vus de près, ses yeux étaient saisissants. L'iris était si pâle qu'il en était presque incolore et cerclé d'un gris brillant comme un disque d'argent.

— Permettez-moi de me présenter. Zoltan le Magyar.

— Un Hongrois ? demanda Goodenough incrédule. Vous venez donc d'un pays qui n'a pas de façade maritime ?

— Absolument.

— Vous autres, Hongrois, n'êtes pourtant pas connus pour vos qualités de marins. Il est rare d'en rencontrer un qui commande un navire.

— Vous savez, notre bateau n'est guère commun. Son équipage non plus d'ailleurs. Comme vous pouvez le constater, il vient des quatre coins du monde. Vous avez remarqué ? Nous naviguons sans couleurs. Parce que nous sommes citoyens du monde, ajouta Zoltan en écartant les bras et en tournant lentement sur lui-même comme pour embrasser l'horizon. J'aime la mer. Elle me rappelle Az Alföld, la Grande Plaine hongroise. Un ciel immense et rien en dessous.

Tout l'équipage de la chaloupe était monté sur le pont. Les hommes entouraient sir Goodenough. Celui-ci dévisagea une à une les mines impassibles des marins qui, en retour, lui adressèrent un regard parfaitement vide. Il fit un pas vers le Magyar, main tendue.

– Bienvenue à bord. Je suis le capitaine de la *Sirène, sir…*

– Je sais parfaitement qui vous êtes, répondit le Magyar avec un sourire. Vous êtes Cathal Goodenough.

Il avait des difficultés à prononcer le « th » et, dans sa bouche, le prénom du capitaine ressemblait à « Cattile ».

– En fait, ça se prononce Cahill, répondit instinctivement Goodenough avant de s'arrêter net. Mais… Comment connaissez-vous mon…

– Avec tout le respect que je vous dois, le coupa Zoltan avec autorité, je prononce votre nom comme ça me chante.

– Pardon ? s'exclama Goodenough, interloqué. Vous pourriez rester poli. Je vous ai offert mon aide…

– Mille excuses, l'interrompit le Magyar en faisant une révérence aussi ostentatoire qu'ironique. Vous avez raison. Nul besoin d'être rustre. Mes hommes vont simplement prendre ce que nous sommes venus chercher et nous partirons.

– Désolé, je ne comprends pas. Prendre quoi ?

Louis, le second, vêtu de son impeccable uniforme blanc, avança prudemment sur le pont, accompagné de deux autres membres d'équipage.

– Cette conversation devient ennuyeuse, déclara Zoltan. Aussi ennuyeuse qu'une *tea party* anglaise. Je suis allé en Angleterre une fois. La nourriture y est fade, le ciel gris et les gens parfaitement transparents. – Il tapa dans ses mains. Et maintenant que tous mes hommes sont en position, je peux mettre un terme à ce bavardage insipide et me concentrer sur ce qui m'intéresse, sir Goodenough.

– C'est juste « Goodenough », l'interrompit l'Anglais avec une bonne dose d'irritation dans la voix. Sir Cathal passe encore, mais en aucun cas « sir Goodenough »…

– Je dirai comme il me plaira, le coupa Zoltan. Et, s'il vous plaît, ne m'énervez pas. J'essaie de rester calme et poli, comme vous autres Anglais, car, sachez-le, quand je me mets en colère je fais des choses qu'il m'arrive de regretter par la suite. Maintenant, excusez-moi, j'ai à faire…

À ces mots, Zoltan le Magyar tapa à nouveau dans ses mains et un groupe d'hommes émergea de derrière le rouf.

La réalité de la situation s'abattit sur Goodenough comme un coup de massue. Pendant que son équipage et lui s'étaient laissé distraire, un autre canot avait quitté le cargo et plusieurs autres marins étaient montés à bord. Et eux étaient armés jusqu'aux dents – couteaux, sabres d'abordage et pistolets, qu'ils s'empressèrent de donner à leurs complices. Le géant maori récupéra un harpon de baleinier qu'il empoigna lestement de son immense main tatouée. De l'autre, il retira le cigare qu'il avait au bec et cracha. Un jus marron s'écrasa sur le pont.

– Qu'est-ce que c'est que cette histoire ? éructa Goodenough, scandalisé.

Mais il ne savait que trop bien de quoi il retournait. Ces hommes étaient des pirates. Et ils l'avaient piégé.

Deux fusils, ainsi qu'un vieux pistolet datant d'avant la guerre, étaient cachés dans sa cabine, mais jusqu'ici, ils n'avaient jamais quitté l'armoire dans laquelle ils étaient enfermés.

De toute façon, il était trop tard.

Le second, Louis, tenta un mouvement. Goodenough l'en dissuada d'un regard. La situation était assez épouvantable comme ça. Tenter de résister eût été une folie. Le mieux était encore de se résigner.

– Ceci est un navire privé, expliqua-t-il aussi calmement que possible. Nous ne transportons pas de marchandises. Nos cales ne recèlent aucun trésor. Nous avons bien un coffre contenant de l'argent. Mais c'est très peu…

Le Magyar à la forte carrure ne prêta aucune attention à ce que pouvait dire Goodenough. Il lança quelques ordres en hongrois et plusieurs de ses hommes disparurent dans les cabines.

– Vous avez le choix, déclara Zoltan en s'approchant de Goodenough. Soit vous nous donnez la combinaison, soit on arrache le coffre à coups de hache.

Une fois encore, Louis tenta de s'interposer. D'un geste vif et sûr, Zoltan sortit un petit pistolet de sa tunique et le pointa dans sa direction.

Goodenough reconnut l'arme, un Beretta 9 mm « spécial marine » qui équipait l'armée italienne. Visiblement, ces hommes n'étaient pas des trafiquants à la petite semaine, mais bien de vrais professionnels.

Il donna rapidement la combinaison du coffre et Zoltan cria un nouvel ordre à ses hommes.

Quelques instants plus tard, des cris retentirent et Grace Wainwright fut traînée sur le pont avec, dans son sillage, le marin à la peau pâle qui tenait entre ses mains le contenu du coffre. Les yeux de Zoltan allaient de Grace au butin, puis il secoua la tête d'un air maussade et se frotta la tempe.

Un profond grognement guttural résonna sur le pont. Le géant tatoué lança quelque chose à son chef. Zoltan saisit l'objet au vol et, immédiatement, son visage s'illumina.

Il s'agissait d'une petite statuette en bronze.

– Merci, Tree-Trunk.

En souriant, Tree-Trunk exhala un nuage de fumée. Zoltan porta la statuette à sa bouche et l'embrassa.

– Laissez ça ! hurla Goodenough en proie à une folle

colère. Ceci ne présente aucun intérêt pour vous. C'est un objet d'art parfaitement identifiable. Il n'y a pas un endroit au monde où vous pourriez la vendre… Et je n'ose pas imaginer que vous puissiez la fondre.

Un sourire carnassier aux lèvres, Zoltan se tourna lentement vers Goodenough et le fixa de son regard d'acier.

— Je ne suis pas un cul-terreux ignorant ! dit-il. Et je sais parfaitement ce que je veux. Je veux ce bronze, sir Cattile.

— Cahill, monsieur, on dit *Ca-hill*! s'emporta Goodenough.

— Calmez-vous, maudit Anglais.

— Vous ne connaissez pas la valeur de cette statuette, protesta Goodenough.

— Peut-être, pourtant je sais qu'elle est l'œuvre de Donato di Betto Bardi, plus connu sous le nom de Donatello. Elle date du XVe siècle, fut coulée à Florence en guise de modèle pour une fontaine qui n'a jamais été construite. — Zoltan fit tourner l'objet entre ses mains. — Elle représente un personnage de la mythologie grecque, une sirène, la sirène à qui ce bateau doit son nom. Selon la mythologie ancienne, les sirènes sont des chimères, mi-femme, mi-oiseau, qui charment les marins de passage de leur voix mélodieuse en les guidant vers des hauts-fonds où les bateaux font naufrage, après quoi elles dévorent leurs équipages.

Il planta son regard dans celui de Goodenough.

— Les femmes, sir Goodenough, il est préférable de s'en méfier. Elles peuvent s'avérer extrêmement dangereuses.

— Cette statuette appartenait à mon épouse, déclara Goodenough d'une voix plaintive.

— Sans doute, mais vous n'êtes pas sans savoir qu'avant cela, elle a également appartenu au duc de Florence auquel Napoléon l'a dérobée avant de, lui-même, se la faire voler par un des ancêtres de votre femme après la bataille de Waterloo. Maintenant c'est mon tour.

Goodenough avança la main vers le petit bronze. Le Magyar repoussa son bras d'un geste aussi nonchalant et condescendant que s'il avait chassé une mouche, ce qui, pourtant, suffit à faire choir Goodenough sur le pont, où il demeura un instant stupéfait.

Louis jura et se précipita vers Zoltan. Il fut coupé net dans son élan avant de s'écrouler en arrière en gémissant. Tree-Trunk lui avait lancé son harpon de baleinier avec une telle force que la lance avait transpercé le torse du Français, se fichant dans sa chair jusqu'à mi-garde. Louis se débattit un instant sur le pont puis s'immobilisa.

– Je ne voulais pas d'effusion de sang, déclara Zoltan. C'est vous qui m'avez forcé la main.

Goodenough se releva péniblement et planta ses yeux dans ceux de Zoltan.

– Vous êtes un immonde barbare, monsieur. Un vulgaire malfrat.

Zoltan confia la statuette au géant tatoué et attrapa Goodenough par le col.

– Ne me mettez pas en colère, grinça-t-il.

Goodenough le regarda droit dans les yeux. Ses pâles iris semblaient s'être assombris.

– Prenez ce que vous voulez. Mais laissez-moi le Donatello, implora Goodenough. Il représente énormément à mes yeux.

Zoltan repoussa Goodenough sans ménagements et récupéra le petit bronze des mains de Tree-Trunk.

– Hors de question.

Dans un mouvement largement irréfléchi, Goodenough se rua sur la statuette.

– Vous n'emporterez pas ça sans me passer sur le corps.

Vous l'arracherez de mes mains sans vie si vous voulez, mais je ne me rendrai pas sans combattre.

Il agrippa de toutes ses forces la statuette que Zoltan, adossé à la cloison de la cabine, tenait fermement contre sa poitrine. Ils luttèrent quelques instants. Une détonation étouffée résonna soudain. Une odeur de chair et de vêtement brûlés monta dans l'air. Goodenough recula en titubant, se tenant le ventre.

– Vous… Vous m'avez tiré dessus, dit-il avant de s'écrouler à genoux.

– Vous êtes très observateur, sir Goodenough. Malheureusement pas assez perspicace. Je vous avais prévenu. Il ne faut pas me mettre en colère.

– Vous pourrirez en enfer pour ça.

– Peut-être, mais vous y serez avant moi. Car, dans quelques minutes, vous serez mort. Bien le bonjour, *sir…*

À ces mots, Zoltan le Magyar quitta le pont d'un bond et sauta à bord de la chaloupe accostée au voilier, vite rejoint par ses rameurs. Le canot retourna rapidement au cargo. Il grimpa à bord et s'immobilisa sur le pont, étudiant la statuette sous toutes les coutures, se délectant de ses formes parfaites. Sa puissante respiration résonnait dans ses fosses nasales. En dépit de quelques désagréments mineurs, on pouvait parler d'une bonne matinée de travail. Il passa un doigt sur les courbes avantageuses de la sirène et sourit. Dans un sens, ça avait presque été trop facile.

Alors qu'il se préparait à descendre en cabine, il ressentit une violente douleur à l'épaule gauche, qui lui fit lâcher la statuette. Il fit volte-face et se retrouva nez à nez avec une jeune fille aux cheveux courts, âgée d'environ quatorze ans, vêtue en tout et pour tout d'un maillot de bain. Son corps élancé dégoulinait d'eau. Un mélange de colère et de peur se lisait sur son visage.

Zoltan jeta un œil derrière son épaule. Sa tunique était maculée d'une grosse tache cramoisie. Il saignait abondamment. Il porta sa main droite à l'endroit où une douleur froide et sourde lui tenaillait l'épaule. Un couteau était planté jusqu'à la garde dans son articulation. Il se sentit partagé entre l'envie de pleurer et l'envie de rire. Cette fille avait du cran. S'il n'avait pas bougé au dernier moment, la lame l'aurait probablement atteint à la colonne vertébrale.

Son bras gauche pendait pitoyablement, paralysé par la douleur. Il perdait beaucoup de sang.

— Tu vas regretter de ne pas m'avoir tué, dit-il calmement.

— Partie remise, grinça amèrement la jeune fille, serrant les dents.

Zoltan était maintenant entouré par son équipage. Tous criaient et hurlaient, pris de panique. Trois d'entre eux immobilisèrent l'adolescente.

— Laissez-moi respirer et apportez-moi du vin, gronda Zoltan. Du Sangre de Toro !

Quelqu'un lui tendit une bouteille. Il en but une large goulée, laissant échapper quelques gouttes de liquide vermillon sur son menton, après quoi il se ressaisit et, avec un hurlement furieux, retira le couteau de son épaule.

— Coulez le bateau, grogna-t-il en jetant le poignard à la mer. Prenez les femmes... Et tuez les hommes.

Le couteau coula silencieusement dans les profondeurs marines, tournant lentement sur lui-même. Le sang qui maculait la lame se dilua dans l'eau en longues volutes visqueuses. Il atterrit sur un fond sableux et s'immobilisa, faisant comme une croix sur une sépulture sous-marine.

Le club du Danger

S'il y avait une chose que James Bond avait toujours détestée, c'était le sentiment d'être enfermé. Où qu'il fût, il fallait toujours qu'il sache où se trouvait la porte de sortie. Allongé dans sa minuscule chambre d'Eton, coincée sous les combles, il se figura le bâtiment où tout le monde dormait. Mentalement, il parcourut le sombre dédale des couloirs et des escaliers qui sillonnaient Codrose, le dortoir auquel il était assigné. Il y avait plusieurs portes au rez-de-chaussée, mais une seule autorisée aux élèves, et elle était fermée pour la nuit. Cela ne l'inquiétait pas. Il avait sa propre entrée, une issue secrète qu'il était seul à connaître.

Pour James, l'important était de se sentir libre, responsable de sa propre vie. Il ne se sentait pas vraiment à sa place à Eton, avec sa cohorte de règles et de conventions, ses traditions ancestrales qui pesaient sur lui comme un fardeau trop lourd à porter. Pour autant, Eton ne pouvait pas le tenir prisonnier.

Parfaitement immobile dans son petit lit inconfortable, il se tenait à l'affût du moindre bruit. Rien. Tout était calme. Il se glissa hors des draps, se faufila jusqu'au canapé et, tous les sens en alerte, tira du tas informe qui le recouvrait un pantalon noir, un polo de rugby bleu foncé ainsi qu'une paire de tennis. Il enfila les vêtements sur son pyjama, qu'il détestait par-dessus tout. Comme il aurait aimé ne pas avoir à le porter, surtout par une nuit aussi chaude et étouffante que celle-ci où pas un souffle ne filtrait par la fenêtre ouverte. Mais son recteur d'internat, Cecil Codrose, avait décrété que tous les garçons sous son autorité devaient dormir en pyjama et, qui plus est, le garder boutonné jusqu'au cou.

Depuis qu'un incendie avait ravagé un bâtiment, en 1903, tuant deux élèves, l'école avait embauché des « gardiens de nuit » : un bataillon de personnes âgées, habitant à proximité, qui, la nuit, arpentaient les couloirs d'un pas traînant en flairant l'air afin de détecter la moindre odeur de fumée. James ne s'inquiétait guère du gardien de nuit en charge de son dortoir, une vieille femme ratatinée qui s'appelait Florence. Elle était facile à éviter. En revanche, il se méfiait de Codrose. En effet, le recteur n'aimait rien tant que fouiner aux quatre coins du bâtiment, à n'importe quelle heure du jour et de la nuit, pour prendre sur le fait celui qui aurait décidé de se livrer à une quelconque activité coupable. James savait qu'il poussait le vice jusqu'à répandre du sucre sur le parquet pour trahir tout mouvement suspect et coincer ainsi celui qui aurait voulu s'éclipser en douce.

Pour l'instant, il n'y avait ni craquement ni bruissement. Personne ne bougeait. Il ne risquait rien. Pas encore.

Une fois habillé, il enleva un petit morceau de plinthe et retira du mur une brique descellée derrière laquelle se trouvait une cavité où il cachait ses « trésors ». Il sortit son canif et sa torche électrique qu'il fourra dans la poche de son pantalon. Après quoi, il remit soigneusement tout en place et ouvrit précautionneusement la porte de sa chambre dans un parfait silence, grâce à l'application régulière, sur les gonds et la poignée, de graisse récupérée sur le bacon qu'on leur servait à la cantine. Il y eut un grincement. James s'immobilisa. Mais ce n'était qu'un craquement dans la structure de la vieille bâtisse, érigée au moins deux siècles auparavant. Il regarda d'un bout à l'autre du couloir, seulement éclairé par une faible ampoule de chaque côté, une autre idée de Codrose. Le couloir était parfaitement vide. Seule une grosse phalène marron virevoltait autour de la lampe, envoyant sur les murs verdâtres d'immenses ombres papillonnantes.

La chambre de James se trouvait au dernier étage. À droite partait un escalier étroit, collé au mur qui séparait le dortoir des élèves des appartements de Codrose. À l'autre extrémité du couloir se trouvait un débarras dont la porte était verrouillée par un gros cadenas rouillé. Au milieu du corridor, les douches et, de part et d'autre, une rangée de portes parfaitement identiques, correspondant chacune à un box et à un pensionnaire endormi. Tandis qu'eux s'échappaient seulement en songes, James mettait leurs rêves en pratique.

Il y avait toujours un passage au milieu du sucre. Silencieusement, il avança dans le couloir jusqu'aux douches. Les gonds de cette porte-là étaient eux aussi parfaitement graissés.

Il se glissa à l'intérieur et referma la porte derrière lui.

Il ne se risqua pas à allumer la lumière. Il connaissait suffisamment cette pièce pour trouver son chemin les yeux fermés, d'autant qu'en l'occurrence le clair de lune qui brillait à travers la fenêtre était assez puissant pour éclairer la rangée de lavabos métalliques, les quatre grandes baignoires et, tout au bout, l'alignement des toilettes. Il avança sur la pointe des pieds sur le sol carrelé jusqu'au dernier WC et pénétra à l'intérieur.

Il sortit son couteau, déplia la lame, et s'accroupit au-dessus du sol pour soulever une plaque du carrelage, faisant apparaître les lattes du plancher. Rapidement, il souleva trois autres carreaux et put ainsi retirer une plaque de bois très proprement découpée.

Il lui avait fallu deux nuits pour desceller les carreaux, deux nuits durant lesquelles il avait trimé comme un forçat, s'échinant sur les outils chipés à l'atelier de mécanique, et encore une semaine pour couper les lattes de bois qui se trouvaient dessous, en utilisant son seul couteau car une scie eût fait trop de bruit. Par deux fois, il avait failli se faire prendre. La première, des pas avaient retenti dans le couloir, mais personne n'était entré. La seconde, toutefois, la porte s'était ouverte. Il avait juste eu le temps de remettre le carrelage en place, de grimper au mur des toilettes comme un singe pris de panique et de se coucher au sommet de la chasse d'eau avant que la lumière ne s'allume et que la toux sèche et familière de Codrose ne résonne dans la pièce.

James l'avait entendu inspecter chaque recoin de l'endroit. Il avait ensuite ouvert la porte des toilettes, fugitivement passé la tête à l'intérieur, et, après s'être à nouveau raclé la gorge, avait repris sa ronde. Sa tignasse grise et drue était passée sous le nez de James, au sens propre.

Depuis, il n'avait pas été dérangé et, maintenant, il pouvait utiliser ce passage secret quand il voulait.

Sous le plancher, il y avait un vide juste assez grand pour lui. Il se glissa entre les lambourdes, s'accroupit dans la cavité et remit en place les carreaux au-dessus de sa tête.

Maintenant, il pouvait utiliser sa lampe torche. Il l'alluma et éclaira un minuscule passage qui courait sur toute la longueur du bâtiment, entre les solives. C'était sale et poussiéreux, rempli de toiles d'araignée aussi noires que la suie. Il avança en rampant comme il pouvait, tentant de faire le moins de bruit possible. Au-dessus et en dessous de lui, tout le monde dormait. Si un élève entendait quelque chose, il ne dirait rien.

James rampa jusqu'à se trouver directement sous le débarras au bout du couloir. Il se souvint de la première nuit où il était parvenu jusque-là et du soulagement qu'il avait ressenti en constatant que plusieurs lattes de plancher étaient branlantes et pourries. Il ne lui avait fallu que quelques minutes pour en retirer deux. Maintenant, il lui suffisait de les pousser pour ouvrir le passage et se glisser à l'intérieur.

Il remit les lattes en place et se redressa. Il épousseta ses vêtements, éternua. Rien n'avait bougé depuis la dernière fois. La pièce était remplie jusqu'au plafond du reliquat de décennies de vie scolaire : des chaises et des tables cassées, des lits de camp pourris, des affaires de sport datant de Mathusalem, ainsi que quantité de cartons de livres et de papier jaunis. La petite lucarne du toit ne laissait pratiquement plus passer la moindre lumière tant elle était crasseuse. Une épaisse couche de poussière et de fientes d'oiseaux la recouvrait totalement. James grimpa sur une pile de caisses, actionna le loquet rouillé et fit pivoter le vasistas, après quoi il prit appui sur le rebord et se hissa dans l'ouverture. En un rien de temps, il se retrouva sur le toit, dans l'air frais de la nuit, dominant les bâtiments d'Eton qui s'étalaient à ses pieds.

C'était une belle nuit d'été. Le ciel était clair et la lune, presque pleine. Par-dessus les toits, on pouvait distinctement voir la Tamise et le château de Windsor, sur la rive opposée. Bien qu'il fût presque minuit, une certaine agitation régnait encore dans les rues. Les fenêtres étaient éclairées, quelques voitures circulaient, une péniche remontait lentement la rivière en direction de Maidenhead.

James avait tout planifié minutieusement. Il avait remarqué qu'on n'ouvrait pratiquement jamais la porte du débarras. Pour s'en assurer, il avait barré le trou de la serrure par un cheveu tenu par deux minuscules gouttes de graisse. Une semaine était passée, puis deux, le cheveu était toujours en place. Du dehors, il avait repéré la lucarne. Il ne lui restait donc plus qu'à trouver le moyen d'entrer dans la pièce. La découverte du vide sous le plancher à l'occasion de l'intervention d'un plombier sur une fuite dans les canalisations des douches avait résolu ce problème.

Après un dernier coup d'œil pour s'assurer que le champ était libre, il remonta à pas de loup vers le faîte du toit. Arrivé au sommet, il prit appui sur les cheminées et se laissa glisser de l'autre côté, jusqu'à une partie plane. Il y avait une grande verrière ovale qui saillait à cet endroit. James se baissa autant qu'il le put pour éviter que sa silhouette ne se dessine sur le ciel nocturne et il avança jusqu'à se retrouver à l'aplomb du bureau de Codrose. La plupart du temps, à cette heure de la nuit, il trouvait le recteur d'internat assis là, noircissant les pages de son journal de sa petite écriture en pattes de mouche et sirotant secrètement un petit verre de gin.

James se colla au toit puis avança de côté en regardant à travers la paroi translucide. Assurément, Codrose était là. C'était un homme mince avec une courte barbe qui lui mangeait la moitié du visage. Ses yeux étaient aussi froids et inexpressifs que ceux d'un hareng. À Eton, nombreux étaient les recteurs d'internat appréciés de leurs pensionnaires. Mais pas Codrose. Il était méchant et dur et, pour couronner le tout, il servait les pires repas de l'école.

James observa un moment le recteur, penché sur son bureau, qui griffonnait une feuille de papier, se demandant ce qu'il pouvait bien écrire. Sa position lui donnait un sentiment de puissance. De là-haut, il pouvait voir sans être vu. Il ne tarda pas néanmoins à reprendre sa route. Il avait d'autres choses à faire que d'épier Codrose.

Quand il atteignit l'autre extrémité du toit, il grimpa à nouveau au faîte et se laissa prudemment glisser le long de la pente, jusqu'à une grosse gouttière de pierre. Il avança sur la rigole à la manière d'un funambule, les bras écartés pour garder son équilibre, jusqu'au coin de l'immeuble. C'était la partie la plus dangereuse de l'itinéraire. Il devait sauter d'un immeuble à l'autre par-dessus l'étroite allée pavée qui les séparait. Il baissa les yeux pour s'assurer qu'il n'y avait personne en bas puis il recula lentement le long de la gouttière pour prendre son élan. Il prit une profonde inspiration puis se rua vers le bord. Il décolla au dernier moment et atterrit souplement de l'autre côté. Profitant de la vitesse acquise, il traversa en courant le petit toit plat et, sans s'arrêter, franchit un nouveau vide, plus petit que le précédent. C'était la partie du chemin que James préférait. Il fallait courir, sauter, grimper, sur une série de toits facilement accessibles jusqu'à arriver finalement à la longue rigole, recouverte de plomb, qui menait au faîte du dernier toit. Il monta en courant et se faufila entre les cheminées. Une voix l'arrêta.

– Qui c'est ? murmura un jeune garçon dans la nuit.

– James Bond.

– C'est bon. Entre.

Le toit de ce bâtiment ressemblait à celui de Codrose, avec une partie plane au sommet, coincée entre les cheminées. Mais celle-ci était plus petite et il n'y avait rien de semblable au dôme de verre qui coiffait l'internat de James. Mis à part une petite trappe de visite au milieu, le toit était parfaitement nu et fournissait par conséquent un lieu de réunion secrète idéal pour un groupe de jeunes garçons aventureux qui s'étaient eux-mêmes constitués en club, le club du Danger.

Eton fourmillait de cercles, de clubs et de sociétés : le club de Musique, la société des Cinéphiles, le cercle d'Histoire naturelle, la société d'Archéologie, pour n'en citer que quelques-uns. Le club du Danger était différent. Il s'agissait d'une société secrète rassemblant des garçons qui aimaient par-dessus tout prendre des risques. Si, par malheur, on découvrait son existence, ses membres auraient de graves ennuis.

James, qui était encore bizut à Eton, était le cadet des membres du cercle. Il avait été approché, et introduit, par Andrew Carlton, un ami de deux ans son aîné. Ils s'étaient connus durant le terme précédent, pour employer un mot du jargon d'Eton où l'on disait terme à la place de trimestre. Andrew avait vite compris que James était de la même espèce que lui, un garçon intrépide qui n'aurait rien contre le fait de pimenter une routine scolaire que tous deux trouvaient pesante.

Devenir membre du club était facile. Il suffisait de se présenter au repaire sur le toit sans se faire prendre. Il avait fallu du temps à James pour trouver un moyen d'y parvenir, mais il avait persévéré et, ce soir, c'était sa cinquième réunion.

James remarqua Andrew dès son arrivée. Il fit ensuite un rapide décompte des autres.

– Cinq. Qui manque ?

– Gordon Latimer, répondit Andrew. Toujours en retard celui-là. Tel que je le connais, il s'est probablement endormi.

– Et Mark Goodenough ? demanda James. C'est pas lui qui arrive en premier, d'habitude ?

– Mark n-n'viendra p-pas c'soir, répondit Perry Mandeville, le président fondateur du club. I-il a appris u-une m-mauvaise nouvelle, pas qu'Machin truc a attrapé un rhume ou qu-quoi, non, non, une vraie mauvaise nouvelle, apparemment, ça craint un max, j'ai bien peur qu'on ne le r'voie pas parmi nous c't'année.

Perry était un garçon agité. Une tête brûlée qui n'était jamais en reste quand il s'agissait de proposer aux autres un nouveau défi. Il ne tenait pas en place et possédait un débit hallucinant : une vraie mitraillette. Par moments, on avait l'impression que son cerveau avait du mal à suivre sa bouche et que, pour combler son retard, il obligeait sa langue à fourcher.

– Que s'est-il passé ? demanda James en s'asseyant contre le mur.

– S-sa famille a disparu en mer, répondit Perry sur un ton dramatique. Mer M-Méditerranée…

– Ne sois pas si sensationnaliste, le coupa Andrew. Pour l'instant, personne ne sait exactement ce qui s'est passé.

Il s'assit à côté de James et lui tendit un morceau de chocolat.

– Ils naviguaient à bord de leur voilier et le bateau a disparu.

– Bah, t'avoueras que c'est quand même aut'chose d'dire : « Disparus en mer », ajouta Perry en se tortillant sur place. On dirait un titre de r'man d'aventures, ils ont p't-être f-fait naufrage, p't-être qu'y se sont échoués sur une île déserte, ou p't-être qu'y zont été dévorés par des r'quins, y a des r'quins en M-Méditerranée, bon, OK, pas très gros…

– Ouais, l'interrompit Andrew. Et à t'entendre, on pourrait croire que tu espères vraiment qu'ils ont été dévorés par des requins.

– N-ne dis pas n'porte quoi, M-Mark est mon ami.

– Justement. Et là on parle de la réalité. Pas d'une fiction. Souviens-toi comme on a tous essayé de te soutenir quand tu as eu ton coup dur.

– Quel coup dur ? demanda James.

– C't arrivé pendant le dernier terme, expliqua Perry. Tu n'faisais pas encore partie du club, des cambrioleurs ont braqué notre maison à Londres, y z-ont emporté une série de tableaux, heureusement, m-mes parents n'étaient pas là quand c't arrivé, mais un des domestiques a été salement passé à tabac, ma mère et mon père n's'en sont pas encore vraiment remis.

– Exact, poursuivit Andrew. Et maintenant, imagine que tes parents se soient trouvés dans la maison ce jour-là... Et qu'ils aient été blessés. Tu crois que tu apprécierais qu'on plaisante à ce sujet ?

– D-désolé, répondit Perry avant de poursuivre, m-mais t'admettras quand même qu'l'histoire paraît extraordinaire.

Andrew soupira et leva les yeux au ciel. Enfin, il ne pouvait pas vraiment en vouloir à Perry car, après tout, le frisson, l'excitation et l'adrénaline étaient les raisons d'être du club du Danger, qui se réunissait une fois par semaine, un jour différent à chaque fois. La date était déterminée au hasard en tirant un papier dans un chapeau, pour éviter toute forme de routine. Ils ne faisaient pas grand-chose ces nuits-là. Ce qui comptait, c'était arriver jusque-là sans encombre car, une fois qu'ils étaient en place, ils se contentaient de rester assis à discuter, à fumer des cigarettes et à imaginer de futures actions. Pour autant, même si les membres du cercle du Danger paraissaient détendus lors de leurs réunions, tous avaient parfaitement conscience qu'ils risquaient gros et que, si jamais ils étaient pris, les conséquences pouvaient s'avérer dramatiques. Mais c'était précisément ce qui rendait ces réunions si excitantes. Il était tard, James était fatigué et, pourtant, il n'aurait échangé sa place à aucun prix. Il était transporté. Il vibrait d'excitation de se retrouver là en pleine nuit.

Depuis son arrivé à Eton, moins d'un an auparavant, il avait déjà traversé son lot d'épreuves. À Pâques, il s'était retrouvé embringué dans les sombres intrigues de lord Randolph Hellebore, le père d'un de ses condisciples [1]. James avait failli se faire tuer dans l'aventure et il avait été témoin de choses que, pour rien au monde, il ne souhaitait revoir. Pourtant, quand il avait fini par se remettre de ses émotions, la vie lui avait soudain paru fade et inintéressante.

Il avait bien tenté de se glisser à nouveau dans le costume du gentil petit écolier sans histoire, en vain. Ce qu'il avait vécu l'avait éloigné de ses amis et, en dépit de tous ses efforts pour oublier cette douloureuse expérience, il n'y parvenait pas.

En dehors du risque de tomber du toit, l'escapade du jour n'était pas réellement dangereuse, mais c'était toujours mieux que de rester au lit à essayer de dormir. Bien sûr, les cours du lendemain allaient pâtir de cette veillée, mais bon, il y avait autre chose dans la vie que la grammaire latine. En outre, s'il donnait un bon coup de collier les jours suivants, il comblerait sans doute son retard. M. Merriot, son chargé d'études, qui supervisait sa scolarité, le sermonnait régulièrement, lui reprochant de ne pas travailler assez. Mais James était doué. Il parvenait sans trop d'effort à se maintenir au niveau. Aussi ne s'inquiétait-il pas trop pour ça.

– Écoutez ! lança soudain Perry. J'p-propose une virée en bagnole, marre de rester assis là à rien faire, on va finir par p-prendre racine, Andrew et moi, on conduira jusqu'à Londres, de nuit bien sûr, qu'est-ce que vous en dites ?

1. cf. *Opération Silverfin.*

– Ça semble risqué, coupa James.

– Ben j'te rappelle que c'est précisément pour ça qu'on a créé ce club, pour p-prendre des risques.

– Je ne pensais pas à toi, rétorqua James. Je me contre-fiche de ce qui pourrait t'arriver, Perry. Ce qui m'inquiète, c'est la voiture.

Une des raisons qui faisaient de James une des figures du cercle du Danger – et qui contrebalançait largement le fait qu'il soit son plus jeune membre – était qu'il possédait une voiture. Celle-ci avait appartenu à son oncle, qui lui avait aussi appris à la conduire. À sa mort, il la lui avait léguée. James avait persuadé sa tutrice, censée garder le véhicule jusqu'à ce qu'il ait l'âge légal pour la conduire, de le laisser emmener l'engin à Eton où il pourrait servir de support à quelques cours de mécanique, sous la stricte surveillance d'un professeur, cela allait de soi.

En réalité, elle était cachée dans une remise située dans une petite rue calme de Windsor, juste derrière les casernes. Le garage appartenait à Perry et il pensait constamment à un moyen d'utiliser la voiture, un roadster Bamford & Martin de un litre et demi de cylindrée. Le problème, c'était que conduire était non seulement contraire aux règles de l'école, mais aussi contraire à la loi tout court.

Ils en étaient là, discutant passionnément de la proposition de Perry, quand ils entendirent des bruits de pas pressés venant dans leur direction. Gordon Latimer ne tarda pas à apparaître au sommet du toit. Après une roulade désordonnée le long de la pente, il déboula parmi eux.

– Ça pour une entrée ! ironisa Andrew, goguenard.

– Chut, l'interrompit Gordon en tournant la tête de tous côtés et en s'accroupissant sur le sol.

Ses vêtements étaient en partie déchirés et en désordre.

– Ils sont après nous, ajouta-t-il, hors d'haleine.

– Qui ça ? demanda James en guettant les alentours.

– Je ne sais pas exactement, répondit Gordon en balbutiant. J'ai été repéré. Ils sont à mes trousses.

– Qui ? La police ? demanda Andrew.

– À mon avis, ce sont des *beaks*, dit Gordon, toujours aussi affolé. J'ai fait mille détours pour essayer de les semer, mais il y a un groupe qui vient par ici. On doit se tirer en vitesse.

Il n'avait pas fini sa phrase qu'ils entendirent des cris monter de la rue en contrebas.

– Dispersion ! ordonna simplement Andrew.

Et, la seconde d'après, il avait disparu.

Les autres l'imitèrent l'instant suivant, détalant chacun de son côté, selon un plan de repli depuis longtemps établi.

James ne demanda pas son reste. Il bondit sur ses pieds, se jeta de l'autre côté du toit et s'enfuit à toutes jambes, le cœur battant.

Il voulait du danger, du risque ? Eh bien, il allait être servi !

Double M

James essayait de ne pas penser à ce qui se passerait si, par malheur, il était pris. Il ne faisait aucun doute qu'il recevrait une bonne correction, et, pire encore, il serait probablement exclu d'Eton. Personnellement, cela ne le souciait guère, mais il détestait l'idée de décevoir sa tutrice, tante Charmian.

Ses parents étaient morts dans un accident d'escalade quand il avait onze ans et, depuis lors, il avait été élevé par sa tante. Pour rien au monde il n'aurait voulu lui faire de la peine.

Bien sûr, il aurait probablement mieux fait d'y penser avant de se fourrer dans ce guêpier. Mais il était trop tard pour avoir des remords.

Il tenta d'emprunter son itinéraire habituel. À mi-chemin, il découvrit que la route était bloquée. Les poursuivants avaient installé une échelle contre un des bâtiments. Un homme grand et gros en avait entrepris l'ascension.

Acculé, James se risqua à prendre un chemin inconnu. Il coupa par l'arrière de l'immeuble, traversa en courant plusieurs toits avant de descendre à toute allure le long d'une gouttière. Il se retrouva dans un dédale de baraques et de remises. Il faisait très noir et, rapidement, il comprit qu'il était perdu. Courant dans tous les sens, il cherchait désespérément un moyen de rejoindre un endroit connu quand il entendit qu'un groupe de recherche avançait dans sa direction. Il se rua à l'assaut d'une petite baraque en rondins et se cacha derrière une haute cheminée de brique jusqu'à ce que le danger soit écarté. Il crut reconnaître les toits qui se trouvaient non loin de là, aussi fila-t-il le long de la bâtisse et sauta-t-il sur le toit suivant. En atterrissant, il fit glisser une tuile qui s'écrasa bruyamment sur le trottoir. Des pas rapides et lourds retentirent dans la nuit, bientôt suivis d'un cri tout proche, dont l'écho se propagea dans les rues désertes.

Il se précipita vers le sommet du toit et passa de l'autre côté, mais, décidément, sa bonne étoile était aux abonnés absents ce soir-là car, sous ses pas, deux nouvelles tuiles se détachèrent. Il perdit l'équilibre et dégringola en direction du vide.

Le toit était couvert de lierre. Il tenta désespérément de s'y raccrocher, mais ne réussit qu'à arracher des pans de végétation. Heureusement, celui qui poussait sur la façade était plus dense, ses branches plus solides. Il parvint à en attraper une et à stopper sa chute. Les tuiles, elles, poursuivirent leur route jusqu'au sol où elles explosèrent avec fracas sur le pavé. Un grand silence suivit.

James assura sa prise sur le lierre et tenta de ralentir le rythme effréné des battements de son cœur.

Le club du Danger avait beau être divertissant, il ne valait tout de même pas la peine qu'on risque sa vie pour lui.

Mentalement, il évalua la situation. Il était couvert d'écorchures et de bleus, mais, pour le moment, toujours sain et sauf.

Il regarda autour de lui. Il se trouvait dix mètres au-dessus d'une cour, ceinturée d'une épaisse végétation. À part ça, il n'avait aucune idée de l'endroit où il était. Ces maisons semblaient laissées à l'abandon. Elles étaient si couvertes de lierre qu'elles n'évoquaient pas du tout Eton mais bien un quelconque temple oublié en pleine jungle.

James s'apprêtait à descendre de son perchoir quand une fenêtre du rez-de-chaussée s'alluma. Quelques instants après, la porte s'ouvrit. Des voix résonnèrent dans la nuit.

Le halo de lumière provenant de la fenêtre n'était pas suffisant pour voir ce qui se passait. La flamme d'une allumette **lui** permit toutefois de distinguer les silhouettes de deux hommes. L'un d'eux fumait une cigarette. James apercevait un rougeoiement à chaque fois que l'homme tirait une bouffée et l'odeur de tabac lui chatouillait les narines.

Les deux hommes regardèrent brièvement autour d'eux et, bien évidemment, remarquèrent aussitôt les tuiles brisées. James aperçut deux taches claires quand ils levèrent les yeux en direction du toit. Par chance, il était parfaitement camouflé dans l'épaisse frondaison du lierre et ses vêtements sombres ne permettaient pas de le repérer.

Un des hommes avait sans doute ramassé un morceau de tuile car James entendit bientôt un nouveau bruit de casse, quand l'inconnu s'en débarrassa en le jetant au loin. Immédiatement après, le second, celui qui fumait, éclata de rire.

Ils demeurèrent un moment dans la cour à discuter, leurs voix étouffées par l'épaisse couche de lierre qui couvrait les murs. James tendit l'oreille pour écouter ce qu'ils disaient. En dépit de ses efforts, il ne comprenait pas le moindre mot. Il lui fallut un moment pour réaliser qu'ils parlaient une langue étrangère. James redoubla de concentration. De l'espagnol ?

Non.

De l'italien peut-être ?

Non.

Pourtant, il y avait définitivement quelque chose de familier dans cet idiome.

James était bon en langues. Il avait grandi en Suisse. Il parlait couramment français et allemand. Alors pourquoi ne reconnaissait-il pas celle-ci ?

Il sursauta quand, tout à coup, il comprit que ces deux hommes parlaient… latin.

L'étrange syntaxe antique et son vocabulaire exotique s'imposèrent à lui. *Tutus est*, tout va bien ; *navis*, bateau ; *sanguis*, sang.

James était sous le choc. Le latin est une langue morte, personne ne le parlait plus de nos jours. Peut-être s'agissait-il de la seule langue que ces deux hommes avaient en commun. Cela paraissait improbable, mais c'était une possibilité. Ou peut-être deux professeurs de latin qui voulaient pratiquer et s'impressionner l'un l'autre. Cela semblait une explication plus plausible, d'autant que l'un des deux avait définitivement un air de prof.

Une fois de plus, le fumeur éclata de rire. Un rire brutal et cassant. Il écrasa sa cigarette et tous deux retournèrent à l'intérieur. Au bout de quelques minutes, la lumière s'éteignit. La cour fut à nouveau plongée dans l'obscurité et le silence. James attendit, tendant l'oreille. Finalement, il entendit un bruit. Selon lui, la porte de devant qui claquait.

Il était face à un dilemme : remonter et tenter à nouveau le coup par les toits, ou descendre et essayer de s'échapper par la rue en passant par la maison ?

Les deux solutions comportaient des risques.

Il n'eut pas à réfléchir longtemps. La décision s'imposa d'elle-même quand le lierre, avec un bruit de déchirure, commença lentement à se détacher de la façade. Descendant aussi vite qu'il put, il parvint de justesse à éviter la chute.

Du sol, il pouvait identifier plus de détails. La moitié de la cour était pavée tandis que l'autre était recouverte de terre battue. Il y avait une construction arrondie qui aurait bien pu être un vieux puits, des restes de vieilles colonnes de pierre, une fosse ainsi qu'un bout de mur orné de bas-reliefs à moitié cassés. L'ensemble était si mal en point et si recouvert de lierre qu'il était difficile de dire ce qui avait bien pu s'élever là, mais le premier sentiment de James – qu'il se trouvait dans une sorte de temple oublié – n'était finalement pas aussi irréaliste que cela.

Il essaya d'ouvrir les portes et les fenêtres. Elles étaient toutes verrouillées. Il commençait à envisager de retourner sur le toit quand il aperçut une ouverture, au ras du sol, à moitié enfouie sous le lierre. Elle était entrouverte et semblait donner sur une cave. Il s'accroupit et testa la résistance du dormant à l'aide de son couteau. Il était si vermoulu qu'il n'eut aucun mal à le forcer et à se glisser à l'intérieur.

Il referma la fenêtre derrière lui et alluma sa torche. Il se trouvait effectivement dans une cave. Deux ou trois tableaux de couleur sombre étaient posés contre un mur. Au centre, quelques caisses de bois qui avaient visiblement servi de table de fortune. Dans l'obscurité, James distingua une carte d'Italie et une pile de livres posés dessus.

Une des caisses portait sur son flanc deux grosses lettres peintes au pochoir. Un double M. Il remarqua immédiatement que le même motif ornait la couverture d'un des livres. Il s'en saisit et l'ouvrit. Des pages et des pages de texte latin.

Il n'avait pas le temps de lire. Il fallait qu'il sorte de là.

Il reposa le livre et tourna les talons. Ce qu'il vit alors apparaître dans son champ de vision le fit tressauter et faillit même lui arracher un cri d'effroi.

Juste à côté de la porte, une silhouette fantomatique, pâle comme la mort, lui faisait signe d'approcher. Parfaitement immobile, l'homme plantait ses yeux dans ceux de James.

Toutefois, celui-ci réalisa bien vite qu'il s'agissait seulement d'une autre toile.

– Vous ne devriez pas faire ça, dit doucement James après un long soupir. Vous avez failli me faire mourir de peur.

Il se frotta la nuque et, une fois que son cœur eut repris un rythme normal et que ses jambes eurent cessé de trembler, il s'approcha du portrait pour l'examiner de plus près.

Le tableau représentait un homme en pied, grandeur nature, portant une longue toge romaine dans une pose princière, une main appuyée sur une colonne de marbre, l'autre tendue vers le spectateur.

Ses cheveux gris étaient coupés très court et son teint si blafard qu'il en devenait presque lumineux. Face au portrait, James se sentait mal à l'aise car le regard était d'un réalisme saisissant.

Quatre lettres étaient gravées au bas du cadre lourdement ouvragé : UCMM, mais, à part cet indice, rien ne permettait d'identifier le sujet du tableau.

– À la revoyure, lança James ironiquement avant d'ouvrir la porte.

La voie était bloquée par un lourd rideau. Il le repoussa et sortit. Si la cour ressemblait à un temple, la pièce dans laquelle il se retrouva avait toutes les allures d'une chapelle. Les murs étaient nus et une grosse table de bois massif trônait à un bout, comme un autel, mais pas un autel chrétien.

La peinture au-dessus de la table représentait un homme en armure romaine plantant un sabre dans l'encolure d'un taureau. Une longue giclée de sang écarlate volait dans les airs.

Deux récipients étaient posés sur la table. Deux bols ordinaires, comme on en utilise en cuisine. Le premier contenait une tête de poulet et l'autre était à moitié rempli d'un épais liquide brunâtre qui commençait à coaguler sur les bords.

James le renifla et se souvint d'un des rares mots latins qu'il avait réussi à comprendre : *sanguis*.

Quelque chose n'allait pas. Soudain, il se sentit effrayé et comprit qu'il devait rapidement quitter cet endroit. Il fonça jusqu'à la porte à l'autre bout de la chapelle, l'ouvrit. Elle donnait sur une courte volée de marches. Il monta l'escalier sur la pointe des pieds et se retrouva au rez-de-chaussée, dans un petit couloir avec une unique fenêtre aux volets clos. Il les ouvrit avec précaution et regarda subrepticement à l'extérieur. La rue semblait déserte. Aussi silencieusement que possible, il ouvrit la fenêtre, sauta prestement sur le rebord puis, après un dernier coup d'œil dans la rue, bondit sur le trottoir.

Il ne savait pas exactement où il se trouvait, aussi progressait-il avec circonspection, demeurant dans l'ombre et espérant qu'il se dirigeait bien vers Codrose. Il commençait à croire qu'il était perdu quand il tourna à un coin de rue et se cogna presque à l'échelle que l'équipe de recherche avait installée contre le mur. Personne n'était en vue, mais, au loin, il entendit retentir un cri et le bruit d'une course-poursuite. Sans hésiter, il se précipita à l'assaut de l'échelle, grimpant deux barreaux à la fois.

Moins d'une minute plus tard, il était de retour sur le toit. En passant à proximité de la verrière de Codrose, il en profita pour jeter un œil à l'intérieur. Il comprit alors qu'il était rentré juste à temps. En effet, le gros bonhomme qu'il avait repéré dans l'équipe de recherche était là. Il parlait à Codrose avec véhémence. Celui-ci l'écouta un instant puis se leva d'un bond, enfila sa veste et tous deux quittèrent la pièce.

Il paraissait évident que le recteur allait contrôler la présence de chacun de ses pensionnaires.

James jura. L'étau se resserrait. Il fallait absolument qu'il retourne dans sa chambre avant que Codrose ne s'aperçoive qu'elle était vide. Il traversa le toit en courant et plongea littéralement dans la lucarne. Il envoya bouler les lattes de plancher puis fonça dans la chatière. Il ne perdit pas de temps à remettre en place les lattes derrière lui. Il ferait ça plus tard. Pour l'instant, la priorité était de retourner dans son lit.

Il se figura Codrose et le gros lard. Ils commenceraient sans aucun doute par les étages inférieurs puis remonteraient en ouvrant une à une toutes les portes de chambre.

Combien de temps cela lui laissait-il ?

Pas assez.

Il avança en se tortillant de manière frénétique dans le goulet poussiéreux et remonta dans les douches. Il inspecta le couloir. Dieu merci, il n'y avait aucun signe de Codrose. Il retourna dans les toilettes et remit rapidement en place les lattes de bois et le carrelage, après quoi il s'approcha à nouveau de la porte. Cette fois, il entendit des voix résonner dans les couloirs ainsi que des allées et venues. Avec mille précautions, il entrebâilla très légèrement la porte, juste assez pour pouvoir jeter un œil dans le couloir. Il vit Codrose et le balourd, accompagnés de l'intendante, Miss Winfrith Drinkell.

Miss Drinkell, qui aidait Codrose à gérer l'internat, était une femme d'âge mûr qui avait toujours l'air fatigué et dont le visage était constamment tordu en une perpétuelle expression de contrariété. Probablement du fait de devoir travailler avec Codrose.

Le trio entra dans une chambre. Dès qu'ils eurent disparu, James en profita pour filer. Il parvint à atteindre la sienne sans être vu. Il venait de refermer sa porte quand il entendit l'escouade sortir de l'autre pièce.

James arracha sa chemise, la fourra sous son lit et s'engouffra sous les couvertures. Au même moment, on frappa brièvement à sa porte. Sans attendre de réponse, Codrose fit irruption dans la pièce et alluma.

James se retourna dans son lit et ouvrit doucement les yeux, battant des paupières, tentant de paraître étourdi et embrouillé.

– *Sir* ? demanda-t-il de son ton le plus ingénu.

– Vous avez entendu quelque chose ce soir, Bond ? demanda Codrose en jetant un regard suspicieux dans la chambre. Vous n'avez vu personne ?

– Non, m'sieur. Je dormais, m'sieur.

Le gros s'approcha de James en se dandinant. Il le fixait des yeux.

– Je vous connais ?

– Je ne crois pas, m'sieur, répondit James innocemment.

– Excusez-nous de vous déranger, James, poursuivit l'intendante – que dans le jargon de l'école, on appelait la Dame. Mais il y a eu du grabuge ce soir.

Codrose renifla, puis il éteignit la lumière et claqua la porte.

James se laissa lourdement retomber en arrière sur son oreiller en poussant un ouf de soulagement. Il était épuisé.

Lui s'en était sorti. Il se demanda si les autres membres du club du Danger avaient eu cette chance. Et si l'un d'entre eux était pris, saurait-il garder le silence ?

Le quatre juin

– C'était quand ?

– Jeudi dernier.

– Et tu ne m'as rien dit pendant tout ce temps ?

– Je ne pouvais pas prendre le risque d'en discuter. Je ne voulais pas impliquer quelqu'un d'autre. Je devais être certain qu'on ne me soupçonnait pas.

– Et ?

James haussa les épaules. On était le quatre juin. Il était dans sa chambre en compagnie de son ami Pritpal Nandra. La matinée s'était déroulée comme n'importe quelle autre : étude du matin, petit déjeuner, puis prières. Après quoi les élèves étaient retournés dans leurs chambres pour se changer car leurs obligations s'arrêtaient là.

– Je ne sais pas, répondit James. Je crois. Tous les autres ont réussi à passer entre les mailles du filet, sauf Gordon Latimer. Son recteur d'internat l'attendait de pied ferme quand il est rentré. Mauvais. Il a été sévèrement corrigé, mais il n'a pas vendu la mèche. Comment il a fait pour ne pas être renvoyé de l'école, ça, je ne le saurai jamais.

– Avoir un père qui possède un lien de parenté, même

43

éloigné, avec le monarque peut parfois s'avérer utile, rétorqua Pritpal avec un brin d'ironie.

Pritpal était un des deux internes avec lesquels James cantinait. Cela voulait dire qu'ils prenaient le thé ensemble, le préparant à tour de rôle dans la chambre de l'un ou de l'autre. D'une manière plus générale, cela voulait dire qu'ils se portaient une attention particulière. Pritpal et Tommy Chong, le troisième larron, étaient les seuls de l'internat à savoir que James était impliqué dans le club du Danger.

Pritpal était un garçon rondouillard, originaire d'Inde, doué d'une grande intelligence, qui adorait écouter James lui raconter ses aventures, mais qui, sous aucun prétexte, n'aurait désiré le suivre dans ses frasques.

– Et où se trouve exactement cette mystérieuse bâtisse ? Celle où tu as aperçu les deux ombres qui parlaient en latin ? demanda-t-il en s'asseyant dans le fauteuil en osier et en essuyant une petite trace de poussière sur ses chaussures parfaitement cirées.

– Difficile à dire, répondit James. Je suis retourné dans le coin pour essayer de la retrouver. Peine perdue. Il faisait très noir cette nuit-là, et j'étais pourchassé, alors je n'ai pas réussi à la situer avec précision.

Pritpal siffla et ajouta :

– T'es un mec chanceux, James.

– Vraiment ? s'esclaffa-t-il. Mais, si j'avais eu tant de chance que ça, je n'aurais tout simplement pas été poursuivi, tu ne crois pas ?

James se regarda dans le petit miroir posé sur le chambranle de la cheminée. Il y découvrit un garçon au visage fin, avec des yeux gris-bleu, une chevelure noire de jais et une mèche rebelle qui, malgré tous ses efforts, tombait constamment devant ses yeux. Il lécha sa main et la recoiffa en arrière. Ça irait pour cette fois.

– T'es prêt ? demanda impatiemment Pritpal en tapotant nerveusement le cadran de sa montre à gousset.

– Ça se pourrait, répondit James nonchalamment en se regardant une dernière fois dans la glace.

La plupart des élèves de première année, les bizuts, portaient de courtes vestes aux couleurs d'Eton sur de ridicules chemises à l'encolure raide et démesurée. Dans le jargon de l'école, on parlait de « frigo-fesse » pour désigner ces improbables vestes ouvertes sur le derrière. Pour trivial qu'il soit, ce vocable avait l'avantage de la clarté. Les chemises étaient particulièrement inconfortables, avec leurs hauts cols amidonnés. Heureusement, dès qu'un garçon dépassait le mètre soixante-cinq, il était autorisé à porter le même uniforme que les anciens : un manteau noir à longue queue de pie, une chemise avec un col plus ordinaire, et une singulière petite cravate blanche avec laquelle il était difficile de ne pas paraître grotesque.

Or James était récemment passé sous la toise, et la Dame avait découvert à cette occasion qu'il avait franchi de quelques millimètres la limite fatidique. Comme le voulait la coutume, il n'avait pas été autorisé à porter ses nouveaux habits avant aujourd'hui : le quatre juin, un des jours les plus importants du calendrier d'Eton, et le seul où les bizuts étaient autorisés à s'endimancher.

Pritpal, qui était juste sous la limite, portait encore son frigo-fesse, mais il avait mis par-dessus un élégant manteau gris et arborait un col de chemise à pans cassés qu'on appelait un « rebiqueur ».

Les anciens chargés de la discipline – les « Pops », comme on dit à Eton – étaient immédiatement reconnaissables à leurs gilets aux couleurs flamboyantes. En outre, eux seuls avaient le privilège de porter leur parapluie roulé quand tous les autres étaient obligés de le tenir détaché. Mais pas aujourd'hui. Le quatre juin, tout le monde avait le droit de rouler son parapluie.

Il ne pleuvait pas, James ne ressentit donc pas le besoin d'en prendre un. Il n'allait tout de même pas se coltiner un pébroc juste pour le plaisir de pouvoir le rouler. Il achèterait une fleur et la porterait à sa boutonnière, mais là s'arrêteraient ses efforts vestimentaires. Il n'avait aucune envie de singer les allures de dandy des Pops.

– De quoi j'ai l'air ? demanda-t-il en se retournant vers Pritpal.

– Très « adulte », répondit Pritpal en se levant de sa chaise. Maintenant, viens. Allons acheter des fleurs avant qu'il n'y en ait plus.

Un dernier détail et James serait prêt.

Il jeta un regard amer au chapeau haut de forme, propre comme un sou neuf, qui était posé sur son lit, accessoire abhorré entre tous. Il se languissait du jour où il pourrait enfin le jeter aux orties et oublier jusqu'à son existence. Mais la règle, c'est la règle.

Il attrapa le chapeau et ils sortirent.

Dehors, ils se joignirent à une horde de garçons surexcités qui déferlaient en direction de la ville. Le quatre juin, traditionnellement, l'école organisait sa journée portes ouvertes. Les rues étaient donc déjà très animées. D'ici quelques heures, elles le seraient encore davantage, bondées de parents d'élèves, de frères et sœurs, de tantes et oncles, de gens du coin, de touristes, d'anciens élèves et de groupes de reporters impatients de prendre tout ça en photo.

Eton était l'école la plus prestigieuse d'Angleterre et nombreux, parmi l'élite du pays, étaient ceux qui y avaient étudié. Le roi Henry VI avait créé cette institution cinq cents ans auparavant et, depuis lors, on y avait inventé un nombre incalculable d'us et coutumes, plus étranges les uns que les autres, qui intriguaient et fascinaient le quidam. La plupart de ces conventions déconcertaient James lui-même qui se demandait parfois s'il s'y ferait jamais.

Mais, aujourd'hui, il ne voulait penser à rien qui puisse entamer son insouciance. La matinée était belle et ensoleillée et il comptait bien profiter au maximum de l'atmosphère de vacances qui, une fois n'est pas coutume, régnait dans l'école. Il était anxieux et soucieux depuis sa nuit sur les toits, aussi ne boudait-il pas son plaisir de se sentir enfin un peu détendu.

Un groupe de garçons se pressaient devant le stand d'une vieille marchande de fleurs sur Barnes Pool Bridge. James et Pritpal se frayèrent difficilement un chemin jusqu'à l'étal. James était en train de payer quand quelqu'un l'attrapa par l'épaule et le tira violemment en arrière. Passablement énervé, il se retourna et jeta un regard noir à un garçon à l'air dévasté par le chagrin dont le visage boutonneux portait des traces de larmes récemment versées. Au début, James ne le reconnut pas.

– Bas les pattes, crétin, coupa-t-il simplement en repoussant vivement la main du garçon.

– J'ai besoin des clés, dit le garçon d'une voix cassée.

C'est là que James le reconnut. Mark Goodenough. Celui qui n'avait pas pu assister à la dernière réunion du club du Danger, celui dont la famille avait disparu.

– Ah, c'est toi, Mark ! Dis, tu vas bien ? s'enquit-il alors même qu'il lui paraissait évident que ce n'était pas le cas.

– J'ai besoin des clés, répéta Mark.

– Quelles clés ? demanda James, surpris et légèrement mal à l'aise pour son ami. De quoi tu parles ?

Mus par une curiosité naturelle, les garçons autour d'eux commençaient à se rapprocher.

– Les clés du garage. J'ai besoin de la voiture.

47

Pour toute réponse, James posa une main sur le bras de Mark et l'attira à l'écart.

– Mark, dit-il en baissant la voix. Je ne peux pas te laisser prendre la voiture, pas aujourd'hui, et encore moins dans ces conditions.

Mark était plus âgé que James… et aussi beaucoup plus grand. Il retira vivement son bras et lui lança un regard si mauvais que celui-ci crut un instant qu'il allait le frapper. Finalement, il se contenta de bougonner un juron avant de tourner les talons.

– Je vais aller trouver Perry, cria-t-il par-dessus son épaule. Lui me les donnera.

James et Perry étaient les deux seuls membres du club à posséder les clés du garage.

– Par tous les diables, qu'est-ce que c'est que cette histoire ? demanda Pritpal en accrochant une fleur à sa boutonnière. Et de quelle voiture parlait-il ?

– C'est rien, répondit James, pensif. Il est choqué, voilà tout.

Il n'avait parlé à personne de la voiture en dehors du cercle. Il avait mis Pritpal dans la confidence sur bien des sujets, mais pas sur celui-là. Parfois, ce sont les meilleurs amis qui crachent le morceau.

– Tu crois que ça va aller ? demanda Pritpal.

James regarda Mark s'éloigner sur le pont, envoyant bouler tous ceux qui se trouvaient sur son passage.

– Je l'ignore, finit-il par répondre, essayant de ne pas paraître inquiet. Je l'espère.

Deux heures plus tard, James se promenait nonchalamment aux côtés de tante Charmian. Arrivés près du chemin de la Grande-Ourse, ils tentèrent d'apercevoir, par-dessus la foule qui se pressait autour du terrain, la partie de cricket opposant le XI de l'école et les Eton Ramblers, une équipe d'anciens élèves. Non loin de là, sur Upper Club, une fanfare jouait un air entraînant qui, malgré les efforts des musiciens, avait bien du mal à se faire entendre dans le brouhaha ambiant, alimenté par une foule de parents d'élèves pressés de discuter des derniers potins ou de s'enquérir des résultats scolaires de leur progéniture.

Au milieu de la foule, James remarqua Andrew Carlton, une mine de six pieds de long, se balançant impatiemment d'un pied sur l'autre, pendant que ses parents inondaient l'évêque de leurs questions. Charmian ne connaissait personne ici, ce qui ne l'empêchait pas de jouir du spectacle sur lequel elle posait l'œil amusé et ironique de l'observateur étranger. Quant à James, il prenait grand plaisir à lui servir de guide.

Charmian était anthropologue. À ce titre, elle avait voyagé sur les cinq continents et étudié nombre de cultures et de peuples différents. Au cours de sa carrière, elle avait vécu avec les Esquimaux du Groenland, les Touareg du Sahara, les Mindima de Papouasie-Nouvelle-Guinée ou les Paduang des collines de Birmanie, dont les femmes allongent leurs cous avec de lourds anneaux de cuivre, mais, à l'entendre, elle n'avait jamais rien vu d'aussi exotique que ce rassemblement d'Eton.

– *A priori*, tout cela devrait me sembler familier. Je suppose que je devrais même connaître le sens de ces coutumes étranges, dit-elle avec un petit sourire ironique sur les lèvres, pourtant j'ai bien peur de l'ignorer.

– Il s'agit de fêter l'anniversaire du roi George III, expliqua James le plus naturellement du monde.

– Mais qui diable voudrait célébrer une chose pareille ? demanda sa tante avec un petit rire.

Il pouffa, lui aussi.

49

– Apparemment, c'était un amoureux de cette école. Il passait son temps à rôder dans les allées et à discuter avec les élèves.

– Grand bien lui fasse…

Le château de Windsor se trouvait juste en face de l'école, sur la rive opposée de la Tamise. Depuis le règne de Henry VI, les monarques anglais s'étaient très variablement intéressés à l'école. Toutefois, depuis qu'un élève d'Eton avait sauvé la reine Victoria – lors d'un attentat manqué devant la gare, où un détraqué avait tenté de lui tirer dessus – l'attitude de la Couronne avait changé. James avait ainsi pu voir par deux fois le roi actuel, George V, et il se demandait souvent à quoi pouvait ressembler la vie d'un souverain, derrière les hauts murs du château.

Charmian invita James à déjeuner dans un restaurant près du fleuve, après quoi ils flânèrent jusqu'à une immense pelouse au bord de l'eau, un endroit appelé la Brocas. Une foule énorme et survoltée se trouvait déjà sur place lorsqu'ils arrivèrent. Tout le monde était rassemblé pour assister au clou de cette journée : la parade des bateaux.

Des rais de lumière dorée scintillaient à la surface, changeant les eaux habituellement mornes et boueuses de la Tamise en un chatoyant tapis bleu rehaussé d'argent.

– Comment vont les cours ? demanda Charmian en tournant son visage vers le soleil.

– J'ai bien peur de ne pas souvent inscrire mon nom au tableau d'honneur, répondit James. J'essaie de travailler dur et de m'intéresser à tout, mais il m'arrive de me demander quel est l'intérêt d'étudier le latin.

Charmian éclata de rire.

– Ne compte pas sur moi pour te le dire ! À l'école, on ne m'a pas appris grand-chose d'autre que l'art et la manière d'attraper un mari et de le garder à la maison. À croire que, là non plus, je n'ai pas été assez attentive… Mon Dieu ! Qu'est-ce que c'est que ça ?

Le premier bateau venait d'apparaître sous le pont de la gare. Il était emmené par un équipage de jeunes rameurs portant l'uniforme que les marins arboraient du temps de Nelson : pantalon blanc, chemise rayée, veste bleue et chapeau de paille décoré avec d'énormes bouquets de fleurs. Assis à l'arrière, la main sur le gouvernail, un petit barreur en habit d'amiral : Nelson à échelle réduite.

Quand les bateaux arrivaient au bout de la Brocas, les rameurs se levaient pour saluer la foule, rame dressée vers le ciel, une manœuvre moins anodine qu'elle ne pouvait paraître à première vue car très propice à la gîte. James, comme beaucoup d'autres garçons dans les rangs des spectateurs, espérait secrètement que quelqu'un tombe à la baille, mais ce ne fut pas le cas ce jour-là.

Pendant le défilé des autres bateaux, Charmian se tourna vers James.

– Voilà de quoi je voulais te parler, les vacances.

– Tu as toujours prévu de partir ? demanda James.

– Je crois bien que oui. C'est une opportunité que je ne peux pas laisser passer. Tu imagines ! Nous allons remonter l'Amazone et rencontrer des tribus qui n'ont jamais été contactées. Leur mode de vie n'a pas évolué depuis des milliers d'années…

Elle marqua une pause et passa une main autour des épaules de James.

– Crois-moi, ce n'est pas de gaieté de cœur que je t'abandonne. Enfin, peut-être qu'on pourra trouver un membre de la famille pas trop farouche chez lequel tu pourras aller…

– Ne t'inquiète pas pour ça, je m'en sortirai…

– J'en suis sûre.

51

James recula d'un pas pour mieux voir et, ce faisant, écrasa le pied de quelqu'un. Il se retourna en s'excusant.

C'était M. Merriot, le chargé d'études de James.

– Hé là, du calme, jeune homme, dit l'enseignant avec un sourire.

M. Merriot était un échalas dégingandé avec des cheveux gris en bataille dont les jambes et les bras maigrelets évoquaient les pattes d'un phasme. Comme à l'accoutumée, une pipe éteinte sortait de sa bouche, comme un écho à son long nez crochu.

James le présenta à sa tante et M. Merriot, l'homme qui se trouvait à ses côtés.

– Je vous présente mon collègue, John Cooper-ffrench.

Ce dernier était tout le contraire de M. Merriot. Court et râblé, il respirait la force brute. Il avait un gros nez épaté, une peau couperosée et une toute petite moustache impeccablement taillée. Il portait un chapeau mou et des gants de daim gris.

– Monsieur Cooper-ffrench est le président de l'académie de Latin d'Eton, expliqua M. Merriot.

– James me disait justement qu'il ne voyait vraiment pas l'intérêt d'étudier le latin, déclara Charmian en souriant.

Le garçon sentit aussitôt une sueur froide perler sur ses tempes.

– Il a dit ça ? feignit de s'étrangler M. Merriot en ouvrant de grands yeux.

James se concentra pour ne pas rougir.

– Et je ne suis pas loin de partager son point de vue, poursuivit Charmian.

– Balivernes ! aboya Cooper-ffrench d'une voix rauque et cassante. Je ne suis pas sûr, madame, que vous puissiez parfaitement mesurer la portée de ce que je vais dire, mais je peux vous assurer que le latin constitue la racine à partir de laquelle notre magnifique langue anglaise a prospéré, la fondation sur laquelle toute notre civilisation s'est construite. Comment un garçon peut-il espérer devenir un jour véritablement éloquent sans une bonne connaissance du latin ? Peut-être la question n'est-elle pas aussi cruciale pour les femmes, qui n'ont pas à se préoccuper de tels enjeux ; en revanche, pour un homme qui veut réussir dans la vie, l'étude du latin est absolument vitale. Personne ne peut prétendre être cultivé sans une parfaite connaissance de la langue latine.

– Ne vous méprenez pas, répondit Charmian poliment. Je pense effectivement que l'étude des langues est une bonne chose. J'en parle moi-même cinq et, au cours de mes voyages, j'ai été en contact avec une telle diversité de dialectes et de cultures, chacune fascinante à sa manière, qu'il me serait impossible de les compter.

Elle marqua une pause, puis, avec un large sourire à l'adresse du maître de conférences au teint de betterave, elle reprit :

– Mais, voyons, monsieur Cooper-ffrench, pouvez-vous affirmer en me regardant dans les yeux qu'à notre époque la chose la plus essentielle qu'un garçon puisse apprendre à l'école est le latin ?

– Je le peux, madame, grogna Cooper-ffrench, le visage de plus en plus rouge. Je dirais même que, s'il ne tenait qu'à moi, les garçons n'apprendraient rien d'autre.

– Le latin serait-il d'un quelconque secours à James s'il faisait naufrage, ou s'il devait quitter un immeuble en flammes ? demanda Charmian. La connaissance de cette langue serait-elle de nature à l'aider face à des gangsters, à des trafiquants de diamants ou à un détraqué portant une bombe ?

– Je vous en prie, miss Bond, répliqua Cooper-ffrench avec un petit gloussement condescendant. Ne vous laissez pas emporter par votre imagination toute féminine. Nous sommes à Eton. Et j'ai du mal à croire que ce garçon, James Bond, soit destiné à mener une vie d'aventurier, pleine de dangers et de rebondissements. Il est beaucoup plus probable qu'il exerce dans la banque, l'assurance ou peut-être même la loi, où, croyez-moi, la connaissance du latin est essentielle, car, bien sûr, je ne parle pas seulement de la langue mais aussi de l'influence considérable que Rome exerce, aujourd'hui encore, sur notre civilisation.

– Monsieur Cooper-ffrench, reprit gentiment Charmian, les classiques sont remplis d'histoires de dieux prenant des apparences diverses pour descendre sur terre et enlever des femmes. Mais peut-être estimez-vous qu'il s'agit là du seul sort auquel nous autres représentantes du sexe faible soyons destinées ?

– Grossière caricature.

– Vraiment ? Il me semble au contraire que la civilisation romaine n'était guère reluisante. À bien des égards, les Anciens se comportaient comme des barbares, poursuivit Charmian légèrement échauffée. Leurs empereurs ne cessaient de s'entre-tuer. En cinquante ans, entre 285 et 235 avant Jésus-Christ, ils en ont eu vingt ! Aussi ai-je du mal à croire qu'il s'agisse là d'hommes dont il faille s'inspirer pour faire avancer la civilisation.

– Bien ! railla Cooper-ffrench, je ne vois pas l'intérêt de discuter de cela avec vous. Et je ne sais pas qui a dit que la moindre parcelle de culture devenait un grand péril quand elle était insufflée dans l'esprit d'une femme, mais il ne savait pas à quel point il avait raison. Bien le bonjour, madame.

À ces mots, il fit un petit signe de la tête et s'éloigna en ruminant.

Merriot éclata de rire.

– Je crains que notre cher M. Cooper-ffrench manque cruellement d'humour.

Il faut dire que M. Merriot était, pour sa part, nettement moins chatouilleux à propos des classiques et, d'une manière générale, d'une nature parfaitement accommodante et cordiale. Aussi entama-t-il rapidement une vive conversation avec Charmian, tous deux ignorant consciencieusement la majestueuse procession des bateaux.

James lui-même n'accordait qu'une attention toute relative à la parade, préférant somnoler dans la douceur du soleil déclinant. L'image de Perry Mandeville, fendant la foule, l'air inquiet, le sortit de sa léthargie.

– T'as pas v-vu M-Mark ? demanda-t-il hors d'haleine dès qu'il fut à la hauteur de James.

– Si. Il y a quelques heures. Il avait l'air dans tous ses états.

– Il m'a fichu un gnon, déclara Perry d'un air indigné. Et pas pour rire encore, je crois q-qu'il est d'venu j-jobard, il voulait qu'j'lui donne les clés du garage, comme je refusais, il m-m'a cogné, après ça l'est fichu le camp en hurlant qu'il allait casser la p-porte.

– C'était il y a combien de temps ? demanda James en jetant un regard inquiet vers Merriot et sa tante, toujours en pleine conversation.

– J'sais pas, cinq minutes, p't-être plus, j't'ai cherché partout, qu'est-ce qu'on fait ? Je t'assure, il était comme f-fou, j'ai rien pu f-faire.

– On ferait mieux d'y aller, répondit James.

Il bafouilla une vague excuse à sa tante, puis Perry et lui partirent en courant.

– Il faut qu'on aille au garage pour essayer de l'arrêter, dit James en bousculant une grosse femme portant une écharpe de fourrure. Vu l'état dans lequel il est, s'il prend la voiture, on peut s'attendre à tout.

Sortie de route

– Il semblerait qu'on ait d-découvert les restes du b-bateau de son père, déclara Perry sans s'arrêter de courir. Sinistre découverte… des d-débris flottaient à côté de corps sans vie… p-premiers éléments de l'enquête laissent entendre qu'y a eu un incendie à bord.

James et Perry avançaient tant bien que mal au milieu des remous nonchalants d'une foule compacte, ignorant les plaintes et les remontrances qu'ils provoquaient en jouant ainsi des coudes.

– Ils ont retrouvé sa famille ?

– J'sais pas, répondit Perry. C'était un peu le grand chambard, quand le recteur de Mark lui a annoncé la nouvelle, il a perdu les pédales et il est d'venu braque…

Les étroites rues d'Eton n'étaient guère adaptées au trafic routier et, un jour comme celui-ci, quand tout le monde affluait à bord de son auto, la congestion ne tardait pas. Les garçons quittèrent le trottoir et poursuivirent leur route en courant entre les voitures à l'arrêt.

– Mais pourquoi veut-il tellement la voiture ? demanda James en tamponnant une grosse Daimler noire qu'il contourna d'un bond.

– Pour s't-tirer d'ici, j'imagine, cria Perry. Je pense qu'voir tous les autres com'ça avec leurs parents, bras d'ssus bras d'ssous, l'sourire aux lèvres, c'est au-dessus de ses forces.

Ils traversèrent la Tamise et entrèrent dans Windsor. Il y avait un peu moins de monde de ce côté-ci du fleuve, même si le trafic en direction d'Eton était toujours intense. Ils étaient trop occupés à courir pour continuer de parler. Ils passèrent le château, tournèrent dans Peascod Street puis quittèrent la grande artère. Quelques minutes plus tard, ils se retrouvèrent dans un quartier miteux, aux rues crasseuses bordées d'entrepôts, de petites usines et d'ateliers. L'écho de leur foulée se répercutait sur les hauts murs gris.

Finalement, ils débouchèrent dans une petite cour qu'ils traversèrent sans ralentir, en direction d'un alignement de stalles délabrées. À l'époque où le transport s'effectuait encore à cheval, ces bâtiments servaient d'écuries. Ils avaient depuis longtemps été transformés en garages pour automobiles.

Ils s'aperçurent immédiatement que Mark était passé par là... et qu'il n'y était plus. Les portes du garage étaient grandes ouvertes. Le cadenas fracturé gisait sur le pavé.

Aucune trace de la voiture.

– On arrive trop tard, dit Perry en secouant tristement la tête. Si jamais y se crashe, tu p-peux dire adieu à ta caisse.

– Ça, c'est pas le plus grave, répondit James, pensif. Si jamais il a un accident, c'est à lui qu'on risque de dire adieu.

– Mais qu'est-ce qu'on peut faire ? poursuivit Perry, les yeux rivés sur le garage désespérément vide.

– Il n'est sûrement pas bien loin, dit James en humant l'air. Je sens encore les gaz d'échappement. Il a dû partir il y a quelques minutes. Il ne va pas se risquer au centre de Windsor, ni prendre la direction d'Eton. C'est trop bondé.

En plus, il se ferait aussitôt arrêter si un *beak* le voyait. D'ici, la route la plus rapide pour sortir de la ville, c'est Albert Road, en direction de Staines.

– Alors y nous reste p'têt' une chance. T'as vu comme les routes sont encombrées…

– Tu penses qu'on peut le rattraper ?

– On peut t'jours essayer, répondit Perry. J'connais un raccourci. Viens !

Perry conduisit James hors de la cour des garages jusqu'à un escalier étroit qui débouchait dans une arrière-rue sombre et tortueuse derrière une rangée de magasins. Au milieu de l'allée, Perry se faufila dans la petite arrière-cour d'un pub et escalada d'un bond le mur de clôture. James l'imita. Ils se retrouvèrent dans un jardin ouvrier. Perry fila à toute vapeur au milieu des impeccables carrés de haricots et de choux jusqu'à une longue allée bordée de tilleuls. Ils forcèrent l'allure sur le pavé et atteignirent enfin la grand-rue, juste à temps pour voir approcher une voiture qui ralentissait à l'approche du carrefour.

La Bamford & Martin blanche et noire, un étincelant roadster respirant la puissance et la performance, était immanquable, tout comme le jeune garçon installé au volant, les cheveux au vent et les joues mouillées de larmes.

– Il est là, cria James en piquant un sprint.

– Fais gaffe ! hurla Perry en le voyant s'engager sur la route et se jeter devant la voiture.

Le coupé s'arrêta brutalement. Mark klaxonna et étouffa un juron. Ses yeux brillaient d'un fol éclat. Il agrippait le volant avec une telle rage que les jointures de ses doigts en étaient blanches.

– Dégage de mon chemin, James, cria-t-il, le visage tordu en une affreuse grimace.

– Non. Tu dois faire demi-tour. C'est une folie.

— Tire-toi de mon chemin, répéta Mark. Ou je te roule dessus.

— Tu ne ferais pas ça, dit James, bien qu'en son for intérieur, il n'en fût pas si sûr.

— Bouge ! hurla Mark en enfonçant l'accélérateur, faisant rugir le moteur.

— Je ne bougerai pas d'ici, répliqua James, l'air décidé tout en faisant un pas en arrière par précaution. Ne sois pas stupide, Mark. Ramenons la voiture au garage.

À ces mots, Mark engagea la première. La voiture bondit en avant. James eut juste le temps de l'esquiver. Mais, quand elle fut à sa hauteur, sans réfléchir, il sauta par-dessus la portière et atterrit sans encombre sur le siège passager.

La voiture descendit la rue en hurlant. Mark Goodenough n'était pas un conducteur expérimenté. Il répugnait à changer les rapports. Une longue plainte montait du capot. À ce tarif-là, le moteur n'allait pas tarder à rendre l'âme.

— Change de vitesse, suggéra James. Tu es en sur régime.

Mark agrippa le levier et le secoua comme s'il s'agissait d'un quelconque fouet à monter la vinaigrette. Après de longs craquements à fendre l'âme, il réussit tout de même à passer la vitesse. Le grondement du moteur reprit un ton normal. Pour autant, l'apprenti pilote était loin de maîtriser la situation. Il zigzaguait en longues embardées d'un côté à l'autre de la route, se débattant avec le volant pour contenir les assauts du puissant engin. Le hurlement d'un klaxon leur vrilla les tympans quand ils frôlèrent une voiture venant en sens inverse.

— Ralentis ! Tu veux nous tuer ou quoi ?

— Je m'en fous, hurla Mark, toujours aussi furieux. Que je sache, je ne t'ai pas demandé de monter.

Ils passèrent un angle de rue en dérapage, empiétant sans

vergogne sur la file opposée. Si quelqu'un s'était trouvé en face, ils l'auraient heurté de plein fouet.

— Tu l'as peut-être oublié, ajouta James en tentant de prendre un ton aussi neutre que possible, alors même qu'il bouillait de colère et mourait de peur. Mais c'est MA voiture que tu es en train de conduire.

— Je te l'ai dit, je m'en fous. Je me fous de tout dorénavant.

Quittant un instant la route des yeux, James se tourna vers Mark. Il avait les yeux mouillés, des larmes coulaient sur ses joues. Le vent qui leur fouettait le visage n'arrangeait rien. Il clignait sans arrêt des paupières et secouait régulièrement la tête pour essayer d'y voir mieux, mais, à l'évidence, ses efforts étaient infructueux.

— Et tu vas où ? demanda James.

— N'importe où... Loin... Je m'en balance. Peut-être même que, quand j'aurai atteint une allure suffisante, je me jetterai dans le premier mur qui se présentera. Pour en finir.

— Ce serait idiot.

— La ferme, hurla Mark. Contente-toi de la fermer, d'accord ?

Ils avaient quitté Windsor maintenant. Ils filaient dans la campagne, au milieu des champs. Par bonheur, les routes étaient moins fréquentées par ici, ce qui ne les empêcha pas de terroriser les rares conducteurs qui eurent le malheur de croiser leur chemin ce jour-là. Mark conduisait de plus en plus vite, et, même s'il ne mit pas à exécution sa menace de foncer droit dans un mur, il était dangereusement dépassé par les événements et susceptible de sortir de la route à tout instant. James s'accrochait à la portière avec l'énergie du noyé qui trouve un rondin. Au bout d'un moment, n'y tenant plus, il déclara :

— Très bien, Mark. Peut-être que tu veux mourir, mais pas moi. Alors arrête la voiture et laisse-moi descendre.

– Non.

– Alors ralentis au moins. Tu n'as plus toute ta tête…

– Je m'en fous, hurla Mark. M'en fous, m'en fous, m'en fous…

– C'est ta famille, n'est-ce pas ?

Mark tourna brièvement la tête et jeta à James un regard noir.

– Qu'est-ce que tu sais de ma famille ? demanda-t-il d'une voix tremblante, cassée par le chagrin. Qu'est-ce que tu sais de ce qui m'arrive ?

– Mes parents sont morts quand j'avais onze ans, répondit James de but en blanc.

Mark tourna à nouveau la tête, interloqué, fronçant les sourcils. Il hésita une seconde de trop car quand il regarda à nouveau la route, ils étaient nez à nez avec un bus. Mark se figea. James bondit sur le volant et, dans un mouvement de panique, le tourna autant qu'il put vers la gauche. Le coupé fit un vif écart et évita le bus de justesse. Un éclair métallique passa devant les yeux de James, trop près et trop bruyant, accompagné d'un violent appel d'air. L'image d'une rangée de visages pétrifiés, collés à la fenêtre, s'imprima un instant sur sa rétine. Le bus était passé. Mark arracha le volant des mains de James, d'un geste vif et brutal. Trop. La cinétique se chargea du reste, faisant passer l'arrière de la voiture à l'avant en un joli tête-à-queue. Ils sortirent de la route et se retrouvèrent dans un champ, où ils évitèrent de justesse un énorme chêne. La voiture fit encore deux ou trois tours sur elle-même dans d'immenses gerbes de terre avant de finalement s'arrêter et caler.

Un lourd silence régnait soudain autour d'eux. James soupira profondément. Il avait le goût du sang dans la bouche. Il s'était mordu la langue. Mark était effondré sur le volant. Il tremblait de tout son long, sanglotait de façon incontrôlable. Un flot ininterrompu de jurons sortait de sa bouche, encore et encore, les pires qu'il connaissait.

– Tout va bien, dit James en posant une main sur l'épaule de Mark. On est vivants et la voiture est en un seul morceau.

Mark redressa la tête. Son visage ruisselait de larmes, de morve et de salive. Il avait reçu un choc. Un bleu était déjà en train d'apparaître sur son front. Il avait les yeux rouges, mais l'éclat furieux qui y brillait jusque-là n'y était plus. Il avait l'air honteux.

– Je suis désolé, dit-il à voix basse. Je ne savais pas pour tes parents.

– Tu ne pouvais pas être au courant, je n'en parle jamais. Mais toi ? Tu ne veux pas me parler ? Me dire ce qui s'est passé ?

– Un pêcheur de l'île de Rhodes…, dit Mark, le regard au loin, des sanglots dans la voix. Il a trouvé des débris calcinés… qui flottaient… à côté de corps… Et parmi eux il y avait mon père…

– Mort ?

– Oui.

– Et ta sœur ? Ils l'ont retrouvée ?

– Pas encore.

– Elle est peut-être encore en vie…

– Ça fait dix jours, dit Mark en reniflant bruyamment. Si quelqu'un était encore vivant, ils l'auraient trouvé.

– Pas nécessairement. Il reste un espoir.

Mark tourna la tête vers James. Ses yeux étaient vides. Il n'y croyait plus.

– Je suis désolé, dit James d'une voix basse et sincère.

Mark tenta d'esquisser un sourire.

– Merci, James. Finalement, peut-être que j'avais juste besoin de parler à quelqu'un car, au fond, je n'arrive pas à croire à ce qui m'arrive…

– Je connais ce sentiment… Maintenant, on ferait mieux de rentrer avant que quelqu'un nous voie.

– D'accord, répondit Mark en reniflant et en se redressant sur son siège. Tu crois que la voiture marche encore ?

– Il n'y a qu'une seule façon de le savoir… Mais je crois que tu ferais mieux de me laisser le volant. Quand on arrivera en ville, on la garera à l'abri des regards et on rentrera à pied. On s'en occupera plus tard, quand il y aura moins de monde dans les rues.

Pour toute réponse, Mark hocha doucement la tête. Il semblait avoir perdu toute son énergie. Il était figé, épuisé, vide.

Ils échangèrent leurs places. James conduisit prudemment en direction de Windsor.

– Je ne pouvais pas le supporter, dit Mark d'une voix blanche. Voir tous les autres se balader dans Eton avec papa et maman, tous si heureux, si normaux. Ça a déjà été dur quand ma mère est morte… Et maintenant, ça. Mon père aurait dû être là aujourd'hui. Il faisait toujours le déplacement pour le quatre juin, chaque année. Mais plus maintenant… Plus jamais.

– Écoute, Mark. Je ne sais pas quoi faire pour t'aider. Mais, s'il y a quoi que ce soit – je dis bien quoi que ce soit –, tu as ma parole, je ferai tout ce que je pourrai. D'accord ?

– Merci, répondit Mark d'une voix éteinte, tout juste audible par-dessus le vrombissement du moteur.

Quand ils arrivèrent aux environs de Windsor, ils redoublèrent de précautions. Évitant consciencieusement les rues principales, ils progressèrent par les petites rues sombres. James commençait à croire qu'ils étaient sortis d'affaire quand il entendit quelqu'un klaxonner derrière lui. Il se retourna et vit un jeune professeur, dans sa toge noire, qui gesticulait dans tous les sens en lui demandant de s'arrêter.

– Attention, murmura James. C'est un *beak*. On risque d'avoir des problèmes.

Jurant dans sa barbe, James se gara sur le côté et sortit de la voiture.

Ça se présentait mal.

Le *beak* conduisait une élégante Lagonda sport vert bouteille. Il descendit et claqua la portière si violemment que l'auto oscilla sur ses suspensions.

– Mais par tous les saints, où vous croyez-vous, tous les deux ? cria-t-il dès qu'il eut mit un pied à terre.

James s'arrêta.

– C'est la voiture de ma tante, dit-il en essayant de prendre un ton assuré et responsable.

– Ah oui ?

– Il fallait la bouger… Parce qu'elle gênait. Comme je n'ai pas pu trouver ma tante, je l'ai déplacée pour elle.

– Et ça vous a amené jusqu'ici, en plein Windsor ? demanda-t-il sur un ton accusateur qui ne présageait rien de bon.

– Il y avait trop de monde à Eton, monsieur. J'ai tourné pour essayer de trouver une place digne de ce nom et… Je me suis perdu. Elle me laisse conduire, vous savez…

James ne savait plus quoi ajouter. Il savait que son histoire était piteuse, mais, dans l'urgence, c'était tout ce qu'il avait trouvé.

Il regarda le maître de conférences droit dans les yeux. Il était plus jeune que la plupart de ses collègues, peut-être trente ans, une carrure d'athlète, un visage harmonieux et un regard avenant en dépit de sa colère. James lui trouva un faux air de Gary Cooper.

– Votre nom ? demanda l'enseignant.

Il fulminait toujours, mais James sentit qu'il était légèrement calmé.

– Bond. James Bond.

– Bien, monsieur Bond. Vous êtes en faute, n'est-ce pas ?

– Oui, monsieur.

– Même si on laisse de côté le fait que vous êtes trop jeune pour conduire une voiture, la réputation de l'école est en jeu.

– Absolument, monsieur. C'était stupide de ma part. Mais la voiture bloquait le passage et…

– Ça, c'est ce que vous dites, l'interrompit brutalement le *beak*. Et qui est ce garçon avec vous ? Qu'est-ce qu'il vient faire là ?

– C'est Mark Goodenough, monsieur, il…

– Goodenough ?

Le professeur parut choqué. Puis son air se radoucit et il sembla hésiter. Il marcha jusqu'à la voiture et alla s'enquérir de l'état de Mark.

– Mark. Vous allez bien ?

– Oui, oui, je vais bien. Merci, monsieur Haight.

James ferma les yeux et soupira longuement. Ces deux-là se connaissaient, ça pourrait aider.

M. Haight se pencha au-dessus de la voiture et posa une main compatissante sur l'épaule de Mark.

– J'ai appris pour…

Il marqua une pause, cherchant ses mots.

– L'accident. Je suis vraiment désolé.

– Merci, monsieur. Mais je vais bien, vraiment. Bond m'a été d'un grand secours… J'ai juste…

Mark n'eut pas la force de poursuivre. Il éclata en sanglots et s'écroula sur son siège.

M. Haight parut embarrassé. Il regarda nerveusement à

droite et à gauche, puis, comme s'il avait soudain pris une décision, s'approcha de James et l'entraîna assez loin pour que Mark ne l'entende pas.

– Écoutez-moi, Bond. Je ne sais pas ce que vous trafiquez tous les deux. Et peut-être vaut-il mieux pour tout le monde que je ne cherche pas à en savoir davantage. En revanche, ce que je sais, c'est que Mark a subi un choc et qu'il est atrocement malheureux. Donc, comme personne n'a été blessé, je vais être compréhensif pour cette fois.

Il s'arrêta, fit un signe de tête vers la voiture et demanda gentiment :

– Comment va-t-il ?

– Pas bien, monsieur. J'ai pensé qu'il ne valait mieux pas le laisser tout seul.

– J'ai cru comprendre que son grand-père est en route. Il a quitté la propriété familiale du Yorkshire pour venir voir son petit-fils. D'ici là, je vais m'occuper de lui. Je vais l'emmener à l'infirmerie et je resterai à ses côtés jusqu'à ce que sa famille arrive. Laissez la voiture là où elle est, Bond, et qu'on n'en parle plus.

– Bien, monsieur. Merci, monsieur.

– Hé ! Bond…

M. Haight planta son regard dans les yeux de James, comme s'il voulait sonder son âme.

– Vous m'avez l'air d'une tête brûlée. Faites attention, cela pourrait vous jouer des tours.

À ces mots, il fit à James un étrange sourire, lèvres pincées, puis tourna les talons et alla chercher Mark.

Le tombeau des Géants

– Bonsoir, lança M. Haight en se présentant devant son auditoire. Je suis ravi de vous voir si nombreux ce soir. Mais, d'abord, j'espère que vous ne serez pas déçus d'apprendre que, en dépit du fait que la conférence du jour s'intitule « À la recherche des bandits sardes », elle ne traite pas de bandits du tout.

Quelques grognements réprobateurs, accompagnés de rares sifflets, montèrent dans l'assistance.

James était assis entre Pritpal et Perry, dans l'amphithéâtre d'Upper School, un des plus anciens bâtiments de l'école. Les bancs sur lesquels ils avaient pris place étaient froids et durs. James espérait que le propos de M. Haight serait captivant, sans quoi, la soirée s'annonçait longue et pénible.

C'est Perry qui l'avait persuadé d'y assister. Quand James l'avait retrouvé au garage et lui avait raconté ce qui s'était passé, Perry s'était répandu en compliments enthousiastes à propos de M. Haight, selon lui un type formidable, que tous les garçons adoraient.

– « Love-Haight [1] », qu'on l'appelle, avait déclaré Perry

---

1. Jeu de mots sur *love and hate*, « amour et haine ».

en riant. Je l'ai en histoire, il est excellent sur les Romains, le gars sait de quoi il parle et, p-plus important encore, il arrive à-à intéresser les élèves, il connaît toutes sortes de trucs, en art, en architecture, en musique, ses cours sont géniaux, j'vais te dire, ça me plairait encore plus s'il enseignait les arts plastiques, parce que moi, mon gars, j'suis un vrai mordu, j'adorais la collection qu'on avait à la maison ! ! ! Avant qu'un pourri ne l'escamote... Il donne une conférence ce week-end à la société d'Archéologie, tu devrais venir, ce sera sûrement passionnant.

James avait d'abord résisté, mais on était dimanche soir et il n'avait rien de mieux à faire. Pritpal avait suivi James, en dépit des nombreux devoirs qu'il avait à finir avant le lendemain matin. Ils s'étaient ainsi retrouvés dans Upper School, au milieu d'une foule d'autres garçons – M. Haight avait beau n'être là que depuis un an, il s'était déjà attiré les faveurs d'un public nombreux et dévoué.

– Mais bon, pour être honnête, poursuivit Haight, combien d'entre vous seraient venus ce soir si la conférence s'était appelée « Sur les traces des nuraghi antiques en Sardaigne » ?

Une fois encore, des sifflets fusèrent dans l'assistance.

– Vous voyez ? poursuivit Haight avec un grand sourire. Mais ne vous inquiétez pas, il y aura aussi des bandits. Car ils font partie intégrante de l'histoire de la Sardaigne. Toutefois l'essentiel de mon propos concernera les extraordinaires monuments préhistoriques qui parsèment l'île. Oui. Attendez-vous à un choc quand je vous montrerai des ruines de tours et de châteaux qui précèdent de mille ans la naissance de Jésus. Sans compter *le tombe dei Giganti*, le tombeau des Géants ! Mais... avant cela... qui parmi vous sait quelque chose sur la Sardaigne ?

Il parcourut la foule des yeux. Suspendus à ses lèvres, les garçons le regardaient avec des yeux ronds.

– Personne… ? Rien ? J'en étais sûr !

Haight claqua dans ses mains avant de reprendre :

– Nous connaissons tous la Corse, lieu de naissance de Napoléon, et qui, elle aussi, abrite d'impitoyables bandits ; ou la Sicile, le « ballon de foot » de l'Italie, avec son volcan, ses ruines romaines et… là encore, ses féroces brigands. Mais la Sardaigne ? Juste sous la Corse. À équidistance entre l'Europe et l'Afrique. Comment se fait-il que nous n'en sachions rien ? Pourtant, l'endroit est fascinant, riche d'histoire et…

Il marqua une pause, balaya l'assistance du regard.

– C'est le berceau des plus farouches de tous les bandits d'Europe. Les Barbati…

James écouta attentivement l'exposé de M. Haight qui s'était lancé dans la sanglante succession d'invasions et de guerres qui avaient façonné l'histoire de l'île, obligeant les Sardes à se réfugier à l'intérieur des terres, dans les montagnes, où ils menaient une vie recluse, fondée sur le clanisme et sur un des codes d'honneur les plus stricts qui soient. Il évoqua aussi la présence, plusieurs milliers d'années auparavant, d'une mystérieuse civilisation dont témoignaient, aujourd'hui encore, d'extraordinaires monuments de pierre connus sous le nom de nuraghi.

James n'avait jamais été un modèle de concentration. Rester assis sans bouger n'était pas son fort. Aussi, pendant que Haight poursuivait son laïus, se mit-il à observer la salle. La coutume voulait que les garçons gravent leur nom ici quand ils quittaient l'école. Pas un centimètre carré de bois qui ne portât une inscription. Au cours des siècles, les panneaux des murs, les bancs, les pupitres et même le billot sur lequel – dans des temps pas si anciens que ça – le proviseur flagellait celui qui, d'une manière ou d'une autre, avait enfreint la règle, étaient rayés, creusés, évidés, gravés. Des centaines et des centaines de noms, les plus récents recouvrant les plus anciens.

James reconnut les patronymes de deux Premiers Ministres, Pitt et Walpole, celui du poète Shelley et, sur un panneau, au moins vingt-huit membres de la famille Gosling.

Assis en rang d'oignons contre un mur, sous une rangée de bustes en marbre, se tenaient les *beaks*. Ils restaient ensemble, accompagnant l'exposé de hochements de tête pénétrés ou de longues bouffées de cigarettes pensives. James les observa du coin de l'œil et reconnut la face sanguine de John Cooper-ffrench, le maître de lettres classiques que Charmian avait titillé le quatre juin. Il portait une veste de tweed de couleur terne, une cravate rayée et se tenait sagement assis, bras croisés.

James fut frappé de constater que, comme souvent, il suffisait de rencontrer quelqu'un une fois pour qu'ensuite on le croise partout.

À l'issue de la conférence, Pritpal partit précipitamment pour finir ses devoirs. Haight s'approcha de James et Perry.

– Vous avez entendu ? demanda-t-il en tapant sur l'épaule de Perry. Il y a eu un nouveau cambriolage.

– D'autres œuvres d'art ont été v-volées ? s'emballa immédiatement Perry. Chez qui cette fois ?

– Maison Tatsmere. Elle appartient à la famille d'un Jean-sec [1] que j'entraîne. Nicholas Cresswel. Je ne crois pas que vous le connaissiez. Il m'a raconté ça en chemin, juste avant la conférence. Beau butin, si j'ose m'exprimer ainsi. Deux Gainsborough, un Titien et un Canova.

– Pensez-vous qu'il p-pourrait s'agir d-d'une seule et

---

1. Élève qui pratique le cricket par opposition à un Jean-mouille qui pratique l'aviron.

même bande, m'sieur ? Un gang de meurtriers voleurs d'art ?

– Cela pourrait bien être le cas en effet, répondit Haight. Même si, heureusement, jusqu'ici, ils n'ont tué personne. Vous feriez bien de dire à vos amis de faire attention. Aucune de ces magnifiques maisons que possèdent vos familles n'est vraiment sécurisée. Aussi feriez-vous bien de vous tenir sur… vos gardes !

Joignant le geste à la parole, Haight dégaina un sabre imaginaire et prit une pause d'acteur de cinéma. Emporté par son élan, il oublia de regarder derrière lui et se cogna à Cooper-ffrench, qui quittait la salle d'un pas déterminé.

Sous le choc, Cooper-ffrench faillit perdre l'équilibre et tomber pour de bon. Haight bredouilla une excuse. Cooper-ffrench s'exclama avec véhémence, avant de maugréer dans sa barbe, fustigeant la maladresse en général et celle de son collègue en particulier.

Un éclair argenté attira l'œil de James. Il se baissa et vit un fin bracelet, tombé sur le sol.

– Qu'est-ce que c'est que ça ? se demanda-t-il à haute voix en ramassant l'objet.

Il le retourna et ne put réprimer un sursaut quand il vit qu'un double M était gravé dessus.

– Quelqu'un a perdu un bracelet ? lança Haight à la cantonade en regardant partout autour de lui.

– Peut-être M. Cooper-ffrench, tenta James.

Mais celui-ci était parti.

– Je vais le garder, dit Haight en le prenant des mains de James. Voir si quelqu'un le réclame…

– Le double M, m'sieur, laissa échapper James.

– Quoi ?

– Sur le bracelet. Il y a deux M. J'ai déjà vu ça quelque part.

Haight étudia le bracelet en fronçant les sourcils.

– C'est vrai, vous avez raison…

James n'insista pas. Il pouvait difficilement parler à Haight de la course-poursuite sur les toits, encore moins de son entrée par effraction dans la maison, aussi décida-t-il de changer de sujet.

– Comment va Mark Goodenough, monsieur ? demanda-t-il innocemment. Vous avez des nouvelles ?

– Il est avec son grand-père. Je crois qu'il tient le coup, répliqua Haight. Mais je crains qu'il ne reprenne pas les cours. Il est choqué. Ça peut se comprendre…

Durant un instant, le visage de Haight s'assombrit. Il semblait perdu dans ses pensées. Puis, aussi subitement qu'il l'avait quittée, il revint à la réalité et, avec un grand sourire à l'adresse de James, il déclara :

– Je me disais bien que votre tête me disait quelque chose. James Bond, n'est-ce pas ? Le pilote de course…

– Exact, monsieur.

– Dites-moi, jeune monsieur Bond. Vous vous intéressez à la Sardaigne ?

– Je crois me rappeler que quelqu'un de ma famille y possède une maison. Mais, avant ce soir, je dois bien admettre que je n'en savais guère davantage.

– Précisément la raison pour laquelle j'ai donné cette conférence, reprit Haight, le visage radieux. Personne ne connaît cet endroit. Mais j'ai bien l'intention que cela change. J'organise un voyage d'étude à la fin de l'été, pour visiter certains des monuments dont je vous ai parlé. Peut-être souhaiteriez-vous vous joindre à nous ? Et visiter le tombeau des Géants ?

– Pourquoi pas. Je n'ai encore rien de prévu pour les vacances…

– Eh bien ! si le cœur vous en dit, il vous suffit d'ajouter votre nom à la liste affichée dans la cour d'honneur. Et vous, Perry ? Toujours partant ?

— J'pense bien… Enfin, si j'réussis à f-faire casquer l'père, il a des chardons dans les poches depuis le cambriolage.

Puis, se tournant vers James, il ajouta :

— T'sais, y n'ont pas embarqué que des tableaux, mais aussi les bijoux, l'argenterie, tout quoi, mais je compte bien aller tout de même au soleil et jeter un œil à ces monuments, là… les Allergies… qu'en dis-tu, James ? Pourquoi ne viendrais-tu pas avec nous ?

Avant que James ait eu le temps de répondre, il sentit quelqu'un lui tirer la manche. Il tourna les yeux. Un garçon haut comme trois pommes, blanc comme un linge, le regardait de ses yeux ronds.

— Je crois qu'il vaudrait mieux que tu viennes. Ton ami Pritpal a des ennuis.

James le suivit hors du bâtiment. Dans la rue, une foule de garçons surexcités descendait High Street en braillant et en chantant. Il courut à leur poursuite et, dès qu'il fut plus près, il comprit ce qu'ils chantaient.

— Nandra à la baille ! Nandra à la baille !

James arrêta un des traînards, un type malingre et boutonneux.

— Qu'est-ce que vous faites ?

— On va jeter Nandra dans la rivière, hurla le garçon.

— Et pourquoi ?

— J'en sais rien. Mais ça a l'air d'être une bonne idée.

La clique en colère quitta bientôt la rue et descendit vers Fellows Eyot, au bord de la Tamise, où elle s'arrêta. James joua des coudes pour se frayer un chemin jusqu'au premier rang et il entrevit enfin le visage terrorisé de Pritpal. Il était acculé sur la berge. Il agrippait son chapeau et tremblait de tous ses membres.

Trois des plus grands avancèrent vers lui.

– Allez, petit lapin, déclara l'un d'eux sur un ton menaçant. C'est l'heure de passer à la casserole.

– Arrêtez ! hurla James de toutes ses forces.

Les trois assaillants se retournèrent, hilares.

James avança, se détachant de la foule.

– Vous vous croyez où ? demanda-t-il en regardant successivement chacun des garçons.

Il reconnut immédiatement le meneur, grand et costaud avec des cheveux ondulés. Il aurait pu être pas mal si ses oreilles et son nez n'avaient pas été aussi proéminents. Il avait un air de supériorité arrogante, que seuls les crétins les plus sombres sont capables d'afficher. Tout le monde le connaissait dans l'école. Il s'appelait Tony Fitzpaine. Et il était duc de Truc ou comte de Machin chouette.

– On va jeter Nandra dans la rivière, dit-il d'une voix traînante, comme s'il s'agissait là de la chose la plus naturelle du monde.

– Qu'a-t-il fait ?

– C'est pas un des nôtres, déclara Fitzpaine d'un ton méprisant. Ils nous envahissent, alors, celui-là, on va le jeter à la mer, comme l'ont fait les bandits sardes dont nous a causé Haight.

– Noyons-le dans la Tamise ! hurla quelqu'un.

James fit deux pas et s'interposa entre les garçons et son ami.

– Laissez-le tranquille. Il vaut mieux que vous tous réunis.

– Ah oui !?! grimaça Fitzpaine. Tu sais qui je suis, manant ?

– Je sais, poursuivit James d'un ton toujours aussi assuré. Et tu pourrais être le roi d'Angleterre que ça ne changerait rien à l'affaire. Pritpal est mon ami et vous n'allez PAS le jeter dans la rivière.

– Si tu ne t'écartes pas de mon chemin, beugla Fitzpaine, c'est TOI que je vais jeter à l'eau.

À ces mots, il se retourna vers ses amis et éclata d'un rire qui avait tout d'un braiment d'âne.

– Tu ne feras rien du tout, ajouta James d'une voix calme et posée.

Fitzpaine fronça les sourcils et se planta devant lui. Tous deux restèrent là un instant, se toisant, sans bouger. Fitzpaine n'était pas habitué à ce qu'on lui tienne tête. Son père était un homme puissant et important et, à Eton, cela suffisait à faire du fils quelqu'un d'important aussi. Pendant un moment, il parut déconcerté, puis, bien vite, retrouva toute sa morgue. Dans son esprit, le monde était agencé selon un ordre précis et, durant un instant, cet ordre avait semblé menacé. Il ne connaissait pas James, donc James n'était pas important, et on peut faire ce qu'on veut face à quelqu'un qui n'est pas important. Fitzpaine ourla ses lèvres ; un grand sourire suffisant se dessina sur son visage.

– Bon, si c'est ce que tu veux…

Et il poussa violemment James vers le fleuve. Mais celui-ci, s'attendant à une réaction, resta fermement campé sur ses pieds puis, avant que le grand ne comprenne ce qui lui arrivait, il lui envoya un puissant coup de poing sur la bouche.

Fitzpaine oscilla, se balança d'un pied sur l'autre, sonné. Il clignait des yeux pour accuser le coup, ses genoux tremblaient, ses jambes flageolaient.

Un lourd silence s'abattit sur la meute.

Toujours aussi calmement, James contourna Fitzpaine et le poussa violemment. Celui-ci bascula dans la Tamise et se retrouva à patauger au milieu des roseaux qui bordaient la berge, bafouillant une suite incompréhensible de borborygmes indignés. Deux de ses lieutenants se précipitèrent à son secours.

James se retourna face à la foule. Et maintenant ? Ils allaient probablement le lyncher.

Contre toute attente, quelqu'un éclata de rire.

— Joli ! hurla quelqu'un d'autre et, avant que James ait compris ce qui lui arrivait, il se retrouva porté en triomphe sur les épaules des garçons, au milieu des cris et des chants.

— Qu'est-ce que vous faites ? demanda James.

— Oh, tu sais, nous on se fout pas mal de savoir qui est balancé à l'eau, dit un des garçons qui le portaient. Du moment que quelqu'un y va. De toute façon, personne ne peut saquer Fitzpaine.

Pritpal fut hissé dans les airs à son tour et tous deux paradèrent ainsi dans High Street, tels des champions adulés avant qu'on ne les balance dans une contre-allée. La horde se dispersa en courant, ne laissant dans son sillage que les échos de quelques rires.

Pritpal tenta de remercier James, mais celui-ci le retint.

— Je l'aurais fait pour n'importe qui. Les mecs comme Fitzpaine se croient tout permis au seul prétexte que leur père est quelqu'un.

— Mon père est maharaja, rétorqua Pritpal. Je ne déambule pas dans les rues en décapitant tous ceux que je croise pour autant.

— Eh bien peut-être que tu devrais. On te montrerait sûrement un peu plus de respect.

— Tu as de la chance, James. Les gens ne te cherchent pas querelle car tu parais largement en mesure de te défendre seul. Mais si tu continues à balancer des gnons à tour de bras, un jour, tu vas avoir des ennuis.

— Je sais, dit James. Je n'aurais pas dû le faire. En même temps, tu conviendras que c'était assez drôle de le voir ainsi barboter dans la rivière comme une poule d'eau.

Pritpal éclata de rire.

– Allez viens, on ferait bien de rentrer, finit-il par dire quand il eut repris ses esprits et regardé sa montre. On va rater l'écrou.

– Une seconde, dit James en se figeant, les yeux fixés sur quelque chose qui retenait toute son attention.

– Quoi ?

– C'est la maison.

– La maison ? Quelle maison ? demanda Pritpal. Y en a des tonnes des maisons par ici.

– Celle de l'autre nuit, là où les deux types causaient latin.

– T'en es sûr ?

– Sûr et certain. Vue sous cet angle, la nuit. Je reconnais parfaitement l'endroit.

– Entendu. Mais on n'a pas le temps d'enquêter maintenant. Rentrons.

– Toi, vas-y, coupa James. Moi, je vais jeter un petit coup d'œil.

– Très bien, dit Pritpal en s'éloignant. Mais je t'en prie, fais vite !

James s'approcha de la bâtisse. De l'extérieur, rien ne la distinguait des autres et aucun indice ne permettait de dire si quelqu'un y vivait. Une maison ordinaire, typique d'Eton, semblable à des milliers d'autres… sauf que James savait que la cave renfermait une chapelle dédiée à une divinité pour le moins singulière.

Il s'approcha d'une fenêtre et colla un œil dans l'entre-bâillement des volets. Il fut surpris de trouver quelqu'un à l'intérieur. Dans la lumière tamisée qui baignait la pièce, il ne distinguait qu'une silhouette : veste de tweed, chemise blanche et cravate à rayures noires et rouges. Immédiatement, il crut reconnaître les vêtements. À cet instant, l'homme bougea et James aperçut clairement un visage cramoisi barré d'une petite moustache : Cooper-ffrench. Ça ne pouvait être que lui.

James tendait le cou pour mieux voir quand, soudain, il entendit la porte d'entrée s'ouvrir.

Il s'accroupit, tourna le dos à la porte, et fit semblant de relacer son soulier. Un regard se posa sur sa nuque. Il se releva. Un homme en bras de chemise se tenait sur l'escalier. Il avait des cheveux roux, raides et ternes. Deux longues balafres barraient ses joues, de la commissure des lèvres aux oreilles. Il souriait. Mais d'un air si inexpressif que son sourire en devenait presque menaçant et hostile. Il tira sur sa cigarette et inhala une longue bouffée de fumée qu'il souffla ensuite lentement devant lui, sans quitter James des yeux. La main qui tenait la cigarette était tatouée. Un M grossier, à l'encre rouge, en ornait le dos. Un tatouage identique se trouvait sur l'autre.

James se rappela les lettres peintes au pochoir sur les caisses de bois qu'il avait vues l'autre nuit : « MM ». Il aurait bien voulu en apprendre davantage, mais le moment semblait mal choisi pour poser des questions, aussi se contenta-t-il de lancer un sourire poli à l'homme aux mains tatouées avant de s'éloigner vers le bout de la rue d'un pas aussi nonchalant que possible, conscient de marcher sous un œil inquisiteur.

– Mais c'est une excellente idée !

Trois semaines étaient passées et James était en permission, libre du vendredi matin au lundi soir. Nombre de ses condisciples étaient montés à Lord's pour assister au match de cricket qui, annuellement, oppose Eton à Harrow. Lui avait préféré profiter de l'opportunité pour fuir tout ce qui lui rappelait, même de loin, l'école, son uniforme étriqué, et son haut-de-forme honni. Il était donc rentré gaiement à la maison, au cottage que sa tante possédait dans le Kent, où personne ne l'empêcherait de lézarder au soleil, confortablement vêtu d'une ample chemise et d'un vieux pantalon.

Pour le déjeuner, ils avaient improvisé un pique-nique dans le jardin, à l'ombre d'un vieux pommier, et James venait d'émettre l'idée qu'il se joindrait peut-être à l'expédition que Haight organisait en Sardaigne.

– Tu pourrais passer le début des vacances ici, avec moi, avant mon départ pour le Brésil, déclara Charmian en coupant une tranche de pâté en croûte. Puis tu prendrais le bateau avec M. Haight. Combien de temps dure le voyage ?

– Trois semaines, je crois. En même temps, je ne suis pas sûr de vouloir passer tout ce temps à écumer des ruines.

– Ce que tu peux faire, c'est rester avec le groupe un moment, puis, si tu en as assez, partir pour Capo d'Orso, chez ton cousin Victor. Je suis certaine que M. Haight n'y verrait pas d'inconvénient. Ensuite, tu resterais chez Victor jusqu'à la fin des vacances.

Elle tendit son assiette à James.

– Eh bien voilà ! Finalement on l'a ton projet pour les vacances. En plus, ça te fera le plus grand bien de quitter un moment la grisaille de cette bonne vieille Angleterre.

– Sûrement, répondit James, encore hésitant. Mais je ne peux pas dire que je m'intéresse tant que ça aux vieilles pierres et aux nuraghi. Enfin, M. Haight a l'air sympa et un de mes amis est du voyage. Au fait, tu es sûre que Victor m'hébergera ?

– Tu es déjà allé chez lui, non ?

– Oui. Mais c'était il y a des années. Dans sa vieille maison en Italie.

James ne se rappelait pas grand-chose de son cousin, sinon qu'il était plus âgé que lui et que, par conséquent, il l'avait toujours plutôt considéré comme un oncle.

– Eh bien, si j'en crois ce qu'on m'a dit, avec l'âge, il devient de plus en plus excentrique, reprit Charmian. De toute façon, je vais lui écrire pour voir ce qu'il en dit.

– Parfait, conclut James avec un grand sourire.

Puis il but un verre d'eau et, après un court silence, il reprit :

– Charmian ! Tu t'y connais en tatouages ?

– En tatouages ? Oui, un peu. Pourquoi ?

– Parce que j'ai vu un homme, à Eton, qui en portait un et j'aurais bien aimé en savoir un peu plus. Tu sais ce qu'un tatouage représentant la lettre M veut dire ? Deux M, un sur le dos de chaque main.

– Pas la moindre idée, répondit Charmian du tac au tac. Ça peut être des initiales, ou le chiffre deux mille.

– Deux mille ? Comment ça ?

– En chiffres romains, M veut dire mille. Donc deux M égale deux mille.

– Mais pourquoi se faire tatouer ça sur les mains ?

– Pff ! Les gens se font tatouer pour plein de raisons différentes. La plus courante est l'appartenance. Appartenance à une tribu, à une bande… La coutume remonte à l'Égypte ancienne.

– Quel genre de gens se font tatouer ?

– En Angleterre ? Les tatouages ont été introduits au XVIIIe siècle par des marins qui avaient sillonné les mers du Sud avec le capitaine Cook. Ils ont simplement copié ce qu'ils avaient vu sur place, chez les indigènes. Ensuite, ils sont devenus très à la mode. Tu savais que le roi George avait un tatouage ?

– Vraiment ? s'exclama James qui avait du mal à croire ce qu'il entendait.

– Absolument. Son frère et lui avaient tous les deux un dragon sur le bras. Ils tenaient sûrement ça de leur père. Il s'était fait tatouer une croix de Jérusalem sur le bras pendant son voyage en Terre sainte, quand il n'était encore que prince de Galles. Après ça, tu penses, tous les gens de la bonne société en ont voulu un. À l'époque, tu n'étais personne si tu n'avais pas un tatouage. Le roi Édouard s'en est fait faire d'autres. Et il a exigé que ses fils en aient aussi. Ils ont été tatoués au Japon, par le célèbre maître Hori Chiyo. Et puis tout s'est arrêté en 1891.

– Pourquoi ? Que s'est-il passé ?

– Un homme du nom de Samuel O'Riley a inventé une machine à tatouer mécanique et, soudain, tout le monde pouvait s'en payer un. Du jour au lendemain, les tatouages, qui, jusque-là, étaient réservés à l'aristocratie et qui constituaient par conséquent un ostensible signe de distinction, sont devenus la marque des gens de mauvaise vie. Ce qui n'empêche pas de nombreuses cultures à travers le monde de continuer à pratiquer l'art du tatouage et de la scarification de façon ancestrale. Le plus souvent, il s'agit d'un signe de virilité.

– Et admettons que tu aies des scarifications sur le visage, du coin de la bouche jusqu'aux oreilles, ça voudrait dire quoi ? demanda James en dessinant les lignes sur ses propres joues, du bout des index. Ça pourrait être un truc rituel ?

– Non. Ça, ça voudrait dire que tu es une balance, un indic'. Bref, un malfrat qui a renseigné la police et qui a été démasqué par sa bande. C'est un châtiment courant dans le milieu. Plutôt horrible. Tu plantes une longue lame dans la joue de quelqu'un et, ensuite, tu lui découpes les deux joues.

Joignant le geste à la parole, elle balafra sa joue d'un revers de main en grimaçant comme une goule tout droit sortie de quelque forêt enchantée.

– Il est marqué à vie. Tu vois ? De telle sorte qu'il lui est impossible de cacher le fait qu'il a trahi son camp. Les criminels sont vraiment des gens charmants. Tiens, en parlant de criminels, ce matin il y avait un nouvel article dans le *Times* à propos de la famille de ton ami, Mark Goodenough.

– Rien de neuf ?

– Ils ne disaient rien de plus que ce que tu m'avais déjà appris. Ils penchent très sérieusement pour des pirates. On a retrouvé les corps de tous les hommes, mais la fille et sa préceptrice sont toujours portées disparues. On craint qu'elles aient été enlevées... Pour la traite des Blanches.

– J'aurais jamais cru qu'il y avait encore des pirates dans le monde. Quand je pense aux pirates, je vois Barberousse, Surcouf, Rakham le Rouge...

– Oh, depuis que les hommes ont pris la mer sur des bateaux, il y a des pirates. Et il y en aura toujours. On a une vision romantique des bandits des mers, pourtant, en réalité, ce ne sont que de vulgaires voyous, guère différents des autres braqueurs et cambrioleurs, si ce n'est qu'en général ils sont plus cruels, plus violents et plus dangereux. Prie pour ne jamais en rencontrer un ailleurs que dans un livre...

Le marin qui avait peur de l'eau

Le *Charon* était durement malmené par une mer formée. Des murs d'eau le hissaient dans les airs avant de le laisser s'écraser dans des creux impressionnants. La houle martelait la carène avec un bruit assourdissant. Le navire vibrait de la proue à la poupe comme un chien qui s'ébroue en sortant de l'eau. Dans la cabine de pilotage, Tree-Trunk, un cigare coincé entre les dents, observait la mer à travers l'épaisse vitre du hublot. Le géant des Samoa portait un ciré jaune et un chapeau de femme en fourrure négligemment coincé sur le haut du crâne.

La pire tempête qu'il ait vue en Méditerranée depuis des années. Les vagues mesuraient de cinq à six mètres et la pluie s'abattait sans discontinuer sur la surface de la mer, lui arrachant des gouttes qui donnaient un goût salé aux embruns portés par les bourrasques. Toute couleur avait disparu du paysage. Ciel et mer étaient du même gris ardoise et se confondaient. Il était quatre heures de l'après-midi, mais il faisait presque aussi sombre qu'en pleine nuit. La température avait chuté à des niveaux hivernaux.

En un mot, c'était une journée abominable.

Une nouvelle vague leva par côté, faisant virer le bateau. Des tonnes d'eau s'écrasèrent sur la proue.

Aux yeux d'un homme ordinaire, cette mer déchaînée et bouillonnante n'eût été qu'une masse aussi informe que menaçante, mais, pour le Samoan, elle fourmillait d'informations, d'indices, d'indications. Il avait appris à naviguer sur une pirogue à quatre ans, et, à onze, il s'était engagé sur un baleinier. Dans ses veines coulait de l'eau salée. Il comprenait la mer et pouvait prévoir ses mouvements furieux. Une vague encore plus haute que les autres se présenta face au bateau. Il s'accrocha fermement à la barre, tandis que, sous ses pieds, le *Charon* gîtait et vacillait. Il sembla s'immobiliser en haut de la crête pendant une fraction de seconde avant de se précipiter dans une folle descente et de s'écraser contre un nouveau mur d'eau. Tree-Trunk effectua quelques menus réglages et planta son cigare à l'autre extrémité de sa bouche, sans quitter un seul instant l'horizon des yeux. Le vent avait changé de direction. La pluie crépitait contre les hublots, comme si les gouttes s'étaient soudain changées en gravillons.

Tree-Trunk se gratta l'aisselle et bâilla. Il n'était pas inquiet. Le bateau tiendrait le coup. Le *Charon* était conçu pour résister aux pires conditions. Court et ventru, il pouvait encaisser la tempête sans broncher et continuer imperturbablement son petit bonhomme de chemin sur une mer démontée. Mais ils progressaient lentement. Tree-Trunk était à la barre depuis plusieurs heures et, vu les conditions, il risquait d'y rester encore quelques autres, car chaque mille parcouru l'était au prix d'une énorme débauche d'efforts, d'énergie... et de fuel. Dès qu'ils avançaient de quelques mètres, le courant les repoussait en arrière d'autant.

Le vent faisait un bruit assourdissant. Il mugissait en se prenant dans le bastingage, tambourinait contre la carène, comme s'il voulait entrer dans la cale. Néanmoins, sous ce vacarme, le géant maori pouvait percevoir le ronron régulier du moteur. Et ce bruit le rassurait. De l'extérieur, le

Charon ressemblait à un vieux cargo à bout de souffle, à un tas de ferraille bon pour la casse. Mais, comme souvent, les apparences étaient trompeuses. En effet, il renfermait un énorme moteur à turbine vapeur dont les performances permettaient au navire d'atteindre les trente-cinq nœuds en pointe. Cette turbine aurait eu assez de puissance pour équiper un bateau deux fois plus gros que celui-ci. Alors, certes, le *Charon* ressemblait à une vieille babouche flottante, mais il pouvait sans problème dépasser tout ce qui naviguait en haute mer.

Des pas retentirent sur l'escalier métallique. Tree-Trunk tourna la tête. Davey Day, le second, ouvrit la porte du poste de pilotage. Il était pâle et semblait frigorifié.

– Dur, dur, dit-il après avoir reniflé bruyamment, le regard perdu sur la mer déchaînée.

– Temps pourri, tu veux dire, rétorqua Tree-Trunk en crachant par terre.

– Y en encore pour long ? T'as une estimation ? demanda Davey en frissonnant.

Oscillant follement dans la cabine de pilotage, luttant pour garder son équilibre, Tree-Trunk jeta un œil sur son compas et fit un point rapide.

– Pas bon. Ça va cogner tout du long.

– On sera à Tunis avant le matin ? demanda Davey.

– Non. Et si ça se gâte, on sera même obligés de tanker à Malte en attendant que ça se calme.

– Tu veux prévenir le boss ou tu préfères que j'y aille ?

– J'y vais, répliqua Tree-Trunk. Prends la barre.

Davey s'installa aux commandes à contrecœur tandis que Tree-Trunk dévalait les escaliers menant aux cabines. Il était presque trop grand et trop large pour la coursive. Il avançait à grands pas, se cognant aux parois en bougonnant dans sa barbe les pires jurons.

Quand il atteignit la cabine du capitaine, il frappa et, sans attendre de réponse, fit irruption dans la pièce. Zoltan était assis à table avec la fille. Les courts cheveux blonds du Magyar étaient gras et ses étranges yeux gris, aux reflets argentés, étaient voilés, mouillés, comme s'il allait s'effondrer en larmes d'un instant à l'autre.

Il était malade. C'était évident. Du sang coulait de son épaule blessée et poissait sa chemise.

Zoltan écouta le compte rendu de Tree-Trunk. D'une oreille. Il ne semblait pas concerné.

– On continue. On a déjà connu pire que ça.

Tree-Trunk approuva d'un hochement de tête et quitta la cabine.

Zoltan se versa du vin, épais et rouge, tout en maintenant son quart en place d'une main molle et blessée.

Sa cabine était petite et sombre, seulement éclairée par la lueur vacillante d'une lampe à huile qui tanguait follement dans les airs à chaque embardée du bateau. À fond de cale, le bruit du moteur était assourdissant. C'était comme être assis dans la cage thoracique d'un monstre, juste à côté de son cœur.

De l'autre côté de la table se tenait Amy Goodenough. Elle était pâle et sale. Dans la semi-obscurité, ses yeux sombres brillaient d'une lueur fiévreuse.

– Tu es sûre que tu ne veux pas m'accompagner ? demanda Zoltan en reposant la bouteille dans un casier.

Amy ne disait rien, se contentant de secouer imperceptiblement la tête. Elle ne voulait rien accepter de la part de l'homme qui avait tué son père.

– Quand on est au cœur de la tempête, la seule chose à faire c'est boire, dit Zoltan en levant son verre. Sangre de Toro. Tu sais pourquoi il s'appelle comme ça ?

Amy lui lança un regard maussade, sans répondre.

– Je vais te le raconter quand même. Un temps pareil, c'est bon pour les histoires.

Le bateau gîta violemment, tous deux furent projetés de côté. Instinctivement, Zoltan essaya de se raccrocher à la table avec son bras blessé. Il suffoqua de douleur.

– C'était au cours d'une grande bataille entre les Hongrois et les Turcs, reprit-il une fois la douleur passée. Il y a des centaines d'années – il avala une nouvelle lampée – les Hongrois étaient démoralisés et décimés. Mais leur chef leur donna du vin et, soudain, ils retrouvèrent leur âme guerrière. Les Turcs ont décampé sans demander leur reste, persuadés que les Hongrois avaient bu du sang de taureau et que c'était ça qui leur avait redonné leur force.

Zoltan éclata de rire et se crispa aussitôt. Grimaçant, il attrapa son bras de sa main valide et l'immobilisa. Le coup de couteau que lui avait donné Amy était passé entre la clavicule et l'omoplate, juste dans l'articulation, endommageant gravement les tendons. Un médecin d'Istanbul avait bien essayé de soigner la plaie, mais celle-ci s'était récemment rouverte et infectée.

Une fille. C'était une gamine tout juste pubère qui avait fait ça. Mais une gamine avec un air rebelle qu'il admirait, en dépit de ce qu'elle lui avait fait.

Zoltan rit à nouveau et alluma maladroitement une cigarette.

– Tu penses que je suis un ogre, n'est-ce pas, Amy ?

L'adolescente ne répondait toujours pas.

– Peut-être sais-tu d'où vient le mot ?

Elle secoua la tête.

– Du mot « Magyar »…

Il explosa de rire et but une nouvelle gorgée de vin.

– Nous autres, Hongrois, descendons des tribus qui ont balayé l'Europe d'est en ouest et mis le continent à feu et à sang. D'abord les Huns et, plus tard, les Magyars. On a construit des châteaux un peu partout et inspiré la terreur à tous ceux qu'on a croisés. Nous étions des ogres. Dans les contes, on est devenus immenses, avec d'énormes dents. Des mangeurs d'enfants ! Mais les ogres n'étaient autres que des hommes comme moi. Des Magyars. Alors oui, peut-être que je suis un ogre, mais je n'en reste pas moins un homme.

– Ah ! se contenta de répondre Amy.

Elle portait une vague chemise et un pantalon trop grand qui avaient appartenu au plus petit des membres de l'équipage. Elle n'en avait pas changé depuis des semaines. Une odeur âcre s'échappait de ces frusques, mais elle était trop brisée pour que cela lui pose un problème. Depuis l'attaque de la *Sirène*, c'était comme si elle vivait dans une autre dimension.

La contrebande, bien plus que la piraterie, constituait l'essentiel des activités de Zoltan. Au cours des semaines passées, ils avaient sillonné la Méditerranée en tous sens. D'abord ils étaient allés en Turquie, puis à Beyrouth, en passant par Chypre, puis Alexandrie, en Égypte et retour en Turquie. À chaque halte, Zoltan avait troqué une partie de son butin : opium, haschich, vin, liqueur ou armes. Jamais il n'avait débarqué Amy. Dès qu'ils arrivaient dans un nouveau port, elle était enfermée dans une cache secrète, à fond de cale, avec Grace, sa préceptrice. La planque servait à la contrebande et n'était pas conçue pour accueillir des êtres vivants. Il n'y avait ni lumière ni air.

Elles avaient lutté pour ne pas sombrer dans le désespoir. Blotties l'une contre l'autre dans l'étouffante chaleur de la cale, elles avaient fait tout ce qu'elles pouvaient pour se remonter mutuellement le moral, pourtant, à chaque nouvelle descente dans la soute, Grace était plus éplorée et plus terrorisée.

C'est à Alexandrie que ça avait été pire. Amy avait toujours rêvé de visiter l'Égypte, de voir le Sphinx, les pyramides et le temple de Karnak, mais elle n'avait jamais imaginé qu'en arrivant sur place elle passerait le plus clair de son temps dans l'obscurité d'une cache de contrebandier. À fond de cale, la chaleur était monstrueuse et les deux femmes avaient rapidement perdu toute notion de temps et d'espace. Même le son ne parvenait pas à percer les parois de métal de leur cellule infernale. Le plus abominable était l'incertitude. Vivre dans l'ignorance de ce qui allait leur arriver. Amy avait d'affreux pressentiments. Mais elle s'était bien gardée d'en souffler mot à Grace, qui semblait déjà sur le point de craquer.

Depuis la Turquie, les pirates avaient traversé la mer Égée et rejoint Athènes, avant de naviguer jusqu'à l'ancienne ville fortifiée d'Otrante, dans le talon de la botte italienne. C'est là que Zoltan avait finalement autorisé Amy à mettre pied à terre.

— Ta préceptrice va rester à bord, avait-il expliqué. À la moindre incartade de ta part, elle sera punie.

— Pas dans la cache, avait supplié Amy. Ne la forcez pas à descendre à nouveau dans la cache.

— Très bien. Du moment qu'elle reste en cabine.

Zoltan avait accompagné Amy dans le dédale des rues tortueuses de la ville médiévale et lui avait montré la cathédrale. À l'intérieur de l'édifice, le sol était entièrement recouvert d'une extraordinaire mosaïque, représentant l'arbre de vie, entouré d'animaux étranges et de créatures mythologiques. Mais Zoltan voulait lui montrer autre chose. Dans un coin se trouvait une petite chapelle dont les murs étaient décorés de centaines de crânes et d'os humains, jaunis par les ans.

— Des martyrs, avait-il expliqué. La ville a été attaquée

89

par des corsaires, des pirates musulmans. Les huit cents survivants se sont vu offrir la vie sauve s'ils se convertissaient à l'islam. Ils ont refusé. Ils ont été décapités. Nombreuses sont les choses qui méritent qu'on meure pour elles, mais Dieu n'en fait pas partie.

— Pourquoi m'avez-vous amenée ici ? demanda Amy.

Elle se sentait légèrement étourdie dans cette étrange atmosphère lugubre et oppressante, chargée d'effluves d'encens et d'odeurs de cierges.

— Je pensais que ça t'intéresserait.

— C'est horrible, répondit Amy avec colère. Comment pouviez-vous penser que cela me plairait ? Vous êtes monstrueux. Que me voulez-vous à la fin ?

— Tu as de la valeur, Amy. Et tu peux t'avérer d'une grande utilité.

— Donc je ne suis rien d'autre qu'une marchandise, comme celle que vous trafiquez à bord de votre bateau, c'est ça ? Un objet qu'on achète ou qu'on vend.

— J'ai contacté ta famille. Ils vont verser une rançon.

Amy ne savait quoi répondre, ignorant si elle devait se réjouir de cette nouvelle, qui impliquait l'espoir de revoir sa maison, ou s'indigner d'être ainsi troquée.

— Mon grand-père ne paiera pas. Il va vous traquer. Vous traquer et vous tuer.

— Il serait bien incapable de me retrouver. Le pauvre homme ne saurait même pas par où commencer. La piste est dure à suivre, tu sais ? Non, non. Ça prendra du temps, mais j'aurai mon argent. La première chose qu'il va demander, c'est une preuve que tu es bien en ma possession. Que crois-tu que je devrais lui envoyer ? Un doigt ? Une oreille ? Le bout de ton nez ?

— Vous êtes écœurant, répondit Amy avec une mine de dégoût qui déclencha l'hilarité de Zoltan.

– Je plaisantais. Je n'ai pas envie de te faire de mal. Je t'aime bien ! Je veux te parler, discuter avec toi. J'en ai assez d'être entouré de brutes épaisses. Toi, tu es une personne civilisée. Parle avec moi.

Depuis ce jour, à chaque fois que l'occasion s'était présentée, Zoltan avait fait venir Amy dans sa cabine, comme aujourd'hui, et il l'avait fait asseoir à sa table pour qu'ils discutent tandis que lui buvait du vin.

– C'était écrit, Amy. Je crois sincèrement que Fortune t'a envoyée sur ma route pour que s'accomplisse mon destin. Tu crois que je suis en train de mourir ? Serait-ce ta main qui finalement m'ôte la vie ?

– J'appelle ça de tous mes vœux.

Zoltan eut un petit sourire.

– Je n'ai pas peur de mourir, dit-il. À vrai dire, je n'ai peur de rien. Sauf de la mer.

– La mer ? répéta Amy, intriguée presque malgré elle par cet étrange aveu.

– Oui. La mer. Quand je pense à toi, Amy, je te vois sortir de l'eau comme une sirène, comme un esprit des eaux, envoyé par un destin vengeur pour me faire expier mes fautes. J'ai toujours su que la mer aurait ma peau.

– Mais vous êtes un marin. Comment pouvez-vous avoir peur de la mer ?

– Un marin devrait toujours craindre la mer, la craindre et la respecter.

– Moi, j'aime la mer. J'aime me baigner, nager au large.

– Moi, je ne sais pas nager.

– Vous ne savez pas nager ? répéta Amy, interloquée.

– Oh, tu sais, ils sont nombreux, les marins dans mon cas. Chez nous, savoir nager est considéré comme un signe néfaste, une chose qui attire le mauvais œil.

– Mais c'est très dangereux.

91

— Suffit de ne pas tomber dedans.

Pour la première fois depuis longtemps, un sourire se dessina sur le visage de la jeune fille.

— Je n'apprendrai jamais à nager, poursuivit Zoltan. Je me bats avec la mer. Je dompte la mer. Je navigue sur les flots à bord de mon bateau. Je ne suis pas là pour me baigner. La mer appartient aux poissons, aux crabes, aux langoustes et aux calmars. La première fois que je l'ai vue, j'avais seize ans. J'avais quitté ma ferme pour m'engager dans l'armée de l'Empire austro-hongrois. Le monde entier était en guerre. J'ai été envoyé sur le front italien. Et j'ai vite compris que tout ça était stupide. Des jeunes gars de chez nous, qui se battaient contre d'autres jeunes gars, au seul motif qu'ils étaient nés de l'autre côté de la frontière italienne. Et tout ça pour quoi ? Pour se disputer un insignifiant bout de terre sur lequel les Italiens prétendaient avoir des droits et que nous estimions nous appartenir. Je n'avais rien à voir là-dedans, ni aucune envie de participer à cette sanglante mascarade. Je me suis enfui et j'ai traversé l'Albanie jusqu'en Grèce. Là, j'ai rejoint les rangs des criminels, des trafiquants de tout poil, des pirates et des déserteurs. Dans le chaos de la guerre, il y a plein d'opportunités à saisir pour un homme dynamique. J'ai rapidement eu mon propre bateau, après que le capitaine fut bêtement tombé par-dessus bord et se fut noyé.

— Tombé ou poussé ? demanda Amy.

— Il était vieux et malade. J'ai simplement abrégé ses souffrances, comme je l'aurais fait pour un vieux chien. Et un jour, si je suis vieux et malade, je suis persuadé qu'un des membres de mon équipage fera de même avec moi. C'est pour ça que je tiens bon, Amy, que je ne m'étends pas sur mon lit en attendant que ta blessure triomphe. Mes hommes ne doivent pas me voir malade.

Il marqua une pause et se versa du vin. Après un silence, il reprit :

– Toutefois, j'espère bien que je ne vieillirai pas à bord de ce bateau. Bientôt, je serai assez riche pour laisser cette vie derrière moi, acheter une terre, avoir une belle maison et me ranger.

– Vous pensez vraiment que mon grand-père va payer tant que ça pour me récupérer, railla Amy.

– Il n'y a pas que ça. Il y a aussi tout ce que j'ai dans la cale. Ne t'inquiète pas, tout est prévu. Dès qu'on sera en Sardaigne, tout va changer.

Terreur froide

La tour s'élevait là depuis plus de trois mille ans. Certains des énormes blocs de pierre noire qui avaient servi à son édification mesuraient plus de deux mètres de côté et, malgré de puissants efforts d'imagination, James ne parvenait pas à se figurer comment les Anciens avaient fait pour les acheminer jusque-là et les empiler les uns sur les autres. Cette énigme expliquait peut-être, en partie, la mystérieuse atmosphère qui nimbait l'endroit, quelque chose de Stonehenge.

– Vous avez devant les yeux Sant'Antine Nuraghe, dit Peter Love-Haight en ouvrant le bras d'un geste théâtral. On ne sait pas grand-chose du peuple qui a construit ces tours dont on ignore jusqu'à la fonction. La première explication qui vient à l'esprit est qu'il s'agit de fortifications érigées pour résister aux nombreux envahisseurs qui harcelaient la Sardaigne. Pourtant, il paraît plus probable que ces constructions aient eu une signification religieuse. Il en existe plus de sept mille sur l'île. Celle-ci est la plus grande et la plus impressionnante. Autrefois, la tour principale s'élevait sur trois niveaux et culminait à plus de vingt mètres, mais, au XIXᵉ siècle, un maire de la commune a fait retirer le dernier étage pour construire une fontaine.

Le groupe se trouvait dans la vallée des Nuraghi, une vaste plaine de roche volcanique, écrasée sous un soleil brûlant, et parsemée de cônes de volcans depuis longtemps éteints. Toutefois, en y regardant de plus près, James remarqua que, au milieu du relief naturel, de nombreuses autres tours en ruine émaillaient le paysage, comme des dents cassées au fond d'une bouche gigantesque.

Ils avaient quitté Douvres cinq jours auparavant, traversé le Channel en ferry puis rejoint Gênes, dans le nord de l'Italie, en train. Là, ils avaient pris un bateau pour la Sardaigne.

Un bus les attendait au port de Terranova. À son volant se tenait un grand gaillard sarde, solidement charpenté et au teint très mat, répondant au nom de Quintino et coiffé de la double casquette de chauffeur et guide.

Ils avaient ensuite quitté la côte et roulé vers l'ouest jusqu'à Torralba, traversant de grandioses paysages sauvages sans la moindre construction à l'horizon. Seules présences croisées en chemin : des troupeaux de moutons et de chèvres, gardés par des bergers aux visages taillés à la serpe et vêtus de gilets en peau retournée.

Ils avaient passé la nuit dans l'école du village, allongés sur des lits de camp de l'armée sous des moustiquaires poussiéreuses. Au matin, ils avaient repris la route et s'étaient rendus sur le site néolithique, surveillé par un gnome d'homme en costume traditionnel : chemise blanche à manches bouffantes, gilet noir, pantalon blanc, attaché serré sous le genou par des guêtres noires et tenu à la taille par une large ceinture d'où pendait un bout de tissu noir qui faisait comme une petite jupe, ou un tablier. Sur la tête, il portait une casquette noire à rabat dont il avait replié le long bout de tissu, qui aurait normalement dû flotter sur sa nuque, pour protéger ses yeux du soleil aveuglant.

Le site, ceint d'un petit muret de pierres sèches, était

dominé par une immense tour centrale, autour de laquelle subsistaient les vestiges de ce qui semblait bien avoir été un village constitué de petites maisons et de huttes, la plupart de forme circulaire.

Haight avait informé les garçons qu'ils allaient participer au chantier et aider à la fouille d'un lopin de terre délimité par des cordelettes, juste de l'autre côté du mur d'enceinte. Des petites truelles et des tamis leur seraient remis à cet effet. Un auvent de fortune sous lequel se trouvaient deux longues tables avait été dressé au milieu des chardons et des pieds de maïs. Le professeur leur exposa les divers objets mis au jour jusqu'ici : des fragments de poterie et une petite statuette de bronze.

– Ces pièces sont restées enfouies sous terre pendant des siècles, dit Haight en retournant délicatement un morceau de poterie au creux de sa main. Je ne m'attends pas à ce que nous fassions une découverte fracassante. Mon but est simplement de vous initier aux joies de la fouille archéologique.

Un jeune employé du musée local, suant à grosses gouttes dans son complet sombre, supervisait les opérations. Il semblait nerveux et légèrement mal à l'aise, visiblement inquiet que ces garçons maladroits n'endommagent quelque chose.

Alors que James était baissé pour regarder de plus près un des objets, quelqu'un le poussa dans le dos et il s'étala sur la table, renversant la statuette.

L'envoyé du musée eut une exclamation réprobatrice. James se retourna avec colère.

Comme il fallait s'y attendre, il se retrouva nez à nez avec l'inévitable Tony Fitzpaine, l'aristocrate arrogant et imbu de lui-même que James avait poussé à l'eau. Quand il avait découvert qu'il était du voyage, James avait été sérieusement refroidi. Depuis qu'ils s'étaient croisés sur le ferry qui traversait la Manche, Fitzpaine avait tout fait pour lui rendre la vie impossible.

James avait préféré laisser couler, choisissant de l'ignorer. Il faisait bien trop chaud pour risquer de se mettre dans tous ses états, quelle que fût la raison.

Haight demanda aux garçons de bien vouloir faire attention et les divisa en trois équipes de travail.

Pendant près de deux heures, James, agenouillé dans la poussière aux côtés de Perry Mandeville, creusa consciencieusement la terre. Ce faisant, son esprit vagabonda vers d'autres préoccupations.

Hier soir, en défaisant sa valise, il avait trouvé une lettre. Charmian l'avait glissée dans sa poche au moment où ils s'étaient dit au revoir, sur le seuil du cottage et, dans l'excitation du départ, il l'avait complètement oubliée. Jusqu'à hier soir où, assis sur son lit de camp, il avait ouvert l'enveloppe et découvert une page de carnet grossièrement pliée. Il avait immédiatement reconnu l'écriture, minuscule, fine et penchée, celle de M. Merriot.

Cher James,

D'avance, cher ami, je vous prie de bien vouloir excuser mon intrusion dans vos vacances car j'imagine bien que l'école est la dernière chose à laquelle vous voulez penser en ce moment. Pourtant, j'ai estimé que ce qui suit pourrait vous intéresser. L'autre jour, en privé, vous m'avez demandé si le chiffre romain MM possédait une signification particulière. Sur le moment, j'étais incapable de vous répondre mais, l'autre soir, j'ai dîné avec mon collègue, M. Cooper-ffrench, qui, soit dit en passant, n'est pas prêt d'oublier sa rencontre avec votre charmante tante !

Dans le feu de la conversation, nous en sommes venus, comme c'est souvent le cas avec Cooper-ffrench, à évoquer l'histoire de Rome et il a mentionné l'existence d'une société secrète, connue en Italie sous le nom de Millenaria.

Si vous ne voyez pas d'inconvénient à ce que je vous fasse un petit cours d'histoire, je vais vous décrire, seulement dans les grandes lignes, rassurez-vous, le contexte dans lequel est née cette société secrète. Ce bref rappel me semble nécessaire tant il est vrai que nous consacrons beaucoup de temps à l'étude de la Rome antique et finalement très peu à celle de l'Italie moderne. En bref, il y a seulement cent ans, l'Italie telle que nous la connaissons n'existait pas, c'est-à-dire que son unité n'était pas réalisée. Le territoire était morcelé. Divisé en diverses cités-États, rivales les unes des autres, et souvent dirigées par des potentats étrangers. Durant la première moitié du XIXe siècle, un mouvement nationaliste a fait son apparition. Son credo : unifier le pays et bouter les étrangers hors des frontières.

Les Italiens possèdent une grande tradition du secret, et sont très friands de sociétés occultes, d'espions et autres conspirateurs. Ainsi, au lieu de simplement lever une armée, les nationalistes ont-ils créé une multitude de groupuscules clandestins dont le but était de répandre les idées nationalistes et, plus généralement, de profiter du moindre désordre pour attiser les tensions. La plupart de ces groupuscules périclitèrent sans qu'on ait jamais entendu parler d'eux. Toutefois, ils fournirent les bases sur lesquelles se développa un nouveau mouvement, le Risorgimento, qui, emmené par un immense général du nom de Garibaldi, allait finalement réussir à réaliser l'unité italienne, en 1861. L'Italie moderne était née. À sa tête, un roi : Victor-Emmanuel de Sardaigne (précisément là où vous avez la chance de passer vos vacances, si mes souvenirs sont bons).

Toutefois, pour certains Italiens, cela ne suffisait pas. Pourquoi s'arrêter en si bon chemin ? arguaient-ils. Dans le passé, Rome avait dominé la totalité du monde connu. Ne pouvait-

elle en faire autant aujourd'hui ? L'unification de l'Italie n'était qu'un premier pas sur un chemin dont le but ultime était la reconstitution de l'Empire romain.

Une nouvelle société secrète vit ainsi le jour, la *Millenaria*, qui entreprit aussitôt de comploter, d'intriguer et d'espionner.

Encore un petit effort, espèce de cancre. Je vous entends pleurnicher d'ici : « Quand est-ce que ce vieux raseur va en venir au fait ? Au double M ? » Eh bien, le sigle secret des millénaristes était un double M, signifiant deux mille ans. J'ai fait tout mon possible pour vous inculquer quelques notions d'histoire romaine. J'ose espérer qu'il vous en reste quelques bribes, comme la date de naissance de Jules César : 100 av. J.-C. En tant que père de l'Empire et incarnation vivante de la puissance de Rome, César constitue une figure tutélaire quasi naturelle pour un mouvement désireux de régénérer la gloire de la Rome antique. MM. Deux mille ans.

Donc, en 1900, deux mille ans après la naissance de César, la *Millenaria* a lancé sa campagne. Les années suivantes, il y eut quelques échauffourées et beaucoup de gesticulations et d'éclats de voix, mais, au bout du compte, rien d'important ne se produisit. Le seul incident notable eut lieu quand l'un des leurs vola la Joconde au Louvre pour la rendre à son pays d'origine. Ensuite, la guerre a éclaté et l'Italie a été entraînée dans la tourmente. Après la guerre, la *Millenaria* est tombée dans l'oubli. Mussolini et ses fascistes ont pris les rênes du pays. Certains affirment que d'anciens activistes de la *Millenaria* l'ont aidé à prendre le pouvoir et, de fait, certaines de ses idées, tout comme son style, découlent en droite ligne de la doctrine millénariste. Néanmoins, leur soutien au Duce ne leur épargna pas les foudres de l'autocrate qui, immédiatement après avoir pris les commandes, se débarrassera d'eux – on ne demande pas à un dictateur de partager le pouvoir.

Aujourd'hui, Mussolini aime à se présenter comme une sorte

d'empereur romain d'un nouveau genre, et il a des vues sur le reste du monde !

Personnellement, je partage le point de vue de votre tante. La Rome antique n'est pas un modèle à suivre. Cette civilisation possédait effectivement une soif malsaine pour le pouvoir, la gloire et les effusions de sang.

Puisse cet exposé représenter quelque intérêt à vos yeux. J'espère sincèrement ne pas avoir gâché vos vacances avec ce cours d'histoire improvisé dont j'ai pu penser qu'il répondait à la question que vous vous posiez.

La nuit dernière, James avait souri à la lecture de cette lettre. C'était gentil de la part de M. Merriot de lui écrire, mais il y avait peu de chances pour qu'une obscure société secrète italienne, disparue depuis des années, ait quoi que ce soit à voir avec l'insignifiante maison à la cour intérieure couverte de lierre et le balafré avec un M tatoué au dos de chaque main.

PS : Vous ne serez peut-être pas fâché d'apprendre que les membres de la Millenaria parlaient latin pendant leurs réunions secrètes et qu'ils préconisaient son usage dans le nouveau monde qu'ils comptaient créer. D'où l'intérêt que leur porte Cooper-ffrench, puisque, comme vous le savez, s'il ne tenait qu'à lui, nous parlerions tous comme Ovide !

Agenouillé sur le sol, sous un soleil de plomb et dans une chaleur étouffante, James tournait et retournait les pièces du puzzle dans sa tête, essayant de découvrir si un schéma général se dessinait. Il se sentait comme un archéologue essayant de reconstituer une poterie à partir de fragments épars.

Il y avait les deux silhouettes indistinctes qui parlaient latin dans la cour, les caisses de bois avec les lettres au pochoir, l'étrange chapelle avec le bol de sang et la tête de poulet, le bracelet par terre, le balafré qui parlait à M. Cooper-ffrench derrière les volets.

Rien ne collait. Impossible de faire quoi que ce soit qui ressemble à un vase avec ça. Pourquoi une société secrète italienne aurait-elle eu une loge à Eton ? Ça n'avait aucun sens.

À mesure que la journée avançait, et que le soleil montait plus haut dans le ciel, James était de plus en plus incommodé par la chaleur, il se sentait pris de vertiges. Il n'y avait pas la moindre parcelle d'ombre là où ils travaillaient. La poussière collait à sa peau couverte de sueur. Après une matinée passée à creuser, il n'avait rien déterré d'intéressant sinon quelques cailloux de basalte tranchants et une fourmilière. Finalement, il se redressa, enleva le chapeau de paille qu'on lui avait donné, frotta ses cheveux dégoulinant de transpiration et laissa tomber sa truelle sur le sol.

– Qu'est-ce qu'y a ? demanda Perry, en souriant. Ça t'plaît pas l'boulot d'terrassier ?

– Ce n'est pas exactement comme ça que j'envisageais mes vacances, répondit James, la bouche sèche et pâteuse, réalisant tout à coup qu'il n'avait pas bu la moindre goutte d'eau depuis le petit déjeuner.

Il s'assit par terre. L'instant d'après, le soleil disparut. Quelqu'un lui faisait de l'ombre. James leva la tête en clignant des yeux et reconnut la silhouette familière de Tony Fitzpaine.

– Ne crois pas que je t'ai oublié, dit-il avec un air mauvais. J'attends juste le bon moment. Je dois dire que je suis très content que tu participes à ce voyage, Bond. Loin d'Eton et des *beaks*, tu vas avoir du mal à te cacher. Un conseil. Surveille tes arrières, plébéien.

– « Ôte-toi de mon soleil », Fitzpaine.

– Qui t'a autorisé à me parler comme ça ?

James ne put s'empêcher de rire.

– Ah oui ? Et comment veux-tu que je m'adresse à toi ? Votre Majesté ? Ça t'irait ?

– À Eton, ton nom sera traîné dans la boue, sale roturier, bafouilla Fitzpaine.

– Vraiment ? Eh bien, je vivrai avec. Mais, comme tu le dis si bien toi-même, Fitzpaine, ici, nous ne sommes pas à Eton.

À ces mots, James se leva et vint se placer juste devant son rival.

– Nous ne sommes même pas sur une terre de la Couronne, poursuivit-il sur un ton moqueur. Juste deux jeunes garçons égarés dans une fournaise inhumaine, au cœur d'une île méditerranéenne… Alors peut-être bien que c'est *toi* qui devrais faire attention à tes arrières.

– Tu me menaces ?

– Je crois qu'on peut dire ça comme ça, répondit James avec un petit sourire avant de tourner les talons pour aller se chercher quelque chose à boire.

Sous l'auvent de tissu, il trouva une grosse gourde de métal contenant encore un peu d'eau tiède. Il porta le goulot à ses lèvres et se rinça la bouche d'eau en faisant gonfler ses joues avant de l'avaler.

– Ça nous change de la grisaille, hein ? moqua Haight en pénétrant à l'ombre de la tente, son sac en bandoulière et apparemment pas mécontent de s'extraire pour un temps de la chaleur caniculaire.

– Il me fallait un peu d'ombre, concéda James.

– Nous n'allons pas tarder à plier bagage, dit Haight en s'essuyant le visage dans un mouchoir. Deux, trois heures sous ce soleil, c'est le maximum qu'on puisse supporter.

Il posa son sac sur la table. Il ne faisait pas un pas sans lui, car ce sac contenait tout ce qui était nécessaire au voyage :

les documents officiels, une trousse de premiers secours, des cartes et des plans des sites nuragiques, ainsi que plusieurs toiles roulées qu'il utilisait pour faire des croquis. Depuis le départ, il ne l'avait pas quitté des yeux. Il sortit une carte de son précieux bagage et la déplia sur la table.

– Le coin est sauvage, dit-il en aplatissant les plis du papier. La région des bandits.

– Vraiment ? demanda James en se penchant sur la carte.

– Absolument. Vous voyez ces villages, là ?

Il pointa deux ou trois noms sur la carte puis se redressa et montra du doigt le fond de la vallée. Au loin, James aperçut de petits groupes de maisons, accrochés à flanc de montagne.

– Ces endroits sont très difficiles d'accès et quasiment impossibles à prendre, poursuivit Haight. Aucune autorité n'a jamais réussi à soumettre les gens qui y vivent. L'Italie a été unifiée durant la deuxième moitié du XIXe, mais le cœur de la Sardaigne, lui, n'a pas changé depuis des siècles.

– J'ai lu quelque chose à ce sujet la nuit dernière, dit James, faisant référence à la lettre de M. Merriot. À ce propos, monsieur, avez-vous jamais entendu parler d'une société secrète appelée Millenaria ?

– Une société secrète ? Euh… Non, pourquoi ?

– C'est juste que… Vous vous souvenez de ce bracelet, monsieur ?

– Quel bracelet ? demanda Haight en fronçant les sourcils.

– Mais si… Après votre conférence… Nous parlions dans le couloir et j'ai trouvé un bracelet par terre. Vous deviez demander à M. Cooper-ffrench s'il lui appartenait.

– Ma parole, vous avez bonne mémoire. Je dois avouer que, pour ma part, j'avais complètement oublié cet incident. – Il fouilla son sac et en sortit une autre carte. – En effet, je suis allé voir Cooper-ffrench et je lui ai montré l'objet. Il m'a répondu qu'il ne l'avait jamais vu, alors je l'ai rangé au fond d'un tiroir, quelque part chez moi. Mais vous savez, James, je crois que ce bijou n'a aucune valeur, à votre place, je ne me ferais pas de souci pour ça.

– Ce n'est pas ça… C'est le symbole gravé dessus… Le double M.

– Exact, je m'en souviens. J'ai même cru qu'il s'agissait des initiales de quelqu'un. Je me suis creusé la tête pour trouver un M. M. et, finalement, j'en suis venu à la conclusion qu'il devait avoir été perdu bien avant que vous ne le trouviez là, par terre. Mais j'ai peur de ne pas vous suivre. Qu'est-ce que cela a à voir avec la société secrète que vous évoquiez ?

– Le double M, monsieur, c'est l'emblème de la Millenaria.

Haight éclata de rire.

– Allons, jeune homme, reprit-il avec un grand sourire. Dans une seconde, vous allez me dire qu'ils possèdent une planque à Eton et qu'ils projettent de kidnapper le nouveau doyen pour installer Mussolini à sa place !

James éclata de rire à son tour, prenant soudain conscience du caractère presque loufoque de ce qu'il venait de dire.

– Rassurez-vous, je n'étais pas allé jusque-là… Mais un jour, dans Eton, j'ai vu un homme avec un M tatoué sur chaque main.

– M comme maman, probablement. À quoi ressemblait-il ? Une sorte de vengeur masqué avec une dague d'assassin accrochée à la ceinture ?

– Non… Certes. Mais il était néanmoins difficile à rater, il avait une grande balafre sur chaque joue.

– Eh ben…, reprit Haight en repliant ses cartes. J'ignorais qu'Eton était un endroit aussi palpitant.

James ramassa la gourde et la porta à nouveau à ses

lèvres, mais seul un mince filet d'eau s'en échappa. Il la reposa, plus assoiffé que jamais.

— Attendez, prenez la mienne, dit Haight en rangeant les cartes dans son sac, qu'il fouilla un instant avant d'en extraire une bouteille d'eau.

— Décidément, c'est toute une maison que vous avez là...

— C'est exactement ce que je me dis à chaque fois que je le porte à mon épaule.

James but une gorgée. L'eau était salée et amère.

— Ne vous étonnez pas du goût, dit Haight avec un petit sourire. J'utilise toujours des purificateurs. On n'est jamais trop prudent par ici.

Il reprit la bouteille des mains de James, la reboucha et, d'un ton conciliant, ajouta :

— Écoutez, si vous en avez assez de creuser, pourquoi n'allez-vous pas explorer la tour ? Je suis sûr qu'à l'intérieur il y fait étonnamment frais.

— Merci, monsieur. Je ne dirais pas non à un peu de fraîcheur.

— Les Carthaginois l'ont un peu abîmée au Ve siècle avant Jésus-Christ, mais il leur aurait fallu toute leur armée pour la détruire entièrement. Une construction vraiment étonnante. Vous savez, ils n'utilisaient ni ciment ni mortier. Les pierres étaient soigneusement taillées, puis tout bonnement ajustées et empilées les unes sur les autres. Pour autant, ces hommes devaient savoir ce qu'ils faisaient car leur tour tient encore debout aujourd'hui. Regardez bien à l'intérieur et profitez du paysage une fois que vous serez au sommet, vous verrez, la vue est magnifique. Je vous revois quand vous serez de retour sur la *terra firma.*

James quitta à regret l'ombre de la tente et traversa le site en direction de la tour. Arrivé à proximité, il remarqua

105

qu'elle était ceinte d'un surplomb en terrasse, supporté par trois petites tours formant un triangle.

Il découvrit une entrée dans l'énorme mur extérieur. Il déboucha dans une cour au centre de laquelle se trouvait un puits en ruine. Plusieurs portes donnaient accès aux différentes tours. Il en choisit une au hasard, traversa une pièce ronde plongée dans l'obscurité et déboucha de l'autre côté. Aveuglé par l'éclatant soleil, il s'arrêta un instant – le temps de s'acclimater au changement brutal de luminosité – et remarqua finalement qu'il se trouvait dans une longue coursive constituée d'énormes blocs de pierre inclinés qui se rejoignaient au plafond. Il avança en traînant des pieds. Cet endroit le laissait perplexe. Il n'avait rien de commun avec tout ce qu'il avait pu visiter jusqu'alors. On aurait dit qu'il y avait des murs dans les murs. Il avança au hasard dans l'obscurité, profitant de la soudaine fraîcheur, jusqu'à déboucher dans une chambre aveugle, en forme de dôme, d'environ six mètres de diamètre et autant de hauteur. Sans doute le cœur de l'édifice, la base de la tour principale. Un rectangle de lumière blanche et aveuglante scintillait dans l'encadrement de la porte, mais très peu pénétrait sous l'étrange coupole. Dans la pénombre, il constata toutefois que la sombre roche noire, d'origine volcanique, qui constituait les murs, se teintait de rouge par endroits, presque comme de la rouille. Durant un instant, il pensa que la tour était faite de fer et non de roche. Tout était étonnamment calme. Un lourd silence régnait dans l'édifice, presque inquiétant. Il avait l'étrange sentiment d'avoir remonté le temps et de se trouver revenu au cœur de la préhistoire. Il se sentait petit, seul et faible, comme si ces pierres antédiluviennes renfermaient les fantômes de ceux qui, dans des temps anciens, avaient vécu là. Le monde extérieur, le monde moderne, lui paraissait tout à coup très, très loin. Un vertige nauséeux le saisit. La pièce se mit à tourner. Il crut entendre des voix, mais cela aurait aussi bien pu être le bruit de son sang qui cognait à ses tempes. Il ferma les yeux et posa son front contre le mur, pour se rafraîchir.

L'horrible image d'un bol de sang coagulé lui fit brutalement ouvrir les yeux. La pièce était remplie de gens. Ils portaient des hardes primitives ; des dizaines d'yeux ronds, illuminant des visages sombres, étaient tournés vers lui. Certains tenaient des couteaux aux lames brillantes. Il se ratatina sur lui-même, recula. Ce n'est que lorsqu'il sentit la pierre contre son dos qu'il réalisa qu'il s'agissait d'une illusion, qu'il ne voyait que de vagues formes sur les murs noirs de la chambre. Il se sentait désespérément fatigué, nauséeux, pris de vertiges. Il mourait d'envie de retrouver l'air libre, mais ne se sentait pas la force d'avancer vers le carré de lumière blanche et luisante. Le simple fait d'y penser lui donnait la migraine.

Il y avait quatre autres sorties, donnant sur une coursive, qui ceinturait la pièce ainsi qu'un escalier en colimaçon qui montait vers l'étage supérieur. Il le gravit et se trouva devant trois chambres plus petites. Il continua à monter. Il atteignit alors le sommet de la tour. Clignant des yeux, il avança dans le soleil.

Un vautour planait au-dessus de sa tête, les plumes sombres au bout de ses ailes faisant comme de longs doigts noirs sur le ciel d'azur. James le regarda glisser silencieusement dans les airs, puis tournoyer et s'éloigner vers les collines d'un bleu cendré qui s'élevaient au loin.

Il prit une profonde inspiration, mais cela ne servit à rien. L'air lui brûlait les poumons et il était toujours aussi vaseux.

Il entendit des pas, s'approcha du parapet et regarda vers le sol. Quinze mètres plus bas se trouvait la cour avec son puits. James avait l'étrange sensation de plonger son regard dans un insondable trou noir. Il perdait tout contrôle, comme si, d'un instant à l'autre, le sol allait se dérober sous ses pieds. Une folle envie de se jeter dans le vide lui taraudait l'esprit. Il lutta, mais resta appuyé contre le muret, bras pendants, tel un pantin. Des points noirs dansèrent un instant devant ses yeux, sa vision se troubla totalement. Un bourdonnement résonnait dans ses oreilles.

Il se sentait prêt à défaillir ; durant un moment, il ne sut plus où il était.

Le vertige passa. Il recouvra peu à peu la vue et prit conscience qu'il regardait des gens, en bas. Des gens qui levaient vers lui des yeux rouges de colère et qui faisaient d'étranges grimaces dégoûtées en le regardant.

James se dit qu'il s'agissait d'un nouveau mirage, que son imagination lui jouait à nouveau un sale tour.

Le visage était celui de Cooper-ffrench, sa carnation violacée et sa petite moustache impeccable étaient immanquables. Mais ce n'était pas possible...

Impossible qu'il se trouvât là.

James était hypnotisé par cet homme qui semblait lui intimer l'ordre de sauter. Il eut le sentiment qu'il allait vomir. Il chancela en avant jusqu'à se trouver juste au-dessus du bord de la tour. Le bourdonnement à ses oreilles devint plus aigu, encore et encore...

Il ferma les yeux et sentit que quelque chose bougeait derrière lui, quelque chose qui se précipitait vers lui.

Cooper-ffrench hurla son nom. Le son de sa voix résonna dans la tête de James, dans un écho sans fin, tournoyant dans les airs comme la sirène d'un camion de pompiers.

James se sentit basculer.

Et il tomba, tomba, tomba. Dans des profondeurs abyssales..

La tangente

Quand James rouvrit les yeux, il fut aveuglé par le soleil. Il cligna des paupières et reconnut bientôt le visage de Peter Haight, l'air inquiet, qui lui passait un linge humide sur le front.

– Ça va, mon petit ? demanda-t-il dès qu'il vit que le garçon revenait à lui.

– Je crois, grogna James d'une voix enrouée.

Il avait la bouche et la gorge atrocement sèches, comme s'il avait perdu jusqu'à la dernière goutte de salive. Il s'appuya sur ses coudes.

– Désolé. Je ne sais pas ce qui s'est passé, dit-il en jetant un œil autour de lui.

Il était toujours au sommet de la tour, étendu sur le sol de pierre.

– Encore une chance que je vous ai rattrapé, dit Haight avec le ton légèrement courroucé de celui qui vient d'avoir très peur. Vous devriez faire plus attention, vous étiez vraiment tout près du bord et ces vieilles ruines ne sont pas sans risque.

– Je sais. Je me suis senti mal… Et, pour tout dire, je ne suis toujours pas en grande forme.

Haight posa la main sur le front de James.

– Vous êtes brûlant, mon garçon.

James mourait de soif. Il n'eut pas à demander quoi que ce soit, car, avant qu'il ait eu le temps d'ouvrir la bouche, Haight lui avait vidé le reste de sa bouteille sur le visage.

– Ça devrait aller mieux, dit-il en aidant James à se relever. Maintenant, essayons de regagner la terre ferme.

Il avait les jambes molles. Haight dut le porter pour éviter qu'il ne retombe. Il se laissa faire, se contentant de hocher la tête tandis que le professeur l'aidait à descendre l'escalier en colimaçon. À mi-parcours, ils croisèrent Cooper-ffrench, qui montait, l'air énervé, suant comme jamais.

– Il va bien ? demanda-t-il.

– Rien de cassé, répondit Haight. Mais je veux le redescendre et l'allonger à l'ombre. Une insolation, je suppose.

Cooper-ffrench les suivit au bas de l'escalier puis leur emboîta le pas jusqu'à la tente. Un petit groupe de garçons, curieux de savoir ce qui s'était passé, se pressa autour de l'auvent, posant mille questions. Haight les chassa sans ménagements. James s'assit. Il était horriblement fatigué et se sentait très barbouillé. L'estomac au bord des lèvres.

– Vous n'auriez jamais dû vous retrouver là-haut tout seul, objecta Cooper-ffrench.

James se souvint de son visage tordu par la colère, en bas dans la cour.

– Pourquoi criiez-vous ? Vous hurliez mon nom.

Cooper-ffrench regarda nerveusement son collègue avant de répondre :

– J'essayais de vous mettre en garde. On aurait dit… On aurait dit que vous alliez tomber.

– C'est vrai qu'à un moment je me suis senti partir, dit James.

– Le principal est que vous soyez sain et sauf, mon petit,

ajouta Haight. Je n'ai pas envie de perdre une de mes ouailles.

– Le principal est que cela ne se reproduise plus, trancha Cooper-ffrench.

– Laissez-le respirer, John. Il a eu une sacrée frousse.

– Oui, bon…, bougonna Cooper-ffrench en s'épongeant la nuque dans un linge crasseux tandis qu'il sortait de la tente.

Ce soir-là, de retour à Torralba, James se préparait à aller se coucher dans la grande salle de l'école quand Haight vint le trouver, une tasse de thé bien fort à la main.

– On a retrouvé ses esprits, mon garçon ?

– Oui, monsieur, merci. Je me sens beaucoup mieux.

– Une tasse de thé ?

– Non, merci, monsieur, je ne bois jamais de thé.

– Désirez-vous autre chose ?

– Non, monsieur. Merci encore. Tout va bien. La crise est passée… Je ne sais pas ce qui m'est arrivé. Je crois que c'est d'avoir vu M. Cooper-ffrench au moment où je m'y attendais le moins. Ça m'a fichu un choc.

– Effectivement, il peut produire cet effet…

Tous deux éclatèrent de rire.

– À dire vrai, moi aussi j'ai eu un choc en le voyant, poursuivit Haight. J'ignorais qu'il arriverait si tôt.

– Mais que fait-il ici ? demanda James.

– Eh bien, apparemment, le règlement d'Eton exige qu'il y ait au moins deux membres du corps enseignant pour assurer l'encadrement de ces voyages scolaires. Je n'en savais rien. Je suis encore un néophyte dans ce domaine, je ne connais pas toutes les règles sur le bout des doigts.

– Ce n'est pas moi qui vous en blâmerait.

– Juste avant le départ, il m'a annoncé qu'il venait avec nous, qu'il nous rejoindrait sur place car il n'avait pas pu obtenir de billet aux mêmes dates que nous. Je dois dire que je ne suis pas fâché qu'il soit là. Je pensais pouvoir assumer seul la responsabilité du groupe, mais c'est toujours utile d'avoir quelqu'un à ses côtés, pour donner un coup de main. Évidemment, sa motivation principale est l'histoire romaine, dont il reste d'innombrables vestiges sur l'île, jusqu'à la langue des autochtones. Les Sardes parlent en effet un italien beaucoup plus proche de ses origines latines. Ils disent *domus* pour maison, par exemple, alors que l'Italien moderne dit *casa*.

En l'écoutant, James se demandait s'il devait reparler de la Millenaria. La peur du ridicule l'en dissuada. D'une part, il n'avait pas grand-chose à ajouter par rapport à ce qu'il avait déjà dit, d'autre part, si Cooper-ffrench était effectivement connecté à cette confrérie secrète, quelle importance cela faisait-il ?

Haight n'avait pas paru spécialement intéressé la première fois, aussi James décida-t-il qu'à partir de maintenant, il se tairait. En revanche, il était sûr d'une chose. Participer à ce voyage était une fausse bonne idée. Certes, il se retrouvait à des kilomètres d'Eton, mais toujours entouré de professeurs et d'élèves.

Prendre la tangente.

Il emprunta du papier à lettres à Perry et, en deux temps trois mouvements, troussa une courte lettre à son cousin Victor, lui demandant s'il pouvait venir chez lui plus tôt que prévu.

Quatre jours plus tard, en arrivant dans la petite ville d'Abbasanta, pour visiter Losa Nuraghe – une autre tour en ruine –, une réponse attendait James à l'auberge. Il déchira nerveusement l'enveloppe et parcourut anxieusement la missive. Mais il n'avait pas de raison de s'inquiéter, c'était la réponse qu'il espérait.

Ce soir-là, Haight invita tous les élèves au restaurant pour leur offrir une petite gâterie. Une chaude atmosphère de vacances régnait dans le groupe. Haight buvait le puissant vin local et il avait même réussi à persuader le très collet monté Cooper-ffrench d'y tremper ses lèvres.

— J'arrive pas à croire que tu quittes l'navire, espèce d'lâcheur, bafouilla Perry, assis à côté de James, sans que les énormes paquets de pâtes qu'il enfournait consciencieusement dans sa bouche ne l'incitent à garder le silence.

— C'est à cause de Cooper-ffrench. Depuis l'incident de l'autre jour, à Sant'Antine, il me colle aux basques comme une nounou zélée. J'en peux plus. Sa grosse face écarlate et sa petite moustache me sortent par les yeux…

— Sans oublier l-les énormes taches d'sueur sous les bras.

— Je ne te le fais pas dire.

En fait, James ne pouvait sortir de sa tête l'image de l'homme, debout dans la cour de Sant'Antine, qui levait vers lui des yeux fous où brillaient des éclairs de meurtre. Il était convaincu que, d'une certaine façon, il aurait voulu qu'il saute dans le vide. Était-ce parce qu'il l'avait surpris avec le tatoué à Eton ?

Non. James ne lui avait jamais parlé de ça.

Mais il avait parlé à M. Merriot et, ensuite, celui-ci avait discuté de la Millenaria avec Cooper-ffrench. Comme par hasard, quelques jours plus tard, celui-ci annonçait son intention de participer au voyage en Sardaigne.

Quelle que fût la raison de sa venue, James serait bientôt débarrassé de lui.

— Mais t-tu ne peux pas m-me l-laisser avec l'autre fâcheux-là, se plaignit Perry en levant le menton en direction de Fitzpaine. L'est de pire en pire. Non, franchement, c'type est une erreur de la n-nature !

— Ne fais pas attention à lui, conseilla James. J'ai appris à ne pas me laisser marcher sur les pieds par des énergumènes qui se prennent pour ce qu'ils ne sont pas.

– Oui mais, toi, tu sais t'défendre, ça aide, nuança Perry.

Cessant un instant de mastiquer, il leva le nez de son assiette et ajouta :

– Qu'est-ce que c'bon Love-Haight pense de tout ça ?

– Je ne lui ai encore rien dit, répondit James. J'attendais le bon moment.

– Crois-moi, t'en trouveras pas d'meilleur que celui-ci, et, avant que James n'ait eu le temps de l'arrêter, du bout de la table, il beugla à la cantonade : J'vous annonce que James en a ras la casquette ! Sans mauvais jeu de mots, Bond nous fait faux bond.

Cooper-ffrench tendit immédiatement l'oreille.

– Comment ça ? demanda-t-il d'un ton suspicieux.

– Je me sens encore un peu bizarre, mentit James d'une voix plaintive. Je pense qu'il serait préférable que j'écourte mon séjour parmi vous. J'ai un cousin qui habite dans le nord de l'île, je vais passer le reste des vacances chez lui.

– Mais… Mais c'est inacceptable, s'emporta Cooper-ffrench, l'air vaguement paniqué.

– Il a toujours été entendu que je ne resterais pas les trois semaines, rétorqua James, sûr de son fait.

Cooper-ffrench cherchait ses mots, Haight, lui, les avait tout prêts.

– Effectivement. C'est ce qui avait été convenu. J'en avais parlé à la tante de James avant le départ. Mais vous partez beaucoup plus tôt que ce que j'avais imaginé, ajouta Haight, déçu, en se tournant vers le garçon. Vous allez rater de nombreuses visites…

– Dites-m'en un peu plus sur ce cousin, embraya Cooper-ffrench, toujours aussi suspicieux. Est-il digne de confiance ?

– Il est ingénieur. Ou tout au moins, il l'était, car je crois qu'il est à la retraite maintenant. Il est beaucoup plus âgé que moi. Il peint.

– Vraiment ? demanda Haight. Un peintre connu ?

– Je ne crois pas. Il peint pour son plaisir.

– Nous nous éloignons du sujet, dit Cooper-ffrench.

– Du calme, John, dit Haight en souriant. J'essaye juste d'en apprendre un peu plus sur le cousin de Bond.

– Apparemment, sa maison regorge de toiles. Et un célèbre artiste italien vit là-bas avec lui. Polly quelque chose…

– Poliponi ? s'exclama Haight.

– Oui, c'est ça. Vous en avez entendu parler ?

– C'est le contraire qui serait étonnant, répondit Haight avec un petit sourire. Décidément, Bond, vous êtes plein de ressources. En tout cas, sachez que votre cousin connaît un des artistes les plus célèbres au monde.

– Moi-même, j'ai vu quelques œuvres de ce Poliponi, ajouta Cooper-ffrench. Et, si vous voulez mon avis, je les ai trouvées parfaitement dégoûtantes. Enfin, si c'est ce qui a été convenu, je n'ai aucune raison de m'y opposer, même si je vois d'un assez mauvais œil que James s'envole de la sorte alors même qu'il est censé effectuer un voyage d'étude.

– Il pourra toujours nous écrire un essai relatant sa rencontre avec le Maître, dit Haight avec un large sourire.

– Excellente idée, coupa Cooper-ffrench le plus sérieusement du monde.

– Je plaisantais, dit Haight en baissant la voix.

Ignorant les réserves de son collègue, Cooper-ffrench reprit son ton le plus doctoral pour déclarer :

– Bond, j'aurai besoin des coordonnées complètes de votre cousin. Nom, adresse et *tutti quanti*. Dès que vous serez arrivé chez lui, vous m'écrirez une lettre confirmant que vous êtes bien arrivé. Ensuite, vous nous ferez parvenir un essai d'environ mille mots dans lequel vous décrirez cette partie de l'île, la villa de votre cousin, etc. Vous pourrez nous l'envoyer à Cagliari. Comme ça, au moins, nous serons sûrs que vous ne vous êtes pas tourné les pouces en notre absence.

James et M. Haight échangèrent un regard entendu. Ce dernier leva un instant les yeux au ciel puis se reprit quand Cooper-ffrench tourna la tête vers lui.

James souriait, ravi de savoir qu'il avait un allié.

Il se rassit, croisa les jambes et tira sur sa cheville droite jusqu'à ce que son talon soit quasiment sur sa hanche gauche – la position qu'il prenait chaque fois qu'il était parfaitement détendu. Dans quelques jours, ce voyage ne serait plus qu'un mauvais souvenir. Il pourrait enfin cesser de s'interroger au sujet de Cooper-ffrench et de ses liens éventuels avec la Millenaria, et profiter pleinement de ses vacances.

Victor, le cousin de James, habitait à la pointe nord de l'île, sur les rives du détroit de Bonifacio, qui sépare la Sardaigne de la Corse. La ville la plus proche était Palau. Le voyage jusque-là, en train et en bus, lui prit pratiquement toute la journée.

James arriva avec un terrible mal de tête. Éreinté par la chaleur, il aurait tout donné pour pouvoir prendre une douche. Il avait de la poussière partout, sur ses vêtements, dessous, dans la bouche, dans les oreilles, et même dans les yeux.

En fait de ville, Palau se réduisait à une piteuse rue centrale poussiéreuse bordée de maisons à un étage, badigeonnées d'un rose souvent très sale. Dans une vieille auberge décatie, un groupe d'hommes du cru mangeaient du poulpe, tandis que, non loin de là, deux autres dormaient sur des bancs de pierre. Une vision de bout du monde.

James attendit à l'ombre d'un arbre durant plus d'une

heure. Il avait l'impression que le temps s'était arrêté. Un lézard sortit de sous une pierre et fila à la vitesse de l'éclair vers une destination connue de lui seul. Le fait que la chaussure de James se trouva sur sa trajectoire ne lui posa pas la moindre difficulté, il l'enjamba sans même s'en apercevoir. Les clients de l'auberge le dévisageaient. Les deux vieux paysans ronflaient sur leur banc. Les mouches bourdonnaient. Le soleil cognait.

James se prit la tête entre les mains et souffla longuement dans sa chemise, jouissant du courant d'air.

Il attendit encore quelques minutes puis empoigna sa valise et marcha jusqu'à la sortie de la ville. Il avait beau scruter la route, il ne voyait rien venir. Il essuya la transpiration sur son visage. Il avait la gorge sèche. Ses vêtements lui collaient au corps et sa peau était irritée par le frottement au niveau des coudes et des aisselles. L'air était si chaud qu'il en devenait pesant, l'obligeant à courber légèrement l'échine.

Le bruit d'un moteur résonna dans le lointain. Très faible d'abord, il monta ensuite graduellement en intensité. N'osant pas espérer qu'il puisse s'agir de Victor, James s'immobilisa et, plissant les yeux dans le soleil ardent, observa attentivement la route. Finalement, au détour d'un virage, il distingua une voiture noire qui descendait la colline.

Un sourire se dessina sur ses lèvres. Sûrement Victor. En effet, la voiture qui se profilait à l'horizon avait l'air imposante et luxueuse. Pourtant, dès qu'elle fut plus proche, tous ses espoirs s'envolèrent. Au volant se tenait un jeune garçon, originaire de l'île à en juger par son teint olivâtre et son épaisse chevelure brune. Il paraissait n'avoir guère plus de seize ans et portait des lunettes de soleil qui dissimulaient totalement ses yeux.

On était loin de Victor, qui avait au moins cinquante

ans et était déjà sérieusement dégarni la dernière fois que James l'avait vu.

La voiture était un cabriolet Hispano-Suiza, long et puissant, avec un large marchepied. Elle était d'un profond bordeaux lie-de-vin, mais tellement couverte de poussière qu'elle semblait presque blanche. Une voiture de luxe parfaitement déplacée dans cette sordide bourgade infestée par les mouches. Quand il arriva à la hauteur de James, le cabriolet s'arrêta. Le garçon qui se trouvait derrière le volant le dévisagea d'un air morne et fatigué.

James soutint son regard, se gardant de cligner des yeux. Au bout d'un moment, le jeune garçon tourna la tête et cracha sur la route, après quoi il baragouina quelque chose avec un fort accent italien.

– Je vous demande pardon ? déclara James.

Le garçon répéta ce qu'il venait de dire et James réalisa soudain que c'était son nom.

– James Bond ? Oui, c'est moi. Vous venez de la part de Victor ? Victor Delacroix ?

Le garçon opina du bonnet puis fit un petit signe du menton pour lui signifier qu'il pouvait mettre sa valise sur la minuscule banquette arrière. James s'exécuta et jeta sa valise dans la décapotable.

– Vous êtes en retard. Ça fait plus d'une heure que j'attends.

Le garçon se contenta de hausser les épaules et, sans un regard à la route derrière lui, ouvrit en grand la portière passager.

James grimpa à bord. En faisant craquer les vitesses, le garçon fit demi-tour et repartit en direction de la colline.

– Bon. Comme on dit, il vaut toujours mieux tard que jamais, déclara James pour tenter de briser la glace.

Face au silence du jeune chauffeur, il poursuivit, légèrement irrité :

– Je suis désolé, peut-être ne parlez-vous pas anglais ?

– Mal, grommela le garçon.

– Et… Peut-être avez-vous un nom ? Comment – vous – appelez – vous ?

– Mauro.

– Eh bien, Mauro, je suis ravi de faire votre connaissance. Enfin, si j'ose m'exprimer ainsi.

Le garçon bougonna dans sa barbe sans quitter la route des yeux. Il conduisait en tenant le volant d'une main, l'autre pendant nonchalamment à la portière.

Ils s'éloignèrent de la ville puis quittèrent la route et s'engagèrent sur un chemin de terre défoncé qui longeait les falaises de la côte. Le paysage était grandiose, parsemé de blocs de roche couleur miel, auxquels les vents avaient donné des formes spectaculaires et évocatrices. James cherchait des yeux le point de repère qui avait donné son nom à cet endroit. Après dix minutes de cahots et de secousses inconfortables, il repéra, au sommet d'un promontoire rocheux, un bloc érodé par le vent qui ressemblait beaucoup à ce qu'il attendait.

– C'est le rocher de l'Ours, n'est-ce pas ? cria-t-il pour couvrir le bruit du moteur.

Mais Mauro ne disait toujours rien.

– *Orso*, dit James, l'ours, non ?

– *Sì*, se contenta de répondre Mauro sans un regard ni pour le rocher ni pour son interlocuteur.

James fixa l'imposante concrétion rocheuse des yeux et constata qu'effectivement il suffisait d'un peu d'imagination pour y voir un ours gigantesque, tendant son museau vers la mer.

Donc, ils étaient à Capo d'Orso, le cap de l'Ours.

Au volant de l'Hispano-Suiza, Mauro vira, quittant la piste de terre pour s'engager dans un chemin encore plus rudimentaire que le précédent, bordé de lauriers-roses, et qui descendait vers la mer en serpentant entre les rochers. La voiture tanguait d'un côté à l'autre, secouant allègrement James qui en venait à se demander sérieusement si la voiture allait tenir jusqu'au bout de ce calvaire. Mais Mauro avait dû emprunter ce chemin de nombreuses fois auparavant et il ne semblait pas le moins du monde inquiet – même si James remarqua que, maintenant, il avait les deux mains sur le volant.

Quand finalement ils arrivèrent, James avait l'impression d'avoir roulé pendant des heures. Il était rompu, engourdi, cassé, couvert de poussière et sa nuque brûlait.

Mauro se gara à l'ombre d'un pin parasol, éteignit le moteur et sortit de la voiture. Ensuite, il se saisit de la valise de l'invité et s'éloigna d'un pas décidé, sans se départir de son mutisme. James secoua la tête et le suivit. Ensemble, ils descendirent un escalier aux formes arrondies, taillé dans la roche. Passé un angle, ils arrivèrent devant une large ouverture pratiquée dans un petit mur blanc. James ne voyait pas grand-chose d'autre de la villa, nichée au creux de la roche, mais il en voyait assez pour conclure qu'il ne s'agissait pas là d'une demeure ordinaire. En effet, elle semblait ne faire qu'un avec le paysage, comme si elle avait poussé là toute seule.

De l'autre côté de la porte s'étendait un long corridor sinueux qui virevoltait et se tortillait en s'enfonçant dans la maison.

Ils débouchèrent dans une pièce étonnamment grande, avec un toit onduleux et cintré ouvrant sur une terrasse derrière une immense baie vitrée occupant toute la surface de la façade, du sol au plafond.

La pièce n'était ni carrée ni ronde. Comme le reste de la construction, elle était d'inspiration organique, avec d'étranges niches cachées dans les coins et des dizaines de jours, de toutes formes et de toutes tailles, pratiqués dans les murs. Certains donnaient sur l'extérieur, d'autres dans les pièces adjacentes.

Si l'endroit était inhabituel, ce qu'il contenait était proprement extraordinaire. La pièce regorgeait littéralement de toiles, de sculptures et de dizaines d'objets bizarres et incongrus. Les peintures étaient, pour la plupart, dérangeantes et cauchemardesques. Une toile gigantesque, qui occupait pratiquement tout un mur, représentait une pieuvre flottant dans les airs et serrant divers objets dans ses tentacules : des femmes nues, un animal ressemblant à une vache sans poils et une voiture qui, bizarrement, paraissait charnue et presque vivante. Et puis il y avait aussi une statue de bronze qui ne représentait rien d'autre que la partie inférieure d'un homme, portant des pantalons. À côté de ce buste inversé, une immense girafe empaillée. Son cou traversait le plafond par un trou dont on ne savait pas s'il avait été prévu à cet effet. Une autre peinture montrait une femme sans visage plantant un crucifix dans un coléoptère de taille humaine. Le plus grand aquarium que James eût jamais vu contenait toute une ribambelle de poissons exotiques qui, en nageant, entraient et sortaient d'une pile de crânes d'animaux.

Soudain, James réalisa qu'il avait perdu Mauro de vue. Celui-ci, tenant toujours la valise de son hôte, avait disparu dans un des nombreux couloirs qui partaient de la pièce. James en emprunta un, mais il déboucha dans une petite cour intérieure où un jeune homme à moitié nu et au crâne rasé posait devant un miroir. James n'en croyait pas ses yeux et, durant un instant, il se demanda si l'homme était réel ou s'il s'agissait de l'un de ces insolites objets d'art qui peuplaient l'endroit. Puis l'homme bougea, se saisissant d'une barre de fer avec des poids à chaque extrémité. Il regarda James sans rien dire tandis qu'il soulevait les haltères au-dessus de sa tête, ses muscles noueux bombant sous sa peau lisse.

– Excusez-moi, bafouilla James avant de tourner les talons.

Ne sachant dans quelle direction aller – et aussi légèrement dérouté – il erra jusqu'à la terrasse.

De là, la vue était stupéfiante. Derrière la masse des blocs de granite, d'où émergeaient ici et là des figuiers de Barbarie, il distinguait les eaux scintillantes et turquoise de la Méditerranée ainsi qu'un groupe de petites îles.

– Bonjour, dit une voix aimable et douce.

James se retourna. Face à lui se tenait un homme vêtu d'une longue gandoura qui tombait jusqu'à ses pieds chaussés de pantoufles dorées à bouts pointus qui rebiquaient dans les airs, dignes d'un héritier de Soliman le Magnifique. Il était petit et mince, sa peau, tannée par le soleil, avait la teinte du chocolat au lait, il portait une moustache aux pointes recourbées et un petit bouc pointu. Il avait dressé ses cheveux huilés en deux épis de chaque côté de son crâne, comme deux cornes. Il ressemblait à un faune.

Et ce n'était pas le cousin Victor.

La Casa Polipo

L'homme regardait James avec insistance. Ses yeux noisette pétillaient d'intelligence.

– James Bond ? demanda-t-il avec un fort accent italien.

– Oui, confirma James.

L'homme avança vers lui, plantant ses yeux dans les siens.

– James Bond. Cela fait tellement anglais. Et tellement terne. Un nom fade et totalement dépourvu d'intérêt, de fantaisie. Comme une pierre. Mais vous, qui vous cachez derrière ce nom, vous n'êtes ni fade ni terne. Au contraire, vous êtes très intéressant. Dites un chiffre, James Bond.

– Pardon ?

– Fermez les yeux et pensez à un chiffre, poursuivit le petit homme. Faites le vide dans votre esprit et pensez à un chiffre, entre un et dix. Ne me dites pas lequel, gardez-le pour vous, au plus profond de votre esprit. Votre chiffre fétiche. Vous y êtes ?

– Oui.

– Je sais, dit l'homme en écarquillant les paupières.

– Très bien. Lequel est-ce ?

– Sept.

James esquissa un sourire.

– Exact. Comment avez-vous deviné ?

– Je n'ai pas deviné… Je vous connais. Sept est votre chiffre, votre numéro fétiche. Il va revêtir une grande importance dans votre vie. Sept est un chiffre qui porte chance, un chiffre mythique. Les sept péchés capitaux, les sept merveilles du monde, les sept archanges…

– Et aussi les sept nains.

– Quoi ?

– La fable ! *Blanche-Neige et les sept nains.* Et puis aussi le bus n° 7, dans le Kent, là où j'habite.

– Mmh…

L'homme sembla se perdre un moment dans ses pensées, sans pour autant quitter James des yeux qu'il étudiait toujours avec le même regard perçant et profond, le mettant presque mal à l'aise. Finalement, il reprit la parole.

– Vous êtes fascinant, James Bond. Vous portez sur vous la marque de la mort.

– Je vous demande pardon ?

– Je le vois. Sept est aussi le chiffre de la mort. Quand je vous regarde, je vois sept et le signe de mort. Tout au long de votre vie, James Bond, vous marcherez main dans la main avec la Faucheuse.

– Si vous le dites, répondit James avec un sourire poli tout en se demandant comment il pourrait échapper à l'emprise de cet étrange petit bonhomme.

– Je le dis, murmura l'homme. Mais il y a encore autre chose. La Mort vous suit en ce moment même. Quelqu'un essaye de vous tuer. Il veut vous voir mort. Je vois une tour. Je vois…

– Poliponi ! Arrête avec ça, cria une voix qui fit trembler les murs de la maison.

James tourna la tête et vit son cousin Victor, qui approchait à grands pas. Lui aussi portait une gandoura, coordonnée, de manière assez incongrue, avec un vieux chapeau de paille cabossé coincé sur le haut de son crâne. Il fumait une longue cigarette jaune et était presque aussi bronzé que le diabolique artiste qui avait entretenu James jusque-là. Il s'était laissé pousser les cheveux et portait un catogan. De longues mèches blondes, grisonnantes par endroits, pendaient négligemment sur sa nuque.

– James ! Bienvenue, mon garçon ! hurla-t-il en enlaçant son cousin d'un bras de fer et en le secouant comme un prunier. Excuse-moi. Je suis confus de ne pas avoir pu venir te chercher moi-même à Palau.

Victor parlait un anglais impeccable, avec juste un soupçon d'accent suisse.

– Mais j'imagine que Mauro s'est bien occupé de toi.

– Oui, répondit James. Il était un peu en retard, mais ce n'est rien.

– On a eu des problèmes avec la voiture. Elle n'est pas vraiment adaptée à l'état de nos routes. Il faut vraiment que je trouve autre chose. Ou que j'achète un âne ! ironisa-t-il avec un sourire. Ta chambre te convient ?

– Je l'ignore, répondit James. J'ai perdu la trace de Mauro. Il semblait d'humeur maussade.

– Mauro est orageux de naissance, coupa Victor avec un sourire. C'est comme ça ! Mauro est un bandit. De la Barbagia.

Avant que James ait eu le temps de demander à Victor ce qu'il voulait dire exactement, son cousin le conduisit devant une longue table de bois, à l'ombre d'une pergola.

– Viens. Prends quelque chose à boire.

Saisissant une carafe de jus de fruits glacé, Victor remplit deux verres et poursuivit.

– Ne fais pas attention à Poliponi, dit-il en tendant un verre à James. Il aime se donner des airs mystérieux, mais ce n'est qu'une façade. Après tout, il a une réputation à défendre. Le grand surréaliste. Le peintre des rêves. Celui qui décrypte les fantasmes les plus profonds. Je suppose qu'il t'a fait le coup du chiffre fétiche ?

– En effet.

– Sept, lança Victor tout de go.

James fit la grimace.

– Comment le sais-tu ?

– Parce que c'est ce qu'il dit à chaque fois. La grande majorité des gens se fixent sur le sept si tu leur demandes de penser à un chiffre entre un et dix. Et si jamais ils disent autre chose, il les embrouille avec tout un charabia ésotérique.

L'anecdote les fit beaucoup rire. James prit une longue gorgée de jus de fruits glacé. Il n'arrivait pas encore à réaliser qu'il était là.

– C'est lui qui a dessiné cette maison, poursuivit Victor. La Casa Polipo. Et ce sont ses peintures que tu vois sur les murs. Il est sans aucun doute génial, mais jamais je ne lui dirais une chose pareille. Ça lui monterait à la tête – qu'il a déjà bien secouée... Bon. On a préparé une petite fête en ton honneur, mais, avant cela, que veux-tu faire ? Aller dans ta chambre pour te reposer un peu, prendre une douche, ou descendre à la plage pour te baigner ?

– Un bain. Sans hésiter, répliqua James, enthousiaste. J'ai eu la mer sous les yeux pendant toute la journée sans pouvoir y tremper le petit doigt, de quoi devenir fou !

James n'avait pas fini sa phrase que Mauro apparut sur la terrasse, en short de bain et tenant une serviette. Victor lui débita quelques phrases en italien, qui crépitaient comme des rafales de mitraillette aux oreilles de James, à quoi le garçon répondit par une expression de profonde lassitude, les yeux au ciel.

– Bien, poursuivit Victor. Mauro va te montrer ta chambre. Tu te mettras en maillot et ensuite il t'emmènera à la plage.

James aurait préféré y aller seul tant il paraissait évident que ce jeune Italien mal luné ne l'aimait pas. Mais ce n'était pas ça qui allait gâcher ses vacances.

À une trentaine de kilomètres au sud, le port de Terranova, le plus important de l'île, était en pleine activité. Les bateaux de pêche déchargeaient leurs cargaisons, une forte odeur de poissons flottait dans l'air. Des hommes poussant des charrettes couraient dans tous les sens en hurlant. Un peu partout s'élevaient d'immenses cônes de sel, prêts à être exportés. La Sardaigne, grâce aux marais salants qui foisonnaient sur l'île, fournissait en effet la majeure partie du sel consommé en Italie.

Zoltan le Magyar était debout au bord du quai, supervisant les opérations de déchargement de plusieurs grosses caisses de bois des entrailles du *Charon*. Il portait un chapeau à large bord, son bras blessé reposait dans une écharpe couverte de taches jaunes et vermillon correspondant au pus et au sang qui suintaient de son épaule blessée. Il chassa nerveusement les mouches qui virevoltaient autour de lui et toussa. L'infection avait atteint sa gorge et ne tarderait pas à toucher ses poumons. Il avait l'impression qu'un acide avait remplacé le sang dans ses veines. Une chaleur malsaine rampait derrière ses tympans.

La nuit, lorsqu'il était allongé sur sa couchette, incapable de dormir, il lui prenait parfois l'envie de s'arracher la moitié du visage et de retirer de son crâne les parties malades.

Il aurait donné cher pour ne pas avoir à rester là, en plein soleil, mais sa cargaison était trop précieuse pour qu'il la confie à quiconque.

Il jura. Quelque chose venait de le piquer dans le cou, lui

faisant perdre toute patience vis-à-vis des essaims de mouches qui grouillaient autour de lui. Hurlant et vociférant, il se mit à battre l'air et à mouliner de son bras valide comme un dément. Les deux hommes d'équipage qui s'affairaient sur le pont s'immobilisèrent un instant et l'observèrent.

Faisait-il des signes à leur intention ?

– Qu'est-ce que vous faites, tas de feignasses ? hurla Zoltan. Remettez-vous au travail. Je ne veux pas rester ici une minute de plus que nécessaire.

Il y eut un cri. Dans l'air vibrant et brûlant du quai, il vit approcher une silhouette. Il reconnut immédiatement la touffe de cheveux roux et les balafres. C'était Smiler.

Il vint à la rencontre de Zoltan. Les deux hommes se serrèrent la main.

– Tu devrais porter un chapeau par cette chaleur, dit Zoltan. Sans quoi ta peau d'Écossais blafard va frire.

– Je sais, répondit Smiler en s'épongeant le front du dos de la main, tatoué du grand M rouge. Mais les chapeaux c'est pas mon truc.

À cause de ses longues cicatrices recourbées qui avaient valu son surnom à Smiler, Zoltan ne savait jamais s'il souriait vraiment ou pas. Mais il le connaissait depuis assez longtemps pour dire que ce n'était probablement pas le cas.

– T'es en retard, lança Smiler.

– On a essuyé un gros grain. Ça a retardé notre arrivée à Tunis. Tout va bien ?

– On ne peut mieux, répondit Smiler en sortant de son paquet une âpre cigarette turque, qu'il alluma aussitôt.

Zoltan attrapa sa main et étudia le tatouage.

– C'est nouveau !

– Ouaip.

– Tu devrais faire plus attention, conseilla Zoltan. Les millénaristes ne sont pas du goût de tout le monde.

– Bah. Avec cette tronche, personne ne me cherche.

– Où sont les camions ? Je ne veux pas voir ça rester sur le quai trop longtemps.

Smiler détourna les yeux et fit un petit bruit entre ses dents.

– Ouais… Les camions… Ben, y a eu un petit problème avec les camions.

– Quel genre ? Ils sont là ?

– Pas encore.

Zoltan étouffa un juron.

– Tu as dit que tout allait pour le mieux. Excuse-moi, Smiler, mais je vois déjà une amélioration possible.

– C'est difficile d'avoir des pièces détachées par ici. Mais ils arrivent, t'inquiète. En attendant, je t'ai réservé un entrepôt pour stocker ton bazar.

– Combien de temps ça va prendre ?

– Quelques jours.

– Quelques jours ? Tu plaisantes ?

– On est en Sardaigne…, répliqua Smiler avec un haussement d'épaules fataliste.

Pendant qu'il disait cela, une des élingues qui soutenaient un gros coffre de bois glissa. Un des dockers poussa un cri affolé. Le filet se balança dangereusement au-dessus de l'eau.

Un flot de jurons particulièrement fleuris explosa dans la bouche de Zoltan. Il traita ses matelots de tous les noms d'oiseaux qu'il connaissait jusqu'à ce que, heureusement pour eux, les marins réussissent à reprendre le contrôle du transbordement et à poser délicatement la caisse sur le quai.

Smiler n'en avait pas loupé une miette. La scène l'avait-elle amusé ?

Difficile à dire.

Un Picasso ne se mange pas

La table que Victor avait dressée était couverte de plats plus extravagants que les uns que les autres.

D'abord, il y avait la femme nue, une sculpture « à manger » du plus bel effet. Son corps était moulé dans du fromage, sa peau était en jambon, ses cheveux en feuilles de salade et ses lèvres en cerises. Un saladier de pâtes bleu foncé, colorées à l'encre de seiche, une miche de pain en forme de voiture, deux chats empaillés pour la décoration ainsi qu'un lézard vivant qui rampait lentement entre les plats. Il y avait aussi des langoustes d'un rouge criard, des crabes couverts d'épines avec de longues pattes toutes maigres, un plat de poissons minuscules – têtes et queues comprises – et des oursins ouverts en deux avec de petites étoiles orange au milieu. Il y avait des fleurs comestibles, des légumes sculptés en forme de fleurs, des figues de Barbarie en branches, un bol de gelée verte avec de petits soldats coulés à l'intérieur et au milieu de tout ça, posée au centre d'un étincelant plateau d'argent, une pieuvre aux tentacules violacés.

– Sois le bienvenu chez nous, James ! lança Victor tandis

que tout le monde prenait place autour de la table. Maintenant, faisons honneur à ce festin surréaliste que nous devons au grand Poliponi.

– La nourriture élevée au rang d'art et l'art abaissé à celui de nourriture, décréta l'artiste en jouant avec la pointe de ses cornes capillaires. Un Rembrandt ou un Picasso ne sont pas comestibles. On ne peut pas se sustenter d'une statue de Michel-Ange. Pourtant, ce soir, vous allez dévorer un véritable Poliponi !

Il rompit un morceau de **pain et** le jeta dans sa bouche.

– Et pour être complètement fidèle à l'esprit des surréalistes, poursuivit-il, nous allons commencer par le dessert et finir par la soupe.

À ces mots, il plongea une cuiller dans le bol de gelée et servit James.

– J'espère que vous me pardonnerez cette réflexion de béotien, dit le garçon en poussant un petit soldat sur le bord de son assiette, mais en quoi consiste exactement le « surréalisme » ?

– C'est le mouvement artistique le plus important du siècle, expliqua Poliponi. Aujourd'hui, le réalisme est mort. Pourquoi voudrais-je peindre des fleurs dans un vase ? Ou un coucher de soleil ? Si on veut une image du monde réel, il suffit de prendre une photo. Mon art se situe au-delà de la réalité visible. Je peins un monde onirique, fait de peurs, de phobies et de désirs, bref, je peins ce qui se passe à l'intérieur du cerveau. Le but est de libérer les consciences, de laisser libre cours à l'inconscient et de montrer ainsi que le monde dans lequel nous vivons est ABSURDE !

De fait, si la nourriture pouvait apparaître absurde au premier coup d'œil, tout était très bon. Victor montra à James comment manger une langouste, comment dépiauter les pinces et la queue pour goûter la chair délicieuse qui s'y trouvait. En outre, une fois qu'il eut surmonté sa délicatesse surfaite, il trouva que les petits poissons étaient croustillants et gorgés de saveur. Il apprit aussi que les étoiles orange dans les oursins étaient, en fait, leurs œufs. Il racla une coquille avec sa cuiller et goûta. C'était granuleux et fortement iodé, mais pas désagréable. La seule chose qui le rebutait vraiment était la pieuvre. Poliponi mit d'autorité trois morceaux de tentacules dans son assiette en lui disant qu'il devait les manger.

— C'est du *polipo*, dit-il amoureusement. La nourriture des dieux !

— *Polipo* ? répéta James, incrédule.

— Oui, expliqua Victor. Tu ne savais pas ? *Polipo* est l'équivalent de pieuvre en italien. C'est de là que le signor Poliponi tire son nom.

— La pieuvre est le plus surréaliste de tous les animaux, renchérit le peintre. Qu'est-ce qui pourrait être moins humain et plus absurde qu'un poulpe ?

James mit un morceau de tentacules dans sa bouche et mâcha… et mâcha. C'était la chose la plus caoutchouteuse qu'il eût jamais goûtée. Mais il persévéra.

— Alors, si je comprends bien, dit-il après avoir fait descendre le dernier morceau de poulpe avec un verre d'eau, cette maison, la Casa Polipo, c'est la Maison de la Pieuvre ?

— Mais, bien sûr, répondit Poliponi. La plus belle maison du monde.

— Et encore, tu ne l'as pas bien vue, ajouta Victor. Pour se rendre bien compte, il faut la voir d'en haut. Demain matin, on montera sur le rocher et je te montrerai. D'ici là, tu vas me faire le plaisir de boire un verre de vin.

— Merci, non, répondit James timidement. Je ne crois pas que je devrais.

— Sottise. Il faut au contraire que tu apprennes à boire,

pour ne jamais être saoul. Il n'y a pas de spectacle plus affligeant au monde qu'un homme saoul. C'est pourquoi il faut que tu connaisses tes limites, que tu saches t'arrêter. Je vais te servir un tout petit verre, et tu pourras ajouter de l'eau. Viens, c'est du Cannonau, un vin d'ici, de la région d'Oliena.

Il versa un verre de vin d'un rubis profond que James goûta tandis que Mauro et Isabella, la cuisinière, une femme joviale et tapageuse, débarrassaient la table. Victor avait en permanence trois personnes à son service, qui vivaient toutes à la villa. Outre Mauro et Isabella, il y avait aussi Horst, le jeune bellâtre que James avait vu soulever des haltères dans le patio. Il s'occupait des jardins et faisait aussi quelques menus travaux, mais semblait passer l'essentiel de son temps à soulever des poids et à s'admirer dans le miroir.

Mauro ne s'était pas départi un seul instant de sa mine renfrognée. En retirant l'assiette de James, il lui avait lancé un regard dans lequel il était difficile de ne pas lire « vivement que tu aies débarrassé le plancher »…

Victor s'adressa en italien au jeune Sarde et celui-ci, dos voûté, traversa la pièce en traînant les pieds avant de remonter le gramophone et de mettre un disque de jazz.

– Comme j'aurais aimé savoir jouer d'un instrument, dit Victor en faisant mine de diriger la musique avec son verre de vin. Mon plus grand regret ! J'adore la musique… Malgré ça, j'ai passé ma vie dans l'acier et le béton. Heureusement, nous avons eu le privilège d'accueillir de nombreux musiciens ici, à la Casa Polipo. Au printemps, Cole Porter est venu d'Amérique et, l'été dernier, nous avons eu la visite de Noel Coward. Il n'est resté qu'un week-end, mais il nous a joué plein de choses au piano. Un homme délicieux. Tu sais, James, avec le recul, je me dis que je n'étais pas fait

133

pour la carrière d'ingénieur, mais il est toujours trop tard quand on réalise qu'on n'a qu'une vie.

– Certes, on ne vit qu'une fois, ajouta Poliponi. Pourtant, dans nos rêves, on vit mille fois.

Au matin, James se réveilla tout habillé dans sa petite chambre baignée de lumière... et couvert de piqûres de moustiques. Il savait qu'il ne fallait pas les toucher, mais il ne pouvait pas s'en empêcher. Il se gratta à grands coups d'ongles frénétiques ; malheureusement, après un bref instant de soulagement, la démangeaison revint encore plus vive qu'avant. Il se rua sur le flacon de quinine qui se trouvait dans sa trousse de toilette et avala précipitamment un cachet. Il avait oublié d'en prendre la veille au soir. Certes, cela ne l'empêcherait pas de se faire piquer, mais au moins cela le protégerait de la malaria.

Il s'était couché très tard, épuisé par sa journée de voyage et par une longue soirée de fête. Arrivé dans sa chambre, il s'était écroulé tout habillé sur son lit à armature métallique et avait oublié de tirer la moustiquaire qui y était accrochée.

On ne l'y reprendrait plus. Il avait d'horribles cloques rouges partout sur les bras, autour des chevilles et il avait même été piqué aux oreilles et sur le crâne.

Animé d'une rage vengeresse, il inspecta la chambre à la recherche d'un éventuel retardataire. Finalement il débusqua un de ses bourreaux à six pattes, un gros insecte repu et ballonné, posé sur le mur à côté de la porte, trop fainéant pour voler. Il prit sa chaussure et frappa aussi fort qu'il put. À sa grande satisfaction, quand il la retira, une longue traînée rougeâtre maculait le mur blanc.

À côté de la tache de sang, James remarqua une peinture, pas un de ces tableaux grotesques dont Poliponi semblait friand, non, une simple aquarelle, représentant un paysage de l'île et signée Delacroix. Sûrement une œuvre de Victor. Accrochées un peu plus loin, deux vues de Venise qui avaient l'air anciennes et de grande valeur.

– Des Canaletto, dit une voix dans le couloir.

James tourna la tête. Le visage de Victor se dessinait dans l'encadrement de la porte.

– Ils sont beaux, n'est-ce pas ? dit-il en pénétrant dans la pièce. Un jour, j'ai réalisé des travaux pour un prince dont le palais était en train de couler dans la lagune. Je me suis débrouillé pour le consolider et le sauver des eaux. Comme il n'avait pas les moyens d'honorer la facture, il m'a donné ces deux toiles en guise de paiement. Mais bon, c'est pas tout ça, allons-y si on veut faire une balade avant qu'il ne fasse trop chaud.

Après un rapide petit déjeuner, toujours aux prises avec d'atroces démangeaisons, James entreprit d'escalader le rocher de l'Ours avec son cousin. Le sentier était abrupt et serpentait entre d'énormes rochers au milieu d'une végétation typique du maquis méditerranéen : lauriers-roses, genévriers, myrtes et romarins. Des lézards prenaient le soleil sur les rochers et filaient se cacher à l'approche de ces étranges bipèdes.

Il leur fallut quarante minutes pour atteindre le sommet. De là-haut, la vue était magnifique. Elle offrait un parfait panorama sur toute cette partie de l'île.

Le rocher lui-même était gigantesque. Il les surplombait comme un étrange monument ancien. James était fasciné par la façon dont le vent l'avait creusé et sculpté, créant grottes et arches. Et, de fait, le vent était d'une force exceptionnelle à cette hauteur. James avait presque l'impression qu'il allait être emporté.

– C'est le mistral, hurla Victor. Le vent du nord. Il souffle quasiment en permanence ici. Le coin est un des

135

plus réputés de la Méditerranée pour la voile. Tu aimes le vent, James ? Moi, j'adore ça. La pureté même. Et puis, avec le vent, on peut vraiment ressentir la puissance de la nature, se rappeler à quel point on est petit.

James hocha la tête, ne sachant trop quoi ajouter. Il n'avait jamais réfléchi à la question en ces termes et, pour être parfaitement sincère, il était un peu effrayé. Il n'avait jamais vu un vent pareil, aussi puissant. C'était presque comme une présence physique, une sorte de géant, un monstre invisible qui le rouait de coups.

Soudain, il se sentait en danger. La hauteur le déroutait, l'inquiétait. Il n'avait jamais eu peur du vide avant l'épisode de la tour nuragique, mais, maintenant, il sentait ses jambes se dérober sous lui et son estomac se retourner. Il lutta pour reprendre le contrôle de ses émotions. Cette panique ne lui ressemblait pas.

Il recula en vacillant et quitta la corniche pour se réfugier à l'intérieur d'une cavité rocheuse. Victor l'y rejoignit bien vite. C'était plus calme ici. Loin du bord, le vertige de James reflua.

– Tu vas bien ? demanda Victor.

– Je crois, oui. J'ai juste besoin de récupérer.

Il prit une longue inspiration et tenta de se persuader que cette peur panique était aussi stupide que passagère, qu'il pouvait aisément la surmonter.

Il se força à avancer près du bord et regarda en bas.

Il ne sentit aucune attirance pour le vide. Il était parfaitement conscient que, s'il était prudent, il n'y avait aucun danger.

Son rythme cardiaque ralentit.

Il avala sa salive.

Pour incompréhensible que cela fût, il fallait bien se rendre à l'évidence, quelque chose s'était brisé, là-haut, sur la tour. Maintenant, il devait lutter contre ses propres peurs.

– Ça va mieux ? demanda Victor en venant à ses côtés.

– Ça va. Je me sens bien.

Victor tendit le bras, pointant l'endroit où la terre rencontrait la mer.

– Qu'en dis-tu ?

Pour la première fois, le garçon vit réellement la villa. Elle avait la forme d'une grande pieuvre blanche. L'immense séjour qui occupait le centre du bâtiment était le corps de l'animal et les différents couloirs qui en émanaient représentaient les huit tentacules.

– J'aime bien, dit James. À mon avis, toutes les maisons devraient ressembler à ça.

– Poliponi aurait voulu que je la peigne en rouge, gloussa Victor. On s'est battus comme deux chiens là-dessus mais, au bout du compte, je l'ai emporté. Après tout, c'est moi qui tiens les cordons de la bourse. Blanc c'est mieux. Ça protège de la chaleur et Dieu sait si par ici il peut faire chaud. Il faut être fou pour organiser une visite des monuments nuragiques à cette période de l'année. Ton prof va perdre la moitié de ses troupes. Ils vont tous avoir une crise cardiaque. Pourquoi n'a-t-il pas organisé son voyage au printemps ou en automne ? C'est ce que font tous les gens sensés…

– Ça, je n'en ai aucune idée.

– Alors, demanda Victor tandis qu'ils s'engageaient dans la descente, tu veux que je demande à Mauro de t'emmener faire un peu de voile cet après-midi ?

– Je ne suis pas sûr que ce soit une bonne idée. J'ai l'impression qu'il ne m'apprécie guère.

– Penses-tu ! Il est toujours comme ça. Hyper protecteur à mon égard et horriblement méfiant vis-à-vis de tout ce

qui vient de l'extérieur, y compris la famille. Et puis...
C'est un bandit dans l'âme.

— Pourquoi dis-tu ça ?

— Il est originaire du Supramonte, la région de la Barbagia.

— Mmmh... J'ai entendu parler de ces villages perdus construits dans les montagnes pour éviter les attaques depuis la mer.

— Exactement. Tu as vu comme l'île est belle, pourtant la côte est largement inhabitée et les gens d'ici ne sont pas de grands marins. Les vrais Sardes vivent à l'intérieur des terres. Des gens fiers et durs. Là-haut, il y a encore des villages entiers qui vivent selon la loi des clans. Ils se battent sans arrêt. Le père de Mauro a été tué dans un règlement de compte entre familles.

— Vraiment ?

— Oui, oui, vraiment, confirma Victor. Dès qu'il a été en âge de le faire, Mauro a quitté la maison et cherché du travail pour pouvoir envoyer de l'argent à sa mère et à sa sœur, restées au village. Et encore, depuis qu'il est avec moi, il s'est beaucoup amélioré. Je l'ai « socialisé », je lui ai appris à lire et à écrire, mais, au fond, il sera toujours un bandit. J'espère que vous réussirez à vous entendre tous les deux parce que, franchement, ce n'est pas une bonne idée de l'avoir comme ennemi. Horst est censé assurer ma protection et garder la villa. Mais il a beau être impressionnant, dans une bagarre, c'est Mauro que je préférerais avoir avec moi.

Quand ils arrivèrent à la villa, ils trouvèrent Horst en pleine séance d'entraînement sur la pelouse. Il était en short de bain et luisant d'huile. Il prit une série de poses ostensiblement spectaculaires, faisant gonfler ses muscles anormalement développés puis attrapa une serviette, posée sur une statue que James n'avait pas remarquée auparavant, et s'essuya.

La sculpture avait beau être ancienne et très abîmée, on

distinguait encore parfaitement ce qu'elle représentait : un homme plantant un sabre dans l'encolure d'un taureau, exactement comme sur la peinture qu'il avait vue dans la chapelle d'Eton.

– C'est quoi cette statue ?

– C'est romain, expliqua Victor. Elle a été découverte quand on a creusé les fondations de la maison. Il semblerait qu'il y ait eu une villa romaine ici même, dans l'Antiquité. Mais on n'en est pas certains car on n'a trouvé aucun autre indice.

– Qui est cet homme ? demanda James en passant doucement la main sur la pierre jaune.

– Pas un homme. Un dieu. Mithra.

– Mithra ? C'est un dieu romain ?

– Dans les derniers jours de la république, les Romains étaient menacés par les pirates. Ceux-ci prenaient les navires d'assaut et rançonnaient les riches citoyens romains qui s'y trouvaient. Puis, prenant exemple sur les Romains, ils commencèrent à s'organiser, joignant leurs forces pour créer un mouvement clandestin qui semait la terreur dans tout le bassin méditerranéen. Ils avaient des rois et appelaient leurs hommes des soldats, mais ils opéraient dans l'ombre et, comme toute société secrète, ils avaient leurs rituels. Ils vénéraient Mithra, qui, à l'origine, est une divinité perse. Pour faire partie du culte, il fallait accepter d'endurer une série de souffrances physiques et boire du sang de taureau.

– Que sont-ils devenus ?

– Leur empire a été détruit. Mais pas leur dieu, qui petit à petit s'est fondu dans la cosmogonie romaine, devenant même la principale divinité romaine avant l'émergence de la chrétienté. Poliponi l'aime beaucoup. Surtout depuis qu'on a découvert cette statue ici. Pour lui, c'est un signe. Viens, je vais te montrer quelque chose.

Victor conduisit James à l'intérieur. Ils parcoururent un des couloirs « tentaculaires » et débouchèrent dans une petite pièce avec une fenêtre de toit. Une toile de Poliponi, dans un cadre ovale, était accrochée au mur. Elle représentait un homme, habillé exactement comme le Mithra de la sculpture, qui jaillissait d'un œuf géant en tenant un glaive et une torche enflammée. Autour du cadre se trouvaient les douze signes du zodiaque.

– C'est la naissance de Mithra, expliqua Victor. Il émerge de l'œuf cosmique. Ensuite il va lui arriver plein de choses avant que, finalement, il ne tranche la gorge du taureau mythique et apporte ainsi sa puissance aux hommes. Car, selon la légende, en tombant sur le sol, le sang du taureau donne naissance à la faune et à la flore, bref à tout ce qui permettra à l'humanité de connaître l'abondance. Il est également associé aux étoiles et à l'astrologie. C'est sûrement la raison pour laquelle il plaît tant à Poliponi, grand amateur de magie, de mystère et fervent disciple de l'astrologie.

– Est-ce qu'il y a encore des adorateurs de Mithra ? demanda James.

– Bah, tu sais, partout où il y a des sociétés secrètes, il y a aussi des rituels.

– Je me demandais… Tu as déjà entendu parler de la Millenaria ?

Victor lança un regard sévère à James et, pour la première fois, celui-ci eut le sentiment que le masque calme et flegmatique qu'il affichait en permanence se déchirait.

– Écoute-moi bien, James, coupa-t-il brusquement. Ne parle pas de choses que tu ne comprends pas. Je suis venu en Sardaigne pour prendre ma retraite. Peindre et profiter du soleil. Je ne veux plus rien avoir à faire avec le monde des hommes, avec leurs mesquines petites guéguerres et leurs vaines luttes de pouvoir.

– Je suis désolé.

– Non, excuse-moi. C'est moi qui dois être désolé, répondit Victor en reprenant son calme. Je n'avais pas l'intention de te heurter, mais des rumeurs circulent sur la Millenaria. Elle serait présente sur l'île et je préfère ne pas y penser. La vie devrait être faite pour le plaisir, pas pour la guerre. Maintenant, viens, je veux te montrer autre chose.

Le comte Ugo Carnifex

— C'est tout nouveau. Je l'ai acheté à Cannes, directement à celui qui l'a inventé : un pilote américain appelé Guy Gilpatric.

— Qu'est-ce que c'est ? demanda James en posant les yeux sur l'étrange paire de lunettes que Victor venait de lui donner.

L'objet ressemblait vaguement aux lunettes de protection que portent les motards et les pilotes d'avion.

— Ça sert à voir sous l'eau. Ça marche étonnamment bien.

James observa le masque. Les verres étaient scellés par un joint de caoutchouc.

— Garde-le, dit Victor quand James voulut lui rendre l'objet. C'est pour toi. Et tiens, voilà un accessoire pour respirer, comme ça tu peux garder la tête sous l'eau. On appelle ça un tuba. Pour compléter l'équipement, j'ai ça…, ajouta-t-il en sortant deux sandales surdimensionnées qui évoquaient des pattes de grenouille. Des palmes. Tu les mets à tes pieds et tu deviens aussi rapide qu'un requin. Enfin, façon de parler. Essaie-les et dis-moi si elles te vont.

— Ça marche vraiment ? demanda James d'un ton dubitatif en enfilant les palmes sur ses pieds nus.

– Oh ça oui. J'ai vu quelqu'un les utiliser à Cannes. C'était très probant. Elles ont été inventées par un Français, Louis de Corlieu. Je suis féru de nouveauté, de modernité. Tous ces progrès me fascinent. Il faut que tu essayes tout ça. Descends sur la plage. Tu diras bonjour aux poissons pour moi.

Tout en l'écoutant, James avait enfilé tout l'équipement. Il avait les palmes aux pieds, le masque sur le visage et le tuba dans la bouche. Victor ne put s'empêcher de rire en le voyant ainsi harnaché. Un cri aigu retentit derrière lui. James tourna la tête. Poliponi se tenait dans l'embrasement de la porte, une main devant la bouche.

– Mais il faut absolument que je fasse un portrait de toi comme ça. Tu n'es pas humain. Tu es... un homme-grenouille ! C'est sublime. SU-BLIME !

Vingt minutes plus tard, de l'eau jusqu'aux genoux, James finissait de se préparer à quelques mètres du bord. La mer était d'une transparence étonnante. Il avait déjà enfilé les palmes et posé une pince sur son nez pour empêcher l'eau d'y pénétrer. Il serra les dents sur l'embout du tuba et glissa le masque devant ses yeux. Aussitôt, un étrange sentiment de panique et de claustrophobie s'empara de lui. Les verres rétrécissaient son champ de vision. Le tuba perturbait son souffle. Il dut faire de gros efforts pour éviter l'hyperventilation. Dès qu'il se fut détendu, il avança maladroitement dans l'eau et plongea timidement la tête sous la surface. L'image qui lui sauta au visage ne calma en rien sa respiration. La surprise était totale. C'était comme passer la tête dans une fenêtre ouverte sur un autre monde. Une seconde il était là, sous le soleil, entouré de couleurs vives et criardes, dans un paysage accablé de chaleur et de lumière, la suivante, il pénétrait un environnement calme et frais,

liquide et silencieux, fait de formes mouvantes à domi-
nantes sombres, jaunes et vertes. Depuis la surface, il ne
voyait rien de ce monde sous-marin. L'image était parcel-
laire et floue alors que, maintenant, il était DANS l'image
et pouvait précisément observer un banc de minuscules
poissons argentés qui fouinaient autour de ses pieds.

Il se jeta à l'eau de tout son long et fit de lents mouvements avec les palmes. Celles-ci le poussaient à la surface de
l'onde sans la moindre éclaboussure. Chaque centimètre
parcouru, un nouvel émerveillement.

Il glissa au-dessus d'un banc de sable immaculé puis sur-
vola une forêt d'algues. Un banc de daurades bariolées,
leurs queues cerclées de bandes noires, se scinda en deux à
son approche. Les poissons se séparèrent brutalement, juste
assez pour être hors de portée, puis se regroupèrent comme
si de rien n'était. Ensuite, il remarqua des poissons plus
grands, d'autres tout petits ainsi qu'un bel hippocampe,
long et fin, comme un morceau d'algue à la dérive. Il nagea
plus loin, jusqu'à dépasser le champ d'algues. Un monde
entièrement nouveau s'étalait sous ses yeux ébahis : des par-
terres de moules dessinaient des formes hélicoïdales, des
rochers aux allures étranges, des herbiers de posidonie, et
puis aussi des limaces de mer, noires et gluantes, qui creu-
saient de longues ornières en rampant sur le sable. Il se dirigea vers un gros rocher, imposant comme une montagne de
là où il était, et dont le sommet émergeait. Des étoiles de
mer et des oursins étaient accrochés à ses flancs, ainsi que
des anémones dont les délicates franges roses ondulaient
gracieusement dans les courants. Une araignée de mer, à la
carapace hérissée de piquants, et aux longues pattes maigre-
lettes, furetait dans les cavités rocheuses à la recherche de
quelque reste.

James inspecta l'intérieur d'un trou. Deux gros yeux globuleux lui rendirent son regard. Il sourit et repartit. Dépassant le rocher, il se retrouva soudain au-dessus d'un tombant. Sa respiration se bloqua dans sa gorge. Le fond était devenu quasiment invisible. Il flottait à la surface d'une masse d'eau insondable, entouré seulement d'innombrables bancs de poissons : des rougets, des pilchards, ainsi que de jolies petites girelles, avec des rayures jaunes sur le corps, et des têtes bleu pâle.

James fit du surplace pendant un moment, observant les poissons, puis il décida de nager encore, pour voir s'il y avait autre chose à découvrir plus loin. Il nagea, se sentant minuscule au-dessus de ce grand vide bleu. Il perdit bientôt toute notion du temps et de l'espace. Seul le ronronnement régulier d'un moteur le ramena à la réalité.

Il crut d'abord à un bateau de pêche et prit tout à coup conscience du danger qu'il courait à se trouver ainsi seul en pleine mer. Il sortit la tête de l'eau et jeta un regard circulaire autour de lui, mais il ne vit rien. En revanche, il fut saisi par la distance qu'il avait parcourue sans même s'en rendre compte. La côte semblait à des kilomètres. Il fallait qu'il rentre. Soudain, il eut froid et se sentit fatigué. Il s'arrêta un instant pour reprendre ses forces. Tandis qu'il flottait comme un bouchon à la surface des eaux, le bruit du moteur se rapprochait. La chose venait droit sur lui. Mais le masque était plein de buée. Il n'y voyait quasiment rien.

D'où venait ce bruit de moteur ? Où était ce bateau ?

Il s'agita dans l'eau, tournant nerveusement la tête à gauche et à droite. Rien.

Le bruit se changea en vacarme assourdissant et, comme sortie de nulle part, une ombre géante passa au-dessus de lui. Pris de panique, il plongea. Sous l'eau, il leva les yeux juste à temps pour voir, à moins de un mètre de lui, ce qui semblait être la carène d'un bateau labourer la surface des flots. Le choc créa une grande gerbe et de puissants tourbillons de bulles. L'instant d'après, il perçut un énorme grondement sourd et il se retrouva emporté par une violente onde de choc qui l'attira vers le fond. Il dégringola dans les profondeurs, ne sachant plus où était le haut et où était le bas tellement il était ballotté, secoué et retourné. Autour de lui, l'eau bouillonnait. Il but une bonne tasse et se débattit comme un diable pour remonter à la surface. Petit à petit, les courants perdirent de leur force et il finit par retrouver son chemin.

Quand il émergea enfin à l'air libre, il battit des bras et des pieds, toussant, crachant, à moitié étouffé. Que diable s'était-il passé ?

Dès qu'il eut repris son souffle, il retira son masque et quelle ne fut pas sa surprise de voir un gros hydravion blanc, un Sikorski, voguer à la surface de l'eau, fendant les vagues et effectuant nonchalamment un large virage. Ce qu'il avait pris pour la carène d'un bateau n'était autre qu'un de ses gros flotteurs, suspendus sous les ailes de l'avion par un treillis compliqué de tubes et de barres de fer. Propulsé par ses quatre hélices, il longea lentement la côte avant de s'arrêter et de s'enfoncer dans l'eau, le fuselage de l'avion se posant délicatement à la surface des flots.

Une double porte s'ouvrit à l'avant. Un homme en uniforme militaire prépara un dinghy.

James nagea vers l'engin pour mieux voir, mais le pneumatique fut jeté à l'eau bien avant qu'il n'arrive. James voulut suivre. Il entama donc un long et pénible retour vers la côte, sans quitter des yeux cet étrange équipage. Le dinghy était trop loin pour qu'il distinguât ses occupants. Il ne put que repérer deux silhouettes, un homme et une femme, assis à l'arrière.

Au pied de la Casa Polipo se trouvait une petite rade

naturelle. Le dinghy s'y arrêta. L'équipage arrima le canot, puis les passagers s'engagèrent sur l'escalier menant à la villa.

Cette visite inopinée intriguait James. Qui donc était assez important pour arriver chez Victor en hydravion et, qui plus est, avec sa propre escorte militaire ?

Il nagea jusqu'à la plage, récupéra sa serviette et remonta à la villa.

James trouva Victor sur la terrasse. Il avait l'air amusé, mais aussi légèrement tendu.

— Nous avons de la visite, dit-il à James qui, emmitouflé dans sa serviette et dégoulinant d'eau sur le carrelage, lui lançait un regard curieux.

— Je sais. Je les ai vus arriver dans leur Sikorski. Ils ont failli me noyer. Qui est-ce ?

— Son Excellence le comte Ugo Carnifex, répondit Victor avec une pointe de moquerie dans la voix. Et sa sœur, la comtesse Jana Carnifex.

— Impressionnant. Mais qui est-ce au juste ?

— Un notable du cru. Fortune minière. Il possède un palais dans les montagnes.

— Et que vient-il faire ici ?

— Simple visite de courtoisie, semble-t-il. Je cherchais justement Mauro pour qu'il nous serve à boire. Tu ne l'as pas vu par hasard ?

— Non. Désolé.

— Ce n'est pas grave. Viens, je vais te présenter à notre hôte. Je pense que tu vas le trouver intéressant.

James pénétra à l'intérieur. Ses yeux mirent un moment à s'accommoder. La première chose qu'il distingua fut une paire de gardes en uniforme. Légèrement mal à l'aise, ils se tenaient debout à côté de la girafe empaillée. Ils paraissaient originaires de l'île. Visage tanné par le soleil, regard

147

somnolent et grosse moustache brune tombante. James ne reconnaissait pas leur uniforme. Ce n'était pas celui des policiers. Il se demanda s'ils appartenaient à l'armée de Sardaigne car leurs habits étaient pour le moins extravagants. Pantalons et vestes étaient d'un violet profond, avec galons écarlate et or. Quant à la casquette, qu'ils portaient basculée sur le front, elle avait une large visière plate qui cachait leurs yeux.

Les deux hommes étaient armés de pistolets qui pendaient à leurs côtés dans des holsters noirs, juste au-dessus de hautes bottes parfaitement cirées.

Un des gardes toisa James de la tête aux pieds avant de détourner les yeux avec un air de profond mépris.

– Que dites-vous de l'uniforme ? tonna une voix depuis le fond de la pièce, plongé dans l'obscurité. Je les ai dessinés moi-même.

Un homme très grand approcha. Quand il apparut à la lumière, James eut un choc.

Il s'agissait de l'homme au teint blafard et fantomatique dont il avait vu le portrait à Eton. Dans la cave de la mystérieuse maison. Il faisait même un signe du bras, exactement comme sur la toile.

James tenta de ne rien montrer de ses émotions tandis qu'il serrait la main tendue.

– Comte Ugo, je vous présente mon cousin, James Bond, qui arrive d'Angleterre.

– Carnifex. Heureux de faire votre connaissance, répondit Ugo avec un sourire laissant apparaître une dent argentée qui le faisait légèrement zozoter.

Il portait une version améliorée du costume traditionnel des paysans sardes. Mais la comparaison avec un paysan s'arrêtait là. Il avait des bagues d'argent à presque tous les doigts, des colliers du même métal autour du cou ainsi que de petits anneaux aux oreilles. Sa peau, contrairement à

148

celle de ses gardes, était d'une blancheur diaphane et laiteuse, si pâle qu'on pouvait voir les veines bleues qui couraient sous son épiderme. Ses cheveux, coupés ras, étaient aussi blancs que tout le reste.

– Approchez, mon garçon…, dit une autre voix depuis la pénombre.

James s'avança et ne put s'empêcher de tressaillir à la vue d'une femme, assise dans un fauteuil à dos droit, exactement comme s'il s'agissait d'un trône.

Ugo s'approcha d'elle et lui baisa la main avant de se retourner vers James.

– James, laissez-moi vous présenter ma sœur, la comtesse Jana Carnifex.

– Ravie de vous connaître, répondit-elle d'une voix traînante, aussi aguicheuse que le feulement d'un chat qui se frotte aux jambes de celui qui lui apporte sa gamelle.

Autant son frère était blanc, autant elle était bronzée. Autant la peau d'Ugo était pâle – elle en devenait presque luminescente –, autant celle de Jana était sèche et éteinte. Ugo semblait avoir passé sa vie à se protéger des rayons du soleil, à l'inverse, Jana paraissait ne jamais avoir vu l'ombre. Son visage, sombre et fripé, était couvert d'une couche de maquillage couleur sienne si épaisse qu'on aurait dit un emplâtre. Elle portait un rouge à lèvres corail, un fard à paupières bleu et ses yeux étaient cernés de khôl. Sa coiffure était particulièrement élaborée. Elle consistait en un haut chignon entrelacé de chaînes en argent. Les mèches brillantes et noires tenaient si parfaitement en place que James était convaincu qu'il s'agissait d'une perruque.

Ses vêtements n'étaient pas plus discrets que le reste. Elle était enveloppée dans des bandes de satin rose et or et portait un assortiment de bijoux dont James ignorait qu'il pût servir à une seule et même personne. À ses lobes avachis et distendus pendaient d'immenses boucles d'oreilles qui ressemblaient à des chandeliers miniatures. Des bagues d'ambre, d'or et de diamants, scintillaient à ses doigts, dont la longueur et la finesse évoquaient les serres d'un oiseau de proie. Autour de son cou décharné s'étalait un invraisemblable enchevêtrement de chaînes en or et de colliers de perles. Une gigantesque broche en argent, à cabochon de jade, était accrochée sur sa poitrine. Elle avait des bijoux jusqu'au bout des pieds, au sens littéral du terme, puisque des diamants étaient incrustés dans ses ongles, leur éclat concurrençant celui de ses sandales dorées.

— Approchez, jeune homme, ronronna-t-elle en détendant lentement une main aux ongles interminables et courbes, impeccablement couverts de vernis. Baisez ma main.

James avança à contrecœur. Arrivé plus près, il fut quasiment intoxiqué par les lourds effluves de parfum qui flottaient autour d'elle, la nimbant d'un nuage aux senteurs maléfiques. Retenant sa respiration, il se pencha et prit sa main. Elle jeta sur lui un regard plein de convoitise et mouilla discrètement ses lèvres d'un bout de langue purpurine.

— Vous avez un beau visage, dit-elle en le regardant droit dans les yeux.

James ne savait que répondre. Il était mal à l'aise et très embarrassé d'être ainsi adoubé par cette femme alors même qu'il n'était vêtu que d'un short de bain. Mais il ne pouvait rien faire. Jana le tenait fermement – et non sans déplaisir à en juger par son sourire concupiscent –, sous sa coupe.

— Vous briserez le cœur de bien des femmes, jeune homme, dit-elle au bout de quelques secondes qui avaient semblé interminables à James. Pourtant... Vous avez une bouche cruelle.

À ces mots, elle passa langoureusement ses doigts sur les

lèvres de James qui ne put retenir un vif mouvement de retrait.

– Je… Je crois que je ferais bien d'aller me mettre quelque chose sur le dos, bredouilla-t-il avant de tourner les talons.

Il quitta la pièce et s'engagea dans le couloir, sous les échos du rire guttural de Jana.

Quand il revint quelques minutes plus tard, vêtu d'un fin pantalon de corsaire en coton et d'une chemise à manches courtes, Mauro était en train de servir à boire, avec l'enthousiasme dont il était coutumier.

Ugo était en pleine conversation avec Victor.

– Il faut absolument que vous veniez, signor Delacroix. Vous verrez, mon *palazzo* est une splendeur, ainsi qu'une prouesse technique à laquelle, j'en suis sûr, votre œil avisé ne restera pas insensible.

– Décidément, mon cher comte, vous semblez tout connaître de mes points faibles, répliqua Victor.

– Je fais en sorte d'être toujours bien informé, ajouta Ugo en exhibant sa dent d'argent. Et puis, il n'y a pas que le *palazzo*. J'ai également fait construire un splendide barrage ainsi qu'un aqueduc, sur le modèle des ouvrages de la Rome antique. Du jamais vu.

– Quel exploit !

– Si je ne craignais de pécher par immodestie, j'acquiescerais sans détour, zozota le comte. Le barrage couvre tous mes besoins en eau et en électricité. Je ne dépends de personne.

– Et l'aqueduc ? demanda Victor.

– Pour acheminer l'eau, bien sûr. Je vais vous expliquer. Le barrage est construit entre deux montagnes, dans une immense gorge. Le *palazzo* est, quant à lui, situé en contrebas, sur un des flancs, face à la machinerie, bâtie, elle, sur le flanc opposé. L'eau descend du barrage et actionne les turbines, après quoi elle traverse la gorge dans l'aqueduc et alimente le palais.

— Mais… Pourquoi n'avez-vous pas fait descendre l'eau chez vous, directement du barrage, par des conduites ? demanda Victor en fronçant les sourcils d'un air perplexe.

— Et où serait la prouesse, là-dedans ? railla Ugo. Mon aqueduc est un ouvrage qu'on voit à des kilomètres. Vous réfléchissez comme un ingénieur, signor Delacroix, en pragmatique, alors que, pour ma part, j'entends également réfléchir en soldat, en poète et en utopiste. Voyez-vous, j'ai une vision.

— Cela me paraît évident, répliqua Victor d'un ton convaincu où James détecta néanmoins un brin d'ironie qui, fort heureusement, échappa totalement au comte Ugo. Ah ! James ! s'exclama-t-il en s'apercevant finalement de sa présence. Son Excellence, le comte Ugo, dans sa grande mansuétude, nous invite tous gracieusement à un carnaval, chez lui, dans son palais.

— Les travaux viennent de s'achever, ajouta Ugo. Le chantier aura duré des années. Vous compterez parmi mes premiers invités. Cette fête sera l'occasion d'annoncer solennellement à la face du monde que le comte Ugo Carnifex est arri…

Ugo s'arrêta soudainement. Une main sur la bouche, il fixait le sol d'un air épouvanté.

— Tout va bien, monsieur le comte ? demanda Victor, affolé.

Ugo secoua la tête rapidement. James regarda par terre. Le sol de marbre était maculé d'une petite trace humide et sableuse que son pied avait laissée quand il était remonté de la plage.

— Je suis désolé, poursuivit Ugo, mais je ne supporte ni la

saleté ni le désordre, si infimes soient-ils. Cette île est dégoûtante. Les gens sont dégoûtants. Au moins, là-haut dans les montagnes, puis-je échapper à cette engeance, et garder ma maison propre. La saleté est un péché.

Victor fit rapidement un signe à Mauro qui, comme à regret, s'agenouilla sur le sol et nettoya d'un coup de torchon ce sable offensant. Ugo le regarda faire avec, sur le visage, une expression de profond dégoût.

– Voulez-vous rester dîner ? demanda Victor en essayant de détendre l'atmosphère. Il est déjà tard et vous êtes loin de chez vous.

– Délicieuse attention, répondit Ugo. Ma sœur et moi serions ravis de partager ce dîner avec vous, signor Delacroix.

James n'en pouvait plus d'entendre la voix d'Ugo. L'homme n'arrêtait pas de parler, et, qui plus est, toujours de la même chose : lui-même. Il avait passé le dîner à saouler tout le monde avec ses logorrhées sur la philosophie, la religion et la politique et avec ses piques à l'encontre des Sardes, paresseux et indignes de confiance, comme chacun sait.

Maintenant, il abordait la question de l'argent ou, pour être précis, celle de son immense fortune personnelle.

– L'argent, disait-il tandis que Victor opinait poliment du chef. Ce sont les mines d'argent qui ont permis de financer tout. Au cœur de la montagne, sous mon *palazzo*, se trouve ma mine d'argent. J'ai eu d'autres exploitations minières sur l'île auparavant – plomb, zinc et charbon – mais elles n'étaient pas rentables. J'ai tout vendu et je suis parti m'installer dans le Gennargentu. J'ai eu une intuition. Voyez-vous, je peux sentir l'argent, affirma-t-il en tapotant son nez. Tout le monde a dit que j'étais fou, mais je ne les ai pas écoutés. J'ai creusé la montagne à l'explosif. Rien. J'ai foré plus profond. Toujours rien... Et puis, un jour, l'argent était là ! J'avais raison, ils avaient tort.

Il éclata de rire puis s'essuya la bouche dans une impeccable serviette blanche, qu'il laissa instantanément tomber sur le sol comme s'il s'agissait de la dépouille putride de quelque animal.

Il y avait cinq personnes autour de la table. Victor et Poliponi, Ugo et Jana, qui n'avait pratiquement pas touché à son assiette, et James, qui regrettait amèrement la douce simplicité de ses précédents repas à la villa. Victor avait mis les petits plats dans les grands ce soir : couverts en argent, services de porcelaine fine et nappe de lin blanc repassée de frais.

— J'ai arraché le cœur de cette montagne. Et j'ai utilisé la pierre pour construire mon palais, poursuivit Ugo avant de se tourner vers Poliponi et de lui lancer une rafale de mots en italien, que l'artiste accueillit avec un sourire impressionné. Je disais juste au signor Poliponi à quel point j'appréciais l'art. Je peux d'ailleurs m'enorgueillir de posséder de jolies pièces. Je suis un homme très cultivé. J'aime l'art, l'architecture et la musique. Je veux vivre entouré de beauté. L'empereur Napoléon a pillé des œuvres aux quatre coins de l'Europe, dont beaucoup d'art italien, les plus beaux chefs-d'œuvre du monde. Comme lui, je remplis ma demeure de chefs-d'œuvre.

— Napoléon était un grand homme, ajouta Poliponi. Un chef de file, un éclaireur. Et il avait compris que ce qui compte le plus c'est la gloire, la notoriété, la célébrité. Bref, devenir IM-MORTEL !

— Exactement, acquiesça Ugo. Le corps humain est éphémère. Quand, au bout du compte, il cesse de fonctionner, il est gagné par la même pourriture abjecte que tout le reste. Morts, nous ne sommes que fange. Nous sombrons alors rapidement dans l'oubli, à moins de laisser derrière nous quelque chose d'immensément bon ou d'immensément mauvais. Peu importe que ce soit l'un ou l'autre, l'important, c'est de le faire bien. Avec du style.

– Absolument, renchérit Poliponi. Si vous tuez quelques hommes, vous êtes un vulgaire criminel de droit commun, alors que si vous en massacrez des millions vous devenez un général de haut rang, présent dans les mémoires pour l'éternité, comme Attila, le roi des Huns, ou Julius Caesar.

– Comme cela est juste ! poursuivit Ugo. Le nom même de « Caesar » est devenu synonyme de chef glorieux. Prenez le russe « tsar » ou l'allemand « Kaiser », tous deux dérivent de « Caesar ». Les Romains ont bâti le plus vaste empire que le monde ait connu. Ils ont apporté la civilisation à l'Europe. Leurs réalisations étaient extraordinaires, très en avance sur leur temps. Ils ont ridiculisé le reste du monde. Mais j'espère bien rappeler à tous ce temps glorieux. Mon palais et mon barrage ne constituent que les prémices de ce que je compte accomplir.

Emporté par ce qu'il disait, Ugo se mit à accompagner son discours de gestes grandiloquents. Ce faisant, il attrapa le bras de Mauro juste au moment où celui-ci s'apprêtait à le servir. Une coulée de sauce rouge se renversa sur sa chemise blanche.

Ugo se leva d'un bond, essuyant sa chemise avec des gestes fous et inondant Mauro d'un torrent d'insultes en sarde. Il éructait d'une horrible voix stridente et haut perchée : un fausset en état de transe. Finalement, il passa en trombe de la salle à manger à la terrasse, en continuant de hurler. Les deux gardes se précipitèrent à sa suite avec des airs affolés.

– Il semblerait que ce dîner touche à sa fin, dit Jana en reposant son couvert. Nous devons retourner chez nous. Merci pour votre hospitalité.

Après quoi elle se leva et se prépara à partir. Victor bondit de sa chaise.

— On doit pouvoir arranger ça, madame. Ce n'est pas si grave…

— Un jour, une servante a renversé du vin sur ses vêtements, répliqua Jana. Ugo l'a fait jeter du haut de son barrage.

Après un court silence, elle éclata d'un rire qui faisait froid dans le dos et alla retrouver son frère au-dehors.

— Quel homme ! s'exclama Poliponi quand ils furent partis. On dirait un dieu fou !

— Oh, je t'en prie, ne t'emballe pas, rétorqua Victor. Il est assommant. Et je doute que nous assistions à son carnaval.

— J'insiste, dit Poliponi. On doit y aller. Et puis j'ai très envie de voir son *palazzo* et le barrage et l'aqueduc.

— Moi, j'aimerais bien voir les montagnes, ajouta James. Après tout ce que j'ai entendu à leur sujet…

— Je vous entends. Mais nous n'irons pas, déclara Victor d'un ton assuré. Il y a des rumeurs sur Ugo Carnifex.

— Quelles rumeurs ? demanda James.

— Je ne tiens pas à en parler. Nous n'irons pas, un point c'est tout.

— Tu es aussi pusillanime qu'une vieille femme superstitieuse, Victor. Tu as peur des fantômes et des ombres, railla Poliponi en se versant un verre de vin. Ugo est juste un homme qui aime le secret. Il ne reçoit pas beaucoup de visiteurs, nous devrions nous enorgueillir d'être conviés chez lui. — Se tournant vers James, il ajouta : J'adore les carnavals, tu sais, James. C'est tellement amusant. Il y aura de la musique, de la danse et de la lutte. J'adore la lutte ou le catch, si tu préfères. C'est si viril.

— Carnifex est un escroc, coupa Victor. Nous n'irons PAS.

156

– Oh, tu sais, répondit l'artiste, dans cette partie de l'île, les escrocs, ce n'est pas ce qui manque. On est au pays des bandits, non ? Mais Carnifex est différent. C'est un homme fort, un Auguste des temps modernes. Il pourrait redonner son lustre à ce pays, comme Mussolini tente de le faire.

– Mussolini est un clown, trancha Victor. Ce sont tous des clowns. Pourquoi ne peuvent-ils pas nous oublier un peu et arrêter cinq minutes de vouloir changer le monde ?

– Mais le monde a besoin de changement, déclara Poliponi. Il est tellement ennuyeux… Victor ! J'insiste pour que nous y allions. Sinon, je boude.

Victor se leva, l'air renfrogné.

– Je vais y réfléchir, conclut-il avant de sortir sur la terrasse.

– Ne t'inquiète pas, dit Poliponi en se penchant vers James, un petit sourire espiègle au coin de la bouche. On ira.

Et il ajouta un clin d'œil pour donner encore plus de poids à son affirmation.

Au loin, James entendit le rugissement sourd des moteurs du Sikorski. Il jeta un œil dehors et vit ses lumières monter dans le ciel nocturne.

Triste Raiponce

Amy s'assit devant la fenêtre et regarda le paysage, qui lui était devenu familier. Le soleil, et avec lui le jour, baissait lentement. Dans la faible lumière du couchant, elle distinguait encore, tout au fond de la vallée, en contrebas, les vastes étendues de garrigue, parsemées des carrés jaunes que faisaient les champs de chaume. De l'autre côté, la dentelure escarpée des montagnes dont la masse grise se détachait sur le ciel déclinant. Les contreforts des massifs étaient couverts d'arbres qui, avec la distance, ressemblaient à de minuscules pompons verts.

Dans d'autres circonstances, elle aurait certainement trouvé la vue magnifique, romantique même, mais, en l'occurrence, elle la trouvait seulement lugubre et désespérante. Ce désert la renvoyait à sa propre solitude.

Prisonnière dans cette chambre.

La fenêtre était équipée d'un épais barreau de fer. Dérisoire précaution, tant le vide de plusieurs dizaines de mètres sous la fenêtre était, en lui-même, dissuasif.

Au moins, comparée à ses précédentes geôles, cette chambre était-elle confortable. Mille fois plus que le réduit dans les cales du *Charon*. Elle était joliment meublée, avec une coiffeuse et une chaise, le lit était confortable et il y avait même un tapis au sol.

Mais cela ne changeait rien au fait qu'elle soit tenue prisonnière.

Au moment où ils étaient arrivés en Sardaigne, Amy avait fini par se faire à la routine de la vie à bord du *Charon*. Toutefois, depuis qu'ils étaient à terre, les choses avaient changé… en pire.

Au fait, quand était-ce ? Elle essaya de calculer. Se pouvait-il qu'il ne se soit écoulé qu'une semaine depuis qu'ils avaient accosté ? Tant de choses s'étaient passées.

Grace et elle avaient passé les premiers jours dans un hôtel borgne de Terranova, à étouffer dans une chaleur moite tandis que Zoltan attendait l'arrivée de ses camions. Elles n'avaient pas été autorisées à quitter la chambre. Un des hommes du Magyar montait la garde devant la porte vingt-quatre heures sur vingt-quatre.

Au début, elles avaient tué le temps en jouant aux cartes, en s'amusant à parler français ou en organisant de sanglantes chasses aux moustiques. Mais, au fil des jours, Grace était devenue de plus en plus mélancolique et dépressive jusqu'à ce que, pour finir, elle passe des heures entières, recroquevillée dans un coin de la pièce, les bras autour des jambes, pleurant toutes les larmes de son corps. À la fin, Amy en avait eu assez et elle s'était emportée contre sa préceptrice, lui disant qu'elles devaient se montrer fortes et veiller l'une sur l'autre, que s'apitoyer sur leur sort ne les avancerait à rien.

Cela sembla avoir de l'effet car Grace, un peu secouée, avait subitement séché ses larmes, lavé son visage, puis elle s'était activée dans la petite chambre à nettoyer ceci, ranger cela, bref à tenter de retrouver un vague sentiment de normalité. Et puis, un soir, Zoltan était venu les trouver pour leur annoncer qu'elles partaient le lendemain.

– Où nous emmenez-vous ? Au marché ? Pour nous vendre ? demanda Amy d'une voix pleine de sarcasmes.

– Non, répondit Zoltan.

– Je vous ai dit que mon grand-père ne paierait jamais la rançon.

– Oh si, il paiera. Mais ça prendra juste un peu plus de temps que prévu.

– Et moi ? gémit Grace. Ma famille n'est pas riche. Ils ne peuvent pas payer pour moi.

– Tais-toi, Grace, dit doucement Amy. Tout va bien se passer. Nous ne serons pas vendues comme du bétail.

– Je vous ai apporté des vêtements, déclara Zoltan en jetant des sacs sur le lit. Je veux vous trouver propres et changées demain matin. Tout ce dont vous avez besoin se trouve là-dedans, y compris... – Il s'arrêta, légèrement embarrassé. – Ce qui va en dessous.

– Je ne veux pas les mettre, rétorqua Amy. Je ne veux rien qui vienne de vous.

– Et moi je vous dis que vous allez vous débarrasser des frusques dégueulasses que vous avez sur le dos et mettre ça, dit-il en déchirant avec colère l'un des sacs et en en sortant une robe jaune à fanfreluches. Mais d'abord vous allez vous laver. Voilà du savon. Faites-en bon usage. Vous sentez !

– Je ne porterai pas cette robe, elle est trop moche.

– C'est tout ce que j'ai pu trouver ici, à Terranova.

– Je m'en fiche, je ne la porterai pas.

Zoltan attrapa Amy par les épaules et la traîna devant le miroir.

– Regarde-toi. Tu ne t'es pas changée depuis des semaines.

Amy jeta un œil dans le miroir. C'est tout juste si elle

reconnut le reflet qu'elle y voyait. Elle était pâle et crasseuse, ses cheveux n'étaient plus qu'un gros paquet de nœuds et ses vêtements d'emprunt étaient gris et loqueteux.

– Nous allons chez un homme riche qui a une sainte horreur de la saleté, déclara le pirate. Je veux lui vendre certains de mes trésors et je ne tiens pas à le contrarier de quelque manière que ce soit.

– Et moi ? Je suis un de vos trésors ? demanda Amy.

– Oui. Le plus précieux. Mais je ne vais pas te vendre à cet homme. Les meilleurs morceaux, je les garde pour moi.

Trop fatiguée pour continuer à argumenter, l'adolescente avait fini par rendre les armes et, le lendemain, vêtue d'une robe jaune trop grande, elle avait été chargée à l'arrière d'un camion militaire bâché, en même temps que sa compagne d'infortune. Le camion faisait partie d'un petit convoi, composé de deux autres poids lourds et d'une décapotable, qui quitta à faible allure Terranova par la route côtière en direction du sud. Ils avançaient à la vitesse de l'escargot et devaient régulièrement s'arrêter pour réparer les véhicules qui tombaient en panne les uns après les autres.

Zoltan suivait le convoi sur un puissant cheval blanc, secondé par son lieutenant maori, montant un cheval plus grand encore. Le Magyar portait son bras blessé en écharpe. Il désespérait de la lenteur du convoi et piquait fréquemment des colères noires. Des torrents d'insultes s'abattaient sur les membres de son équipe. En plus des hommes d'équipage du bateau, ils avaient été rejoints par quelques locaux, des bandits aux mines patibulaires qui portaient de hauts bonnets pointus de couleur noire. Amy les avait remarqués. Ils les observaient Grace et elle, et ils posaient des questions, visiblement curieux de savoir qui elles étaient.

Le camion était rempli de caisses. Autant pour passer le

161

temps que pour autre chose, Amy essaya d'en ouvrir une, s'échinant sur les clous avec un couteau de table qu'elle avait volé à l'hôtel.

Au bout de quelques heures, elle parvint à desserrer le couvercle et à l'entrebâiller suffisamment pour voir ce qui se trouvait à l'intérieur.

Des tableaux étaient soigneusement alignés à côté d'un buste en marbre qui lui sembla de facture romaine.

Elle était sur le point de montrer le contenu de la caisse à Grace quand elle sentit le camion se balancer sur ses suspensions. Elle tourna la tête. Un des bandits sardes était en train de passer sous la bâche du hayon.

Il avait une bouteille de vin à la main et semblait sérieusement imbibé.

— *Buon giorno !* dit-il, accompagnant ses mots d'une révérence chancelante. *Come si chiama ?* demanda-t-il à Grace avec un sourire exagéré.

Celle-ci se contenta de hausser les épaules.

— Qu'est-ce qu'il veut celui-là ? demanda-t-elle en se tournant vers Amy.

— Je ne suis pas sûre, mais je crois qu'il veut connaître ton nom.

— Eh bien je suis Grace Wainwright. Je suis anglaise et je n'ai pas demandé à être ici.

L'homme éclata de rire et tenta d'imiter la petite voix fluette et apeurée de Grace.

— *Mi chiamo Salvatore,* déclara-t-il ensuite en se frappant la poitrine avant de tendre sa bouteille à Grace.

Au même moment, le camion vira sèchement dans un virage, lui faisant presque perdre l'équilibre.

— Non merci, dit la jeune femme en repoussant la bouteille.

Une fois de plus, Salvatore éclata de rire et la mima.

– S'il vous plaît, dit Grace. Allez-vous-en.

Soudain, le camion pila et tous furent projetés vers l'avant. Salavatore s'écroula de tout son long sur le plancher, riant comme un dément, tandis que Grace tentait de se cacher derrière les caisses.

Le Sarde se remit péniblement debout, renversant du vin sur lui, après quoi il s'essuya la bouche et tendit les bras comme s'il voulait que Grace s'y précipite de bonne grâce. Amy n'y tint plus. Elle se leva d'un bond et poussa Salvatore de toutes ses forces. Celui-ci vacilla puis bascula hors du camion. Il poussa un cri avant de tomber sur la route.

Le camion qui suivait dut freiner dur et faire un écart pour éviter de l'écraser.

Des hurlements de colère retentirent et le chauffeur descendit de sa cabine, gesticulant comme un diable.

Tout le convoi s'arrêta. Zoltan s'approcha au triple galop.

Salvatore était étendu sur la route, immobile, sur le dos, les bras en croix. Un de ses amis s'approcha et lui tapota le visage pour le faire revenir à lui. Voyant que la manœuvre était sans effet, il lui vida sa gourde d'eau sur le visage. Salvatore bafouilla, crachota et releva lentement la tête avant de péniblement se remettre sur ses jambes tout en déversant une bordée d'insultes à Amy, qui regardait la scène depuis l'arrière du camion.

– La ferme ! tonna Zoltan. – Et le silence se fit. – Maintenant, quelqu'un peut-il me dire ce qui se passe ici ?

Un flot vindicatif jaillit de la bouche de Salvatore. Un de ses amis entreprit de traduire.

– Il dit que la fille l'a poussé du camion. Il dit qu'il va la tuer.

– Il ne va rien faire du tout, coupa Zoltan. C'est moi qui commande ici.

Se tournant vers Amy, il demanda :

– C'est vrai ce qu'il raconte ?

– Parfaitement vrai, répondit Amy calmement. Cet homme est saoul. Il ne se contrôle plus.

Elle attrapa la bouteille et la jeta par terre. Salvatore regarda tristement le sombre liquide se répandre dans la poussière du chemin.

Zoltan ferma les yeux, tentant tant bien que mal de garder son calme. Durant un instant il parut accablé d'une profonde lassitude, après quoi il passa sa main valide sur son visage, rouvrit les yeux et conduisit son cheval vers Salvatore. Du haut de sa selle, il se dressait de manière imposante au-dessus du jeune Sarde. Quand finalement il prit la parole, il s'adressa à lui avec un grand calme.

– J'ai donné des ordres clairs. Personne ne devait approcher des prisonnières.

Salvatore tenta vainement de dire quelque chose, déclenchant la fureur du Magyar.

– Tu n'aurais pas dû me désobéir !

– Tu n'es pas mon chef, rétorqua Salvatore avec une pointe de dédain.

– Tant que tu voyages avec moi, si. Et tu dois respecter mes ordres. Compris ! *Rispetto.* Tu comprends ça ? Si tu t'approches encore des filles, je t'étripe.

Salvatore releva le menton avec un air de défi, fit un geste obscène et murmura une insulte. Un de ses amis gloussa, mais son rire resta coincé dans sa gorge lorsque Zoltan, d'un violent coup de pied au visage, envoya Salvatore au tapis.

Il sauta de cheval. Quand Salvatore se fut relevé, le Magyar était sur lui.

– Tu piges ? Ou il faut que je poursuive la leçon ?

Salvatore jura et envoya un crochet à Zoltan que celui-ci évita facilement. Il décocha une violente gifle, avec le dos de la main, à la face du jeune Sarde qui, pour la troisième fois de la matinée, mordit la poussière. Il avait le visage tuméfié et couvert de sang. Face à lui, Zoltan affichait un calme impérial et une décontraction insultante. Il saisit le Sarde au collet et le releva d'un bras.

– Tu saisis maintenant ? demanda-t-il en le regardant droit dans les yeux.

La morgue n'avait pas totalement disparu des yeux de Salvatore. Il leva piteusement un poing… et Zoltan le frappa à nouveau. Le coup avait été si puissant que la tête de Salvatore avait violemment basculé en arrière. Sonné, il avait vacillé et titubé jusqu'à tomber dans les bras d'un de ses amis.

– Redresse-le, ordonna Zoltan.

– Arrêtez ! hurla Amy depuis l'arrière du camion. Vous ne voyez pas qu'il a son compte ?

Zoltan tourna la tête vers elle, le compagnon de Salvatore en profita pour sortir un couteau de sa ceinture.

Zoltan lut la scène dans le regard d'Amy, il se retourna en plongeant la main dans sa chemise. La bouche du Beretta se braqua sur la tête du Sarde en même temps que le regard de Zoltan.

– Vas-y. Tente le coup. Tu auras trois balles dans le crâne avant d'avoir touché le sol.

Vaincu, le Sarde baissa sa lame.

Le Magyar jeta un œil dégoûté à Salvatore, quasi inconscient.

– Mettez ce sac à merde dans un camion et en route !

Il lança un dernier regard à Amy avant de remonter sur son cheval et de prendre la tête du convoi.

Le reste du voyage se déroula sans incident. Amy passa son temps, assise à l'arrière du camion, le regard perdu sur la route qui défilait lentement derrière eux, trop glacée de peur pour seulement tenter d'imaginer ce qui l'attendait.

Ils quittèrent la route côtière et se dirigèrent vers les

montagnes du centre de l'île. Ils passèrent la ville de Nuoro, puis virèrent vers le sud, en direction des monts du Gennargentu.

À la tombée du jour, ils arrivèrent enfin à destination : une grande caverne, creusée par la main de l'homme, au pied de la montagne. L'endroit était éclairé par de puissants projecteurs et une forte odeur d'huile et d'essence flottait dans l'air. D'autres camions étaient garés là, à côté de divers morceaux de machines-outils, rongés par la rouille.

Les hommes de Zoltan chargèrent les caisses sur ce qui ressemblait à des wagons de marchandise miniatures. Un étroit tunnel disparaissait dans la roche. Amy remarqua qu'il était équipé de rails.

Une fois que le chargement fut totalement transvasé, Zoltan aida Amy et Grace à prendre place dans un wagonnet. Il s'installa à côté d'elles en compagnie de Tree-Trunk et de deux soldats.

– C'est un chariot de mineurs, expliqua Zoltan. Ça sert à sortir le minerai.

Il y eut une secousse et le wagon disparut dans les ténèbres.

Le tunnel s'enfonçait dans la montagne en serpentant, seulement éclairé ici ou là par quelque lumière blafarde. À intervalle régulier, ils croisaient les entrées d'autres goulets, de part et d'autre du leur. Des tas d'outils et d'équipements apparemment abandonnés étaient disséminés un peu partout.

Après ce qui sembla une éternité, ils émergèrent enfin sous une large voûte éclairée par de puissantes lampes à arc. Il s'agissait manifestement du centre névralgique de la mine. Des hommes en uniforme violet les attendaient. Ils déchargèrent promptement les caisses de bois et les entreposèrent dans diverses chambres attenantes, déjà à moitié pleines de caisses similaires.

Un homme très grand, tout de blanc vêtu, et à la peau aussi claire que ses vêtements, supervisait les opérations. Il arrêta un groupe d'hommes qui s'échinaient sur une caisse particulièrement lourde ; ils la posèrent sur le sol. Il leur lança quelques ordres et ils entreprirent de faire sauter le couvercle.

– Ugo, cria Zoltan en descendant du wagon. N'es-tu pas content de moi ?

– *Salve*, Zoltan, répondit Ugo avec un sourire où brillait une dent d'argent. Je suis impressionné. Tu t'es surpassé, mon ami.

À ces mots, l'échalas plongea sa main dans la caisse qu'il venait de faire ouvrir et en sortit une arme, un fusil court et ventru, avec un petit tambour accroché sous le canon. Amy la reconnut aussitôt pour l'avoir vue dans des films de gangsters américains. C'était une Thompson, une « mitraillette à camembert » ou, comme disent les Américains, un « tommy gun ».

– Bon boulot, le Magyar, déclara Ugo en caressant l'arme. Tu m'apportes de très jolies choses. C'est trop généreux de ta part, ajouta-t-il en esquissant une révérence.

Zoltan éclata de rire.

– Tu sais parfaitement qu'il ne s'agit pas de cadeaux. D'ailleurs, j'espère que tu as l'argent.

– Bien entendu. T'ai-je déçu ne serait-ce qu'une fois ? Après tout tu es mon plus vieil ami.

– Seulement parce que tous les autres sont morts, ironisa Zoltan.

Ugo lui lança un sourire énigmatique.

– Dès que j'aurai tout vérifié, tu recevras ton argent. Mais, dis-moi, j'espère que tu seras des nôtres pour le carnaval... Ce sera pour toi l'occasion de rencontrer mes autres associés.

— Je reste.

— Tant mieux, répondit Ugo en confiant l'arme à l'un de ses hommes qui lui tendit aussitôt un chiffon propre. Toutefois, je trouve que tu n'es pas totalement réglo avec moi, Zoltan, ajouta-t-il en s'essuyant les mains dans la serviette immaculée avant de la laisser négligemment tomber sur le sol. Tu ne m'as pas encore donné tous mes trésors.

— Il n'y a rien d'autre. Je t'ai ramené tout ce qui était convenu.

— Pas tout à fait, déclara Ugo avec un sourire carnassier en s'approchant d'Amy et Grace.

Il leva la main, comme s'il voulait caresser les cheveux d'Amy, puis se ravisa vivement.

— Ses cheveux ne sont pas propres, siffla-t-il avec un air de dégoût.

— De toute façon, elle n'est pas à vendre, argua Zoltan d'un ton las.

— Pourquoi ? Je pourrais t'en donner un bon prix. Jamais sa famille ne te paiera.

— Elle ne fait pas partie de notre marché.

— Pas grave. Je la veux quand même.

— Pourquoi ça ? demanda Zoltan en s'avançant d'un air mauvais pour faire rempart devant Amy.

— Tu as tabassé un de mes hommes, dit Ugo. Tu n'en avais pas le droit. Il ne m'est plus d'aucune utilité maintenant qu'il est à l'hôpital. De ce fait, tu me dois quelque chose. J'ai entendu dire que tu étais très épris de cette fille…

— Tu ne peux pas l'avoir, dit Zoltan en s'approchant d'Ugo, front en avant, presque à le toucher. Elle est à moi.

Ugo recula vivement.

— Ne t'approche pas de moi, s'exclama-t-il avec une mine horrifiée en baissant les yeux sur la tunique ensanglantée du Hongrois. Tu es immonde. Tu pollues l'air. Tu débarques ici, tranquille, avec deux crasseuses, et tu essaies de me dire ce que je peux faire ou pas. Le *capo* ici, c'est moi. Tu es sur mon territoire, Zoltan.

Ugo fit un signe de tête et deux gardes s'emparèrent d'Amy tandis qu'un troisième braquait une mitraillette sur le Magyar.

— S'il m'arrive quoi que ce soit, mes hommes te tueront, menaça Zoltan.

— Je garderai la fille aussi longtemps que cela me semblera nécessaire, histoire d'être certain que tu te tiendras bien dans ma maison. Une sorte de gage en somme. Ensuite, nous verrons. Soit je te la rendrai, soit je l'échangerai moi-même contre une rançon, soit j'en ferai une bonne à tout faire.

Les deux gardes emmenèrent Amy. Ils montèrent quelques marches donnant sur une grosse porte d'acier.

— Pourquoi fais-tu cela ? demanda Zoltan.

— Parce que j'en ai le pouvoir, répondit simplement Ugo. À quoi sert le pouvoir si l'on n'en use pas ?

Depuis les marches, Amy tourna la tête et vit Grace se jeter subitement sur Ugo, l'implorant de bien vouloir la laisser partir.

— Je vous en prie, supplia-t-elle. Je n'ai rien à voir avec tout ça.

Ugo leva les bras en l'air, pris de panique à la seule idée qu'elle puisse poser la main sur lui.

— Bas les pattes ! aboya-t-il en reculant d'un pas.

Un garde immobilisa la jeune femme et la traîna en arrière.

— Je vous en prie, poursuivit-elle. Je ne vous rapporterai rien. Ma famille n'est pas riche. Laissez-moi partir. S'il vous plaît…

— Elle a raison, dit Zoltan. Elle n'a rien à voir là-dedans.

– *Sì*, trancha Ugo. Elle a raison. Elle ne me rapportera rien. Je n'en veux pas. Elle est libre.

– Merci, monsieur, merci, merci, sanglota Grace.

Elle leva ensuite les yeux vers Amy et lui fit un petit sourire d'encouragement. Celle-ci vit avec horreur Ugo passer derrière elle et prendre la mitraillette des mains du garde.

Son long doigt crochu et livide se replia sur la détente.

Amy tenta bien de crier, de prévenir Grace, mais on la traîna dans l'embrasure et la lourde porte blindée se referma derrière elle. Le bruit sourd et étouffé d'une courte rafale de mitraillette explosa dans sa tête.

Ce bruit horrible ne l'avait pas quitté depuis. La nuit, quand elle fermait les yeux pour trouver le sommeil, il la hantait. Elle l'entendait résonner en ce moment même, alors qu'elle regardait tristement la vallée depuis la chambre où elle était cloîtrée.

Elle se boucha les oreilles jusqu'à ce que l'effroyable son se soit éteint. Quand elle retira ses mains, le tintement des cloches que portaient les vaches qui paissaient au loin et le roucoulement d'une colombe, quelque part sur le toit, avaient remplacé le bruit des obsédantes détonations.

Une clé racla dans la serrure et la porte s'ouvrit.

Amy sourit. C'était Stefano, le garçon de la cuisine, qui apportait à manger. Les visites de Stefano étaient les seuls moments de la journée qu'elle attendait avec impatience.

Il posa le plateau sur la coiffeuse, en retira une assiette de viande et de légumes bouillis, puis ramassa celle qu'il avait apportée au déjeuner.

Comme d'habitude, Amy avait à peine touché à sa nourriture et, comme d'habitude, Stefano desservit l'assiette avec une moue réprobatrice.

– Il faut que tu manges, Amy, dit-il gentiment. Ou tu vas être malade.

– Je m'en fiche.

Stefano jeta un coup d'œil à la porte, pour vérifier qu'elle était bien fermée, puis il ajouta à mi-voix :

– Je t'ai apporté du chocolat, de la réserve personnelle d'Ugo. Débrouille-toi pour que les gardes ne le voient pas.

Subrepticement, il lui donna un petit morceau d'une chose dure, emballée dans du papier paraffiné.

– Merci, dit Amy avec une reconnaissance qui confinait au pathétique.

Émue, elle serra la main de Stefano. Le garçon lui apportait toutes sortes de gâteries qu'il chapardait pour elle en cuisines. Mais elle lui savait gré surtout du contact humain qu'il lui apportait. De fait, c'était la seule personne avec qui elle pouvait parler.

Stefano avait appris l'anglais en travaillant dans les cuisines d'une famille britannique installée à Cagliari.

– Tu me fais de la peine, Amy. Je n'aime pas ça. Tu ne devrais pas être ici.

– Tu peux peut-être faire quelque chose pour moi ?

– Non. Si Ugo apprenait seulement que je te parle, il me ferait fouetter. Alors si je t'aidais à t'évader, il me ferait pendre. Tu sais, je suis presque aussi prisonnier que toi ici. Bon, je dois y aller. Je te verrai demain matin.

En sortant avec son plateau, Stefano croisa le comte.

Il n'était pas venu voir sa prisonnière depuis qu'il l'avait bouclée dans cette pièce. Amy ne pouvait pas dire que cette visite la réjouissait.

– Désolé d'interrompre votre repas, dit-il tandis qu'Amy dissimulait discrètement le chocolat. Rassurez-vous, je ne serai pas long.

Il s'assit sur la chaise à haut dossier qui se trouvait là et observa silencieusement Amy.

– Qu'est-ce que vous voulez ?

– Simplement vérifier qu'on s'occupe bien de vous et qu'il ne vous manque rien. Je ne suis pas un monstre, vous savez. Au contraire, je suis un homme raffiné.

– Dites ça à Grace.

– Vous êtes une jeune femme pleine de caractère, dit Ugo. J'aime ça. Les femmes de la Rome antique aussi étaient fortes. Il fallait qu'elles le soient pour élever de beaux enfants. Les femmes des empereurs étaient les plus fortes de toutes.

– Et si je ne m'abuse, une bonne partie d'entre elles ont empoisonné leurs maris, rétorqua Amy.

– Les hommes faibles méritent de périr, déclara Ugo en se levant de sa chaise et en s'approchant lentement.

Il l'écœurait. Sa blancheur, sa dent d'argent et son zézaiement lui répugnaient, tout comme le dessin bleuté de ses veines sous sa peau maladivement blanche.

– J'ai fait des recherches sur votre famille, dit-il tandis qu'elle s'éloignait de lui. Les Goodenough sont de bonne souche anglaise. Des aristocrates – il la jaugea de la tête aux pieds – j'ai besoin de me trouver une femme issue de l'aristocratie.

Amy posa une main sur sa hanche. Sous sa robe, coincé en haut de son bas, elle pouvait sentir le couteau qu'elle avait volé à l'hôtel. Elle l'avait soigneusement aiguisé sur le rebord de fenêtre et se demanda si elle devait le sortir et tenter de poignarder le comte. Mais il avait l'air puissant et, si elle ratait son coup, il ne faisait guère de doute qu'il la tuerait.

– Mes hommes m'ont laissé entendre que vous refusiez toujours de vous laver, dit Ugo en se détournant d'elle. Quel dommage. Vous devez vous tenir propre. Et vos cheveux… Il faut absolument que vous les laviez. On m'a dit que, lorsque Zoltan vous avait fait prisonnière, vous aviez les cheveux courts, comme un garçon. Cela ne se fait pas. Je suis content de voir que vous les laissez à nouveau pousser. Les cheveux longs vous vont mieux. Peut-être pourriez-vous les faire pousser aussi longs que ceux de Raiponce et les faire passer par la fenêtre. Qui sait ? Peut-être qu'un beau prince charmant les escaladerait pour vous secourir ?

À ces mots, Ugo éclata de rire et quitta la pièce.

Amy s'assit sur son lit.

Les abords du palais ne résonnaient du galop d'aucun prince charmant. Personne n'allait voler à son secours. Elle était seule et perdue.

Soudain, elle sut ce qu'elle allait faire avec le couteau.

Sa décision était prise.

Elle l'utiliserait sur elle-même.

Elle fit glisser la lame hors de son bas et en testa le tranchant.

Après quoi elle agrippa une poignée de cheveux et commença à les cisailler, négligeant la douleur que cela provoquait à son cuir chevelu.

Épineuse journée

James se tenait debout sur un étroit promontoire. Il regardait la mer, une dizaine de mètres plus bas. Ses orteils agrippaient le bord du rocher. Il avala sa salive qui resta un instant coincée au fond de sa gorge. La hauteur était beaucoup plus importante que ce qui paraissait d'en bas. N'était-il pas en train de creuser sa propre tombe ?

Un gros cargo dans le détroit de Bonifacio actionna sa corne de brume, comme pour l'avertir, le dissuader de sauter. James expira bruyamment.

Le soleil tapait sur son dos. Ses aveuglants rayons se reflétaient à la surface de l'eau et sur les parois de roche blanche, l'obligeant à cligner des yeux, à plisser les paupières. Deux garçons, allongés sur le sable, l'air impassible, le regardaient du coin de l'œil, soucieux de ne rien laisser paraître de leur intérêt, et affichant à l'inverse une désinvolture outrancière, comme si James était sur le point de faire quelque chose de banal.

Mais allait-il le faire vraiment ? L'eau était-elle seulement assez profonde ? Combien de mètres de plongée en s'élançant d'ici ? Quelles que soient les réponses à ces questions, il devrait attendre une vague, tout en sachant que, s'il ratait son coup, cela reviendrait à se jeter tête la première sur le fond. Au mieux il se romprait le cou, au pire il perdrait la vie. Peut-être ferait-il mieux de redescendre et de plonger depuis le rocher d'où les garçons s'étaient élancés.

Non, il ne pouvait pas faire ça. C'eût été perdre la face. Ils se moqueraient de lui et il ne serait jamais accepté. Il avait eu parfaitement conscience de crâner en montant jusqu'ici alors même qu'il aurait pu se contenter de plonger de plus bas, mais, au fond de lui, quelque chose le poussait à monter plus haut, ce même frisson qui l'avait incité à adhérer au club du Danger.

Ce plongeon lui donnait aussi l'occasion de vaincre la peur du vide qui s'était emparé de lui à Sant'Antine. S'il réussissait ce saut, il se prouverait à lui-même qu'il n'avait pas peur, que l'incident de la tour était une inexplicable anomalie et qu'il ne souffrait pas du vertige.

Par la même occasion, il prouverait à Mauro qu'il n'était pas un pétochard d'Anglais.

Depuis qu'il était là, Mauro s'était montré, si tant est que cela eût un sens le concernant, de plus en plus revêche et retors. Son emploi auprès de Victor lui laissait beaucoup de temps libre. Il allait et venait comme bon lui semblait. James l'avait soigneusement évité, pourtant une fois ou deux, en dépit de leurs efforts réciproques, ils s'étaient retrouvés ensemble sur la plage. Chacun avait alors posé sa serviette le plus loin possible de celle de son congénère, s'ignorant mutuellement avec une belle détermination. Depuis que Victor avait quitté la maison, la veille, Mauro se sentait pousser des ailes, sa condescendance prenant un tour quasi offensant.

Comme il l'avait prédit, Poliponi avait réussi à persuader Victor d'assister au carnaval que le comte Ugo allait donner dans la montagne. Pour arriver à ses fins, l'artiste n'avait pas ménagé sa peine. Il avait supplié, boudé, insisté encore et encore, jusqu'à ce que Victor cède. Toutefois, il avait catégoriquement refusé que James les accompagne.

— Si tante Charmian apprenait que je t'ai laissé te compromettre avec un margoulin de l'acabit d'Ugo Carnifex, elle ne me le pardonnerait jamais.

Ce qui avait suscité une vive réaction de la part de Poliponi qui, une fois de plus, avait rabroué Victor.

— Nous avons besoin de gens tels qu'Ugo Carnifex. L'Europe est en pleine déconfiture. Tu ne pourras pas cacher ta tête dans le sable éternellement, Victor. Je sais que vous autres Suisses êtes très fiers de votre neutralité, mais ne pas participer à nos guerres ne vous empêche pas de vivre dans le même monde que nous.

— Je suis venu en Sardaigne pour échapper à tout ça, répliqua Victor. Pour vivre en paix au bord de la mer.

— Il ne s'agit que d'un carnaval, Victor. On est loin de la fin du monde !

Dans un premier temps, il avait été convenu que Mauro les conduirait là-haut en voiture, mais, finalement, Ugo avait dépêché son hydravion. Poliponi était parti excité comme un gosse.

Depuis leur départ, Mauro se comportait en petit despote d'opérette, ce qui avait le don de porter sur les nerfs de James.

Cet après-midi-là, James espérait avoir la plage pour lui, mais une petite embarcation à voile latine était arrivée, barrée par un ami de Mauro prénommé Luigi. Mauro était aussitôt descendu sur la plage pour accueillir le garçon. Tous deux s'étaient nonchalamment installés sur le sable pour discuter tout en fumant des cigarettes. Régulièrement, un des deux se tournait vers James et disait quelque chose qui, immanquablement, déclenchait l'hilarité de l'autre.

James les avait consciencieusement ignorés tandis qu'ils s'ébattaient bruyamment dans l'eau turquoise mais, ensuite, ils avaient entrepris de plonger depuis l'escalier taillé à flanc de falaise au-dessus de la petite rade. Ils avaient commencé relativement bas, puis, l'émulation aidant, s'étaient retrouvés à plonger depuis un parapet situé à cinq ou six mètres de haut.

James les avait observés sans réagir jusqu'au moment où il n'y tint plus. Il n'allait tout de même pas passer le reste de ses vacances assis là à supporter sans rien dire l'arrogance de cette petite teigne. Il s'était levé et s'était dirigé vers eux avec l'intention de participer au challenge, mais, dès qu'ils l'avaient vu arriver, les deux ados avaient cessé de plonger, préférant s'allonger sur les rochers pour se sécher.

Qu'ils aillent au diable !

James avait nagé vers l'escalier qui servait de plongeoir. Arrivé près du bord, il s'était redressé et avait continué en marchant, faisant très attention à l'endroit où il posait le pied car le fond était parsemé de rochers couverts d'oursins. Un faux pas et il se serait retrouvé avec des dizaines d'épines empoisonnées dans le pied.

Il était monté jusqu'au parapet d'où les deux garçons s'étaient lancés et, instantanément, avait décidé d'essayer de plus haut. Résultat, il se retrouvait planté là, sur le point de bêtement risquer sa vie pour impressionner deux gamins qu'il connaissait à peine.

Le cargo avait passé le détroit. James voyait les vagues qu'il avait formées dans son sillage onduler lentement en direction de la côte.

Maintenant ou jamais. Cette petite houle suffirait peut-être à sa survie.

Il regarda l'ondulation enfler dans le mouillage avant de s'écraser contre les rochers. À son passage, le niveau de l'eau avait augmenté de cinquante centimètres au moins.

Parfait. Pas le temps de réfléchir davantage. Dans quelques instants, la houle serait passée et il aurait raté sa chance. Néanmoins, il devait bien calculer son coup car, s'il plongeait au creux de la vague, ce serait un désastre.

Il prit sa respiration, se raidit et s'élança dans les airs.

Tout se passa si vite qu'il n'eut même pas le temps d'avoir peur. Un court moment de chute libre – terrifiant –, avec le vent qui sifflait à ses oreilles, et le coup de masse. Sur le haut du crâne. À cette vitesse, la mer était aussi dure qu'un corps solide. Sous l'eau, il creusa les reins et remonta prestement à la surface, sans pour autant pouvoir éviter de brouter les algues qui se trouvaient là et de se racler consciencieusement le torse sur le fond. L'instant d'après, il flottait à la surface au milieu d'un tourbillon de bulles argentées, vivant et entier.

Il nagea avec désinvolture vers le bord et se redressa. Il y avait juste assez de fond pour cacher ses genoux tremblants. Il ne voulait rien en montrer, mais il se sentait vidé. La décharge d'adrénaline avait été violente.

Mauro le dévisagea un moment sans rien dire, puis il éclata de rire et se leva d'un bond.

– *Sei pazzo*, dit-il en secouant la tête.

Luigi leva les yeux vers l'endroit d'où James avait plongé et siffla.

– *Quella era una cosa pazzesca da fare*, dit-il d'un air incrédule.

– *Pazzo*, répéta Mauro en se tapotant la tempe du bout de l'index. Tu es fou.

James se contenta de hausser les épaules. Il était convaincu qu'à partir de maintenant Mauro serait son ami, ce qui, dans un sens, était une consolation car il savait aussi que jamais il ne serait assez téméraire pour refaire une telle cascade.

Toujours de l'eau jusqu'aux genoux, il avança vers les deux garçons, un sourire satisfait aux lèvres, mais, subitement, il poussa un cri et s'écroula sur le côté. Il avait l'impression qu'on lui avait planté un clou dans le pied.

Mauro et Luigi se précipitèrent et le sortirent de l'eau. Une fois sur la plage, ils regardèrent son pied. Son talon était hérissé d'épines noirâtres.

Il avait marché sur un oursin.

Une terrible brûlure, due au poison qui s'insinuait dans ses chairs, paralysait son pied.

Les deux Sardes tout excités se pressaient autour de lui en gesticulant et en hurlant. Luigi tendit la main vers le pied de James, mais Mauro l'écarta d'un violent coup d'épaule. Les deux garçons se disputèrent. Finalement, Mauro fit signe à son ami de rester en arrière.

– Ça va ? demanda-t-il à James en lui lançant un regard compatissant.

– Non, pas vraiment, répondit celui-ci en se mordant la lèvre.

La douleur était terrible. Tout son pied le lançait et le poison continuait à se diffuser, engourdissant peu à peu sa cheville.

Mauro examina attentivement le talon de James avant de délicatement extirper, une à une, les douloureuses épines. Mais elles étaient si cassantes que des échardes restaient coincées à l'intérieur, les petits sacs de poison se trouvant à l'extrémité des épines libérant toujours plus de venin dans le pied meurtri de James.

Il serrait les dents et grimaçait, essayant de ne pas crier, mais c'était difficile. Après plusieurs minutes de gestes lents et minutieux, Mauro sembla en avoir fini. Il leva la tête et regarda James d'un air soucieux.

– Viens, dit-il en l'aidant à se relever.

James passa ses bras sur les épaules des deux garçons et ils entamèrent la remontée de l'escalier menant à la villa. Mauro installa James sur la terrasse avant de disparaître dans la cuisine. On l'entendit tout retourner dans les placards et les tiroirs puis il réapparut, tenant deux saladiers et une éponge. Il nettoya soigneusement le pied de James avec l'éponge trempée de vinaigre avant de le plonger dans le second récipient, rempli d'eau très chaude. La douleur reflua lentement, laissant place à un engourdissement, ponctué d'étranges pulsations, comme si un cœur s'était mis à battre dans son pied. James était soulagé. Le pire était passé.

Mauro examina à nouveau le talon de James. Il était criblé de minuscules échardes sombres.

— Ça va ?

— Ça va, répondit James.

Mauro s'adressa à Luigi, qui paraissait sceptique. Une fois encore, une vive discussion s'engagea entre eux et, une fois encore, Mauro l'emporta.

— Ça va aller, dit Mauro en attrapant un gros galet plat. Ça va aller…

Aux oreilles de James, cette répétition ne présageait rien de bon, comme si, justement, tout n'irait peut-être pas pour le mieux.

— C'est bon, dit Mauro en cognant la pierre contre sa poitrine. Moi, je sais quoi faire…

— Je n'ai pas la moindre idée de ce que tu mijotes, dit James, conscient que le jeune Sarde ne comprenait pas la moitié de ce qu'il disait, mais bon, à la guerre comme à la guerre… Vas-y, fais ce que tu as à faire.

Sans ajouter un mot, Mauro immobilisa le pied de James et martela son talon avec la pierre. James brailla comme un animal qu'on égorge, se débattit et tenta de se libérer.

– Ça va, répéta Mauro en continuant à cogner avec sa pierre.

Il avait raison. Ça allait. La douleur diminuait encore.

Bientôt, Horst apparut sur le seuil de la terrasse. Probablement alerté par les vociférations de James, il venait voir ce qui se passait. Il était torse nu et portait une serviette enroulée autour du cou. Vus de près, ses paquets de muscles protubérants semblaient artificiels. Il s'adressa brièvement à Mauro et Luigi en italien.

– Il fait ce qu'il faut, dit-il à James après un silence. Écraser les épines avec une pierre permet d'annihiler les effets du poison – et aussi de réduire en purée les échardes pour que le corps puisse les éliminer tout seul. Si on laisse les épines à l'intérieur, ça peut tourner à l'enfer. – Il se pencha au-dessus du pied de James pour l'examiner de plus près. – Tu as de la chance que Mauro n'ait pas laissé Luigi faire à sa manière, déclara-t-il en se redressant.

– Qui est ? demanda James, intrigué.

– Oh, il aurait seulement pissé sur ton pied, dit Horst avant d'exploser de rire.

Toujours hilare, il lui donna une petite tape dans le dos et s'en alla.

James ne savait plus quoi penser de Horst. Lorsqu'il avait écrit à M. Cooper-ffrench, il en avait mis une tartine à son sujet, relatant par le menu ses stupides exercices de bodybuilding. Il avait essayé d'en faire un personnage aussi pittoresque que possible, dans l'espoir que Cooper-ffrench, trouvant ça drôle, lirait son essai aux autres élèves. Mais, réflexion faite, il n'était pas certain que Cooper-ffrench fût doué d'un quelconque sens de l'humour.

Ce soir-là, James dîna à la cuisine, en compagnie de Mauro, Horst et Isabella, la cuisinière. Mauro se plut à lui raconter comment James avait fait le plongeon le plus ahurissant qui soit et comment, ensuite, il s'était bêtement empalé sur un oursin. Isabella s'exclamait, gloussait, ouvrait de grands yeux rieurs tout en inondant régulièrement James de flots d'italien auxquels il ne comprenait rien. Quoi qu'il en soit, ils parvinrent néanmoins à mener ce qui, de manière lointaine, s'apparentait à une conversation.

Autour de la grande table de bois régnait une atmosphère cordiale. Et James réalisa à l'occasion d'un éclat de rire général à quel point il se sentait mieux maintenant que Mauro était de son côté. C'était le genre de moment qu'il appréciait : une nourriture simple et savoureuse – avec du bon pain frais –, et un climat chaleureux autour de la table. Ô combien plus agréable que l'effroyable dîner coincé avec le comte Ugo et sa bizarrerie faite sœur.

Isabella s'était levée de table. Debout devant ses fourneaux, elle offrit à chacun d'en reprendre. C'est alors que James entendit un bruit dans la pièce voisine.

– C'est quoi ça ?

– Quoi donc ? demanda Horst.

– J'ai cru entendre des voix, répondit James.

– Peut-être que Victor est de retour, dit l'Allemand en se levant pour aller voir.

Il n'eut pas le temps d'aller bien loin. À peine avait-il quitté sa chaise que quatre hommes en armes firent irruption dans la pièce.

Tout se passa très vite. Trop vite pour que James soit véritablement effrayé. En une fraction de seconde, la douce quiétude du repas céda la place à un chaos bruyant, à un entremêlement de corps, de meubles cassés et de hurlements.

Horst poussa un mugissement aigu et se mit à courir dans la cuisine comme un poulet sans tête, criant d'une voix étranglée quelque chose à propos des bandits.

Isabella fut plus courageuse. Elle jeta une casserole de sauce tomate bouillante sur l'un des hommes. Il beugla comme un veau en arrachant ses vêtements. Deux de ses complices immobilisèrent la cuisinière avant qu'elle ne fasse plus de grabuge.

James attrapa une chaise et tenta de libérer Isabella en tabassant l'un de ses agresseurs. Du coin de l'œil, il vit Horst qui prenait la poudre d'escampette par la porte de derrière. Dans la confusion, Mauro avait empoigné un grand couteau de cuisine pour repousser le quatrième assaillant. Il lui avait déjà sévèrement entaillé le bras quand deux nouveaux bandits déboulèrent dans la pièce. Armé d'un gourdin en bois, l'un d'eux assena un violent coup à Mauro qui s'effondra sur le sol, inconscient. James se précipita et frappa l'homme de toutes ses forces avec sa chaise. Elle explosa littéralement sur son dos. Des morceaux de bois volèrent dans toute la cuisine.

Il aida Mauro à se relever et ils tentèrent de fuir par la porte de derrière. Ils n'avaient pas fait deux pas qu'ils se retrouvèrent nez à nez avec la bouche d'un revolver. Il n'eut le temps que d'apercevoir un visage masqué et un M rouge tatoué sur le dos de la main qui tenait l'arme. Il pencha la tête pour se détourner de la ligne de tir. Une monstrueuse explosion retentit, accompagnée d'un aveuglant éclair blanc. Ensuite, le silence et le noir.

Le tout n'avait pas duré plus de trente secondes.

James reprit connaissance au milieu de la nuit. Il était étendu sur le sol de la cuisine, au milieu des débris de vaisselle et de meubles cassés. Un bourdonnement terrible ronflait à ses oreilles.

Il passa les doigts sur son visage et constata avec soulagement qu'il n'avait pas été touché par balle. Ce qui ne l'empêchait pas d'avoir une douloureuse bosse, grosse comme un œuf de pigeon, sur l'arrière du crâne. Il s'était sûrement cogné en tombant et s'était assommé tout seul. Les hommes l'avaient probablement laissé pour mort. Il se releva péniblement et vit Mauro. Celui-ci avait eu moins de chance : allongé sous la table, il baignait dans une mare de liquide rouge et poisseux.

– Non, s'étrangla James en s'approchant de lui.

Le visage de Mauro était zébré d'odieuses traces rouges et sanguinolentes. Luttant contre les larmes, James essuya le visage de Mauro.

Ça sentait la tomate. Il lécha sa main. Sucré. Il se précipita vers l'évier en souriant. Ce qu'il avait pris pour du sang n'était autre que la sauce tomate d'Isabella. En prenant de l'eau, il aperçut son reflet dans la fenêtre. Lui aussi était couvert de sauce séchée. Mais, en se nettoyant, il réalisa avec effroi que ce qui coulait de son cuir chevelu était vraiment du sang.

Pas le temps de s'inquiéter de ça pour l'instant. Il fallait ranimer Mauro et essayer de comprendre ce qui s'était passé. Il l'arrosa d'eau froide et nettoya son visage. Sous la couche de sauce, sur son front, il découvrit un horrible bleu, là où il avait reçu le coup de massue.

Mauro finit par ouvrir les yeux. Aussitôt, il fut pris de convulsions et de spasmes et vomit tout ce qu'il avait mangé. James attendit quelques instants puis, voyant que la crise était passée, il le laissa se nettoyer et reprendre ses esprits dans la cuisine pendant que lui inspectait le reste de la maison afin de faire l'inventaire des dommages et peut-être comprendre ce que les bandits cherchaient.

Il n'eut pas à chercher longtemps.

La villa avait été pillée de fond en comble. Tous les tableaux avaient disparu. Et pas seulement les tableaux.

Toutes les œuvres de Poliponi, toutes celles de Victor, et toutes celles qu'il avait amassées au fil des ans. Envolées. La seule chose qu'ils avaient laissée c'était la girafe empaillée.

Victor serait anéanti. James savait qu'il aurait du mal à s'en remettre.

Aucun signe de Horst nulle part. En revanche, il découvrit la cuisinière dans une des chambres, attachée et bâillonnée, mais encore vivante.

Mauro, qui avait presque repris figure humaine, aida James à détacher Isabella. Tout en se débattant avec les liens, ils évoquèrent d'une voix hachée la suite qu'il convenait de donner aux événements.

En premier lieu, ils entreprirent une fouille complète de la villa afin de vérifier qu'aucun bandit ne s'y trouvait encore. Ensuite, ils sortirent l'Hispano-Suiza du garage et conduisirent Isabella chez sa sœur à Palau.

– Dis-lui de prévenir la police, lança James à Mauro. *Polizia*.

– *Sì, sì*, répondit Mauro avant de se lancer dans une brève et intense conversation avec la cuisinière en état de choc.

Il y avait très peu de téléphones sur l'île, aussi la meilleure manière de prévenir Victor était-elle de monter au palais d'Ugo pour tout lui raconter de vive voix. James réalisa à cette occasion à quel point Mauro était dévoué à son maître car, même après avoir été assommé par des bandits dans un affreux braquage, il était prêt à conduire toute la nuit pour lui annoncer au plus vite la terrible nouvelle. Dans ces circonstances, n'importe qui d'autre aurait été tenté de s'enfuir et de se cacher, comme Horst avait visiblement choisi de le faire.

James n'allait pas le laisser y aller seul. Ils chargèrent donc la voiture ensemble, se préparant à un voyage jusqu'au mont Gennargentu. Une chance, Mauro connaissait le chemin. La Barbagia était sa région. Il montra la route à James en la suivant de la pointe d'un gros crayon rouge sur une vieille carte de l'armée, puis ils se mirent en route.

Au début, à la faveur de routes intérieures légèrement meilleures que celles qui sillonnaient la côte est, ils avancèrent rapidement. Bientôt ils passèrent Gallura, puis Logudoro. Après deux heures de route, James s'aperçut qu'ils étaient en train de traverser la vallée des Nuraghi. Il reconnut l'imposante masse noire de la tour de Sant'Antine, au loin sur sa gauche. Ensuite, la route se fit plus mauvaise à mesure qu'ils grimpaient dans la montagne pour, finalement, ne plus être qu'un simple chemin de terre – boueux, caillouteux et parsemé d'ornières –, qui s'agrippait en une succession de lacets à flanc de montagne. Leur progression se fit alors atrocement lente. À chaque virage sa nouvelle embûche inattendue.

Leurs visages étaient couverts de poussière et de saleté. James avait les yeux qui le piquaient à force de se concentrer sur le faisceau des phares. Ce devait être encore pire pour Mauro, qui ne pouvait s'accorder le moindre instant de relâchement tant le risque de heurter un caillou ou de verser dans un arbuste était grand. James lui jeta un coup d'œil discret. Il fléchissait. Ce qui était largement compréhensible puisqu'il n'avait pas dormi et qu'il avait subi un violent choc à la tête. Ses yeux se fermaient et il luttait pour les garder ouverts. James comprit qu'il devait lui parler pour le maintenir éveillé.

– Ça va ?

– *Sì*, répondit Mauro. Tu cognes bien, James. T'es un bon. Désolé d'avoir été méchant avec toi. Mais maintenant, amis.

– Amis, répéta James.

186

– *Le montagne sono belle.*

– Les montagnes, c'est ça ?

– *Sì.* L'air… Bon… Tu aimes. Ma maison ici.

– Raconte-moi ta maison, demanda James, et Mauro lui raconta son histoire.

Jamais il n'avait voulu quitter son village. Mais la vie y était dure et les gens, pauvres. Il aurait aimé rester parmi les siens et vieillir tranquillement dans la région qui l'avait vu naître. Sa sœur pouvait très bien s'occuper des bêtes et aider sa mère à faire le fromage tandis que, pour lui, il n'y avait pas vraiment de travail. Alors, comme bien d'autres jeunes garçons avant lui, il était parti chercher du travail ailleurs avec l'espoir de gagner assez d'argent pour, chaque mois, en envoyer un peu à la maison.

D'abord, il avait travaillé dans les marais salants autour de Cagliari. Mais le travail était pénible et la paie, misérable, aussi avait-il préféré être serveur dans un bar de Sassari. C'est là qu'il avait rencontré Victor.

Celui-ci venait de prendre possession de sa villa toute neuve et il avait besoin de personnel.

Mauro aimait bien le travail chez Victor. Le patron était gentil et la vie à ses côtés était facile. Parfois, quand il faisait un voyage en Suisse, en Italie ou en France, il l'emmenait avec lui ; quand ce n'était pas le cas, il restait sur l'île, libre de faire ce qu'il voulait.

– Je prendre bains, dit Mauro en bâillant. Je vais en bateau, manger bon.

Ils franchirent une bosse. Arrivé au sommet, Mauro dut freiner soudainement pour éviter de renverser trois vieillards ratatinés, vêtus de capes noires à grands capuchons pointus et montés sur de petits ânes aux grands yeux tristes et au dru pelage gris. La voiture cala et s'immobilisa au milieu de la route. Sans s'émouvoir le moins du monde, les trois petits vieux dépassèrent l'auto et poursuivirent leur route. Ils n'étaient pas pressés. Ici, la vie n'avait pas changé depuis des siècles et James s'imagina qu'il aurait pu voir la même image, ces trois vieux vêtus de noir sur leurs ânes, cinq cents ans auparavant ou même peut-être mille.

Il se retourna vers Mauro. Sa tête était basculée vers l'avant. Il s'était endormi sur le volant.

— Allez, mon vieux, dit James en le secouant. Bouge. Je peux conduire.

Mauro tenta bien de protester, mais il était trop fatigué pour se montrer réellement convaincant. Il ne fut pas plus tôt installé à la place du passager qu'il se rendormit à nouveau.

James posa les mains sur le volant et fit l'inventaire des commandes. L'Hispano-Suiza n'était guère différente de son roadster et, après un démarrage un peu brutal et chaotique, il mena l'engin avec une certaine assurance.

Le soleil se levait, ce qui allait lui faciliter la tâche. Pour autant, ils avaient encore un bon bout de route à faire. Qu'à cela ne tienne. James se sentait gonflé à bloc, tous les sens en alerte. L'Hispano-Suiza était un monstre au moteur surpuissant, mais il la contrôlait sans peine et, avec elle, le reste du monde. Rien ne pourrait lui résister car il sentait monter en lui un souffle sauvage où la témérité le disputait à la responsabilité.

Dans un coin de son cerveau, de manière quasi inconsciente, il reconstruisit la chaîne d'événements qui l'avait conduit là. Jamais il n'oublierait cette nuit.

La dernière chose qui vient
à l'esprit d'un mourant

Une foule importante s'était répandue dans les rues de la petite bourgade de Sant'Ugo dès le matin. Pour l'essentiel, il s'agissait de paysans et de bergers misérables, au milieu desquels les quelques notables, et les rares touristes, détonnaient.

À l'origine, la ville n'était guère plus qu'un agrégat de cabanes de bergers, mais le comte Ugo l'avait récemment fait agrandir pour loger ses ouvriers. Le village s'était ainsi transformé en une horrible succession de mornes bâtisses, construites à la hâte et, pour certaines, seulement à moitié finies. Les façades de béton avaient été badigeonnées d'un rose lavasse et les sols, occupés selon un plan à la fantaisie toute militaire : un strict quadrillage avec de larges rues. La seule chose digne d'intérêt était une arène à la lisière de la ville, vers laquelle convergeait la foule.

Au volant de l'imposante Hispano-Suiza, James s'engagea dans la rue principale, noire de monde. Il roulait au pas, faisant bien attention de ne pas renverser un badaud. Ça lui rappelait le quatre juin à Eton. Des gens surexcités, dont un bon nombre visiblement déjà bien éméchés, déboulaient de partout et traversaient la route sans regarder.

Il faisait chaud et les rues résonnaient d'un vacarme assourdissant. Pour James, qui avait conduit toute la nuit sur des routes de montagne parfaitement désertes, le contraste était aussi violent que déroutant. Il se demanda à quoi Mauro et lui pouvaient ressembler, deux jeunes garçons dégoûtants dans une grosse Hispano-Suiza couverte de poussière. Pourtant, personne ne semblait s'émouvoir de ce spectacle. À l'occasion, un groupe de jeunes hommes un peu plus chahuteurs que la moyenne encerclaient la voiture en chantant et en hurlant ou donnaient quelques coups sur la capote. Aux yeux de tous, ils n'étaient que deux fêtards de plus venus assister au carnaval.

James était totalement épuisé. Il avait la nuque raide, mal aux yeux et sa bouche était pleine de poussière. Ça crissait sous ses dents dès qu'il fermait les mâchoires. Le soleil étincelait dans un ciel sans nuage. Tout portait à croire que la journée allait être torride.

— C'est pas bon, dit James en se tournant vers Mauro. On devrait laisser la voiture là et continuer à pied. Marcher ? *Sì* ?

— *Sì*, accorda Mauro qui paraissait engourdi et commotionné.

Ils quittèrent la grand-rue et garèrent le cabriolet dans une voie adjacente.

Sant'Ugo était construite au fond d'une vallée aride et caillouteuse aux pieds de deux montagnes. Depuis la route, ils n'avaient pas vu grand-chose, mais quelque part là-haut se trouvait le palais d'Ugo et, à l'intérieur, Victor Delacroix.

Les deux garçons éreintés avancèrent en jouant des coudes dans les remous de la foule qui se rendait au carnaval. Quand ils eurent dépassé les dernières maisons, James put pour la première fois observer les deux montagnes.

Les lieux étaient exactement comme Ugo les avait

décrits : tout en haut se trouvait le barrage, qui bouchait le vide entre les deux sommets, et juste en dessous l'aqueduc qui traversait la vallée au sommet d'une succession d'arches d'une hauteur invraisemblable. À sa droite, accrochée à flanc de falaise, une construction irréelle, trop parfaite et trop bizarre pour être vraie : la fidèle reconstitution d'une ville romaine, au grand complet, avec temples, villas patriciennes, colonnades et même, semblait-il, un petit amphithéâtre. Tout en pierre blanche, les bâtiments étincelaient sur la roche sombre, comme un mirage.

L'ensemble avait été construit selon un plan à étages. La terrasse qui se trouvait devant un bâtiment constituait le toit de celui du dessous, et ainsi de suite, donnant l'impression que le tout flottait dans l'espace au-dessus de la vallée. Il ne put s'empêcher de sourire face à ce spectacle. C'était comme un jouet, comme une maquette. Il avait l'impression qu'il n'aurait eu qu'à tendre le bras pour y déposer un centurion romain miniature.

Mauro indiqua à James un funiculaire escarpé installé sur le flanc de la montagne vers lequel ils se dirigèrent aussitôt, laissant un nuage de poussière dans leur sillage.

Au pied des rails régnait une folle activité. Une escouade de garçons déchargeaient des paniers de nourriture d'une cabine stationnée dans une resserre. Ils s'agitaient en tous sens, se passant les paniers de main en main en criant, en se chamaillant et en riant pendant qu'un garde à l'air las tentait mollement de contrôler le chaos ambiant, mais faisait surtout de gros efforts pour ne pas s'endormir. Il bâillait à s'en décrocher la mâchoire.

James débarrassa ses vêtements d'une partie de leur poussière puis alla trouver le garde et entreprit de lui expliquer ce qu'il voulait en utilisant le peu d'italien qu'il connaissait. Pour toute réponse, le garde lui lança un regard morne et bâilla sous son nez. Mauro se mit de la partie, mais rien n'y fit. Le planton ne voulait rien entendre.

James commençait à avoir horriblement mal à la tête. Il avait l'impression que, s'il ne se mettait pas rapidement à l'ombre, elle allait exploser. Il se demandait où aller se poster quand un garçon jaillit de la cabine du funiculaire en hurlant.

– Mauro !

– Stefano ! répondit Mauro avec un sourire jusqu'aux oreilles. *Che cosa fai qui ?*

Ils tombèrent dans les bras l'un de l'autre et se saluèrent avec enthousiasme – et force tapes dans le dos, embrassades et éclats de voix.

Stefano, originaire du même village que Mauro, travaillait là, aux cuisines du palais. Il connaissait le garde et réussit, après moult palabres, à lui faire entrer dans le crâne que ses amis avaient quelque chose de très important à dire à Victor Delacroix, qui se trouvait là-haut au palais.

Le vigile s'affaira un moment dans sa cahute, puis sortit d'un pas traînant, tenant une liasse de feuilles à la main. Arrivé devant les garçons, il se mit à parcourir, avec une lenteur exaspérante, l'impressionnante liste de noms imprimés en petits caractères sur ses feuilles jusqu'à ce que, finalement, une vague lueur vînt éclairer son œil torve.

– Victor Delacroix ? demanda-t-il en levant enfin les yeux de sa feuille.

James acquiesça d'un hochement de tête.

– *Bene*, reprit-il en faisant nonchalamment une invite du bras.

James et Mauro montèrent dans le funiculaire où un autre garde était demeuré assis pour se protéger du soleil. Le premier lui expliqua la situation.

Tandis qu'il s'installait à bord, James étudia le mécanisme. La cabine, attachée à un gros câble d'acier, reposait sur une base biseautée, en forme de coin, qui coulissait sur un rail. Ainsi restait-elle à plat, en dépit de la vertigineuse déclivité.

Le garde actionna des manettes et James entendit un bruissement suivi d'un long gargouillis qui venait du dessous de la cabine. Il se pencha et vit qu'un réservoir d'eau, sous le plancher, avait été vidangé dans une rigole de béton. Il supposa que le funiculaire fonctionnait selon un quelconque système de contrepoids.

Après une vive secousse, ils entamèrent l'ascension de la montagne.

James s'assit à côté de Mauro et se demanda si ce wagon ouvragé avait un jour fait partie du matériel d'extraction d'Ugo, même si, aujourd'hui, il était difficile d'imaginer que cette cabine à banquettes de velours et aux parois couvertes de bois sculpté et de dorures ait pu un jour opérer dans une mine.

À mi-chemin, ils croisèrent une cabine qui descendait, bourrée à craquer de paniers et d'ouvriers du palais, puis ils passèrent sur un pont surplombant un immense gouffre noir. De l'autre côté du pont, ils entrèrent dans un tunnel percé dans un énorme bloc de pierre au-dessus du vide. Quand ils retrouvèrent la lumière du jour, ils avaient atteint les premiers bâtiments du palais. James regarda en l'air. De hauts murs s'élevaient au-dessus de lui, émaillés de petites fenêtres, à la faveur desquelles, quand le funiculaire passait à leur hauteur, il pouvait entrevoir l'intérieur. Plus ils montaient, plus la magnificence des lieux augmentait : des tours de guet, des statues monumentales, des promenades surélevées. Finalement, presque dix minutes après leur départ, ils s'arrêtèrent au sommet du palais occupé par une vaste et magnifique *piazza*.

193

James leva les yeux sur l'énorme massif de roche grise qui surplombait le palais. Près du sommet, on pouvait voir l'arrondi du barrage qui bouchait la gorge et reliait le pic voisin.

La *piazza* constituait le cœur du palais d'Ugo. Sur le devant, elle était ouverte et dominait la vallée. Juste en dessous, on pouvait distinguer l'aqueduc qui alimentait le complexe : une longue droite de pierre où miroitait un ruisseau d'eau claire. À gauche et à droite, d'immenses façades néoclassiques encadraient la place tandis qu'au fond un vaste escalier monumental de marbre blanc conduisait au plus imposant de tous les bâtiments, avec un immense portique supporté par de hauts piliers. Le toit était orné d'une statue de Jules César.

Certainement la résidence privée d'Ugo.

L'endroit était désert. Une atmosphère inquiétante régnait dans ces lieux d'un luxe et d'une propreté insolents face à la crasse et au dénuement du reste de l'île. Cela semblait irréel, factice, comme un décor de théâtre. Tout était beaucoup trop blanc et beaucoup trop ordonné. James protégea ses yeux endoloris du plat de la main. La réverbération était intense.

Ils traversèrent la *piazza* en suivant le garde, passant une extravagante fontaine, représentant Neptune, monté sur quatre dauphins qui crachaient un jet d'eau.

Quand ils approchèrent du bâtiment principal, James remarqua que l'édifice s'enfonçait dans la montagne. Le fond avait dû être directement creusé dans la roche. Le garde les conduisit en haut du gigantesque escalier. Ils débouchèrent dans un hall immense et triste, entièrement recouvert de marbre et aux murs décorés de toiles aux proportions impressionnantes.

– *Aspettate qui*, dit le garde avant de disparaître.

– Le comte est sûrement très riche, dit James en jetant un regard circulaire à l'endroit. Beaucoup d'argent, ajouta-t-il en frottant le bout de ses doigts tournés vers le ciel.

Mauro infirma la proposition d'un geste de la main.

– C'est un Barbati.

– Il vient de la montagne ? s'étrangla James, incrédule.

– *Sì*. Lui est *exactemente* comme moi. Même village. Lui pas comte. *È un contadino.*

– *Contadino* ? C'est quoi un *contadino* ?

– *Pastore*, répondit Mauro avec un bêlement.

– Tu veux dire que c'est un berger ?

Mauro mima deux cornes.

– Un gardien de chèvres ?

– *Sì.*

James éclata de rire.

Quand ils eurent repris leur sérieux, ne voyant rien venir, ils s'assirent sur un banc de pierre. James reposa sa tête douloureuse entre ses mains et rapidement s'assoupit. Il piqua du nez puis se réveilla en sursaut.

Il ne devait pas s'endormir ici.

Il se leva et examina une peinture dans l'espoir de se tenir éveillé.

La toile représentait une macabre scène religieuse. En arrière-plan, des hommes désarmés se faisaient massacrer tandis qu'au premier un saint à genoux, avec un halo de lumière au-dessus de la tête, levait les yeux au ciel, un sourire béat aux lèvres. Son calme n'avait d'égal que celui du barbare qui lui enfonçait un sabre dans le crâne.

– Quel imbécile ! Il a presque l'air content, tu ne trouves pas ?

Avec la voix monta une écœurante odeur doucereuse. Ça sentait bizarre. James tourna la tête et vit un homme, le bras en écharpe et l'épaule lourdement pansée. Il avait des yeux étonnants. Un iris gris si pâle qu'il en semblait presque blanc. Son regard scintillait d'un éclat fiévreux.

– Regarde-le, reprit l'homme en montrant la toile du doigt. Tu crois qu'il veut mourir ?

James ne savait quoi répondre, aussi garda-t-il le silence.

– Il veut aller au paradis. Retrouver son dieu, poursuivit l'inconnu avec un fort accent. Mais je crains pour lui qu'il ne soit déçu. Cette peinture ment. J'ai vu mourir nombre d'hommes. Des hommes bons, forts et braves. Et à la fin, c'est toujours pareil. La terreur. Tu sais à quoi pense un homme qui agonise, qui se sent prêt à pousser son dernier souffle ? Avant de mourir, tous les hommes, même les plus braves, pensent à la même chose, tu sais ce que c'est ?

– Non, répondit James. Dieu ?

– Dieu ? répéta l'homme d'une voix de stentor avant d'éclater d'un rire à faire trembler les colonnes de marbre. Non. Ils pensent à leur mère. Ils la réclament à grands cris. « *Mamma...* » Une plainte pitoyable, qui, croyez-moi, résonne sur tous les champs de bataille depuis l'aube de l'humanité. Le pire, c'est de savoir qu'on est tous pareils et qu'un jour c'est toi qui tomberas à genoux dans la boue, les tripes à l'air en appelant votre mère à l'aide, comme un bébé. J'ai toujours su que mon tour viendrait et j'ai toujours su qu'à ce moment-là je ne serais pas différent des autres.

Il renifla et se tourna vers James.

– Tout ce qu'on peut espérer c'est une mort rapide et propre. Un jour tu devras peut-être te battre, entrer en guerre. Un jour tu seras peut-être amené à tuer un homme. Ce jour-là il te faudra du courage, beaucoup de courage pour regarder cet homme dans les yeux, voir sa frayeur et imaginer que tu ôtes la vie à l'enfant d'une mère. Une chose difficile...

L'homme demeura silencieux un moment, perdu dans

ses pensées. James ne savait toujours pas quoi lui dire. Finalement, l'inconnu sortit subitement de sa rêverie et offrit sa main valide à James.

— Au fait ! Je suis Zoltan le Magyar. Et toi ? Qui es-tu ?

— Bond. James Bond.

— Ah !?! Le jeune cousin de Victor Delacroix ?

— Exactement. Vous le connaissez donc ?

— On a parlé de toi hier soir au dîner. Ugo s'attendait à te voir avec Victor.

— Je… Je n'ai pas pu venir avant.

— Et finalement te voilà ?

— J'ai des nouvelles pour Victor. De mauvaises nouvelles. Il faut que je le voie. Un garde est parti le chercher, je crois…

— Les gardes d'Ugo sont des bons à rien. Je vais te le trouver, moi, son cousin. Fais-moi confiance, dit Zoltan avec un sourire avant de tourner les talons et de s'éloigner.

James regarda une dernière fois la peinture puis retourna s'asseoir. Mauro était couché sur le banc, ronflant du sommeil du juste. James l'enviait.

Il lutta contre le sommeil jusqu'à ce qu'un bruit de pas le sorte de sa torpeur. Le comte Ugo approchait avec le garde. Dès qu'il aperçut Mauro, une bouffée de fureur froide crispa son visage de fantôme.

— Qu'est-ce que cet immonde paysan fait ici ?

— Il est avec moi, répondit James.

— Vous ne devriez pas venir ici avec votre laquais. Regardez-le. Il est répugnant.

— Ce n'est pas mon laquais, mais mon ami, ajouta James en secouant gentiment Mauro pour le réveiller.

Tandis que Mauro se remettait péniblement sur ses pieds, Ugo lui parla en sarde d'un ton hargneux.

À moitié conscient, Mauro avait l'air confus de celui qui ne sait pas exactement où il est ni ce qui se passe vraiment.

197

Il avait beaucoup enduré ces dernières heures, et son visage était encore horriblement tuméfié.

– *Pastore*, murmura-t-il à l'oreille de James en ricanant.

Ugo le rembarra d'un ton brusque. Il hurlait. Mauro répliqua, prêt à mordre lui aussi. James vit le comte écarquiller les yeux ; les ailes de son nez tremblaient de rage.

Il gifla sèchement Mauro. Avant que James ait eu le temps d'intervenir, Mauro renifla bruyamment, se racla la gorge et cracha aux pieds d'Ugo. Une glaire compacte s'écrasa sur le sol de marbre.

Pris de panique, le comte recula, la main sur la bouche, le souffle coupé.

– Regardez ce qu'il a fait ! hurla-t-il à James. Il a osé cracher dans ma maison. Ce paysan abject. Je vais le faire bastonner pour ça.

– Non, coupa James. Vous n'auriez pas dû le gifler. Ce n'est pas votre domestique. Il est avec moi.

– Je vais le rouer de coups.

– Non, vous ne lui ferez rien.

Ugo fusilla James du regard et, pour la première fois, celui-ci vit son teint de craie s'empourprer.

– Comment osez-vous me donner un ordre…, dit-il calmement.

Dieu merci, ce fut le moment que choisit Zoltan pour réapparaître.

– Allez, Ugo, dit-il d'un ton conciliant, ce n'est pas si grave, puis, sortant un mouchoir, il fit rapidement disparaître l'infamie. Voilà. Disparu !

Mais Ugo n'en avait pas fini avec James.

– C'est votre faute, jeune homme, dit-il froidement. Vous devriez mieux contrôler vos larbins.

Avant que James n'ait eu le temps de répondre, Zoltan avait passé son bras valide autour des épaules du comte.

– Allons, allons, Ugo. Ce n'est qu'un gamin. Il est simplement venu pour parler à son cousin. D'ailleurs, James, je crois savoir où il est. Viens.

Sur ce, Zoltan prit James par le bras et emmena prestement les deux garçons hors du bâtiment.

– Continuez à marcher. Ne vous retournez pas, dit-il discrètement dès qu'ils eurent fait quelques pas. À mon avis, plus on mettra de distance entre le comte et nous, mieux ça vaudra.

– Merci du coup de main, dit James.

– Un plaisir, répondit Zoltan avec un sourire. Quoi qu'il en soit, tu ferais mieux d'éloigner ton ami d'ici. Ugo devient incontrôlable quand il est en colère.

– Il faut que je trouve Victor. Vous savez vraiment où il est ?

– Je crois qu'il est au barrage, répondit Zoltan. Venez, je vais vous y conduire.

Un second funiculaire reliait la *piazza* au barrage, au pied duquel ils tombèrent sur Poliponi, qui attendait l'arrivée d'une cabine. Il était si profondément perdu dans son propre monde étrange qu'il ne parut pas surpris le moins du monde de voir débarquer les deux garçons.

– N'est-ce pas magnifique ? lança-t-il avant que James ait eu le temps d'ouvrir la bouche. Ce *palazzo* ! La plus pure expression surréaliste qu'il m'ait été donné de voir. J'adore ! Je veux vivre ici pour toujours ! La Casa Polipo est insignifiante à côté de ça. Le comte Ugo est un dieu !

– Il y a eu un vol, lâcha James d'un ton froid.

Poliponi se raidit, mâchoire inférieure tombante.

– Quoi ? Ici ? Qu'est-ce que tu racontes ?

– Non, pas ici. À la villa. Des bandits. Ils ont tout pris… Tous vos tableaux… Tout…

– Mes tableaux ? répéta Poliponi dont le teint mat avait soudain viré au gris, comme si toute vie l'avait abandonné. Mais… Tu plaisantes, n'est-ce pas ?

– Non.

Mauro prit la parole et expliqua ce qui s'était passé en italien. L'artiste n'en croyait pas ses oreilles. Plus il en entendait, plus il devenait nerveux et agité.

Bientôt, la navette arriva. Elle s'arrêta. Son réservoir d'eau se vida dans un canal. On dut aider Poliponi à prendre place à l'intérieur. Il s'écroula sur la banquette, trop effondré pour ajouter quoi que ce soit.

Immédiatement après le départ, James leva les yeux vers le barrage qui s'élevait au-dessus d'eux, obscurcissant le ciel de sa masse imposante.

– C'est un drôle de truc qu'Ugo a fait construire, non ? demanda Zoltan.

– On peut le dire, concéda James.

– Mais au fond, reprit le Magyar, je me demande si c'est un palais ou une forteresse. Tout doit passer par le funiculaire, dans un sens ou dans un autre. Il n'y a aucune autre issue. Hormis celle qui passe par les mines et qui est solidement gardée par les hommes d'Ugo. Oh, bien sûr, il y a aussi son cher Sikorski…

– Justement, rétorqua James. Comment fait-on atterrir un hydravion en pleine montagne ?

Zoltan ne répondit pas à la question ; au lieu de ça, un flot de jurons s'échappa de sa bouche car, essayant de s'asseoir, il avait malencontreusement cogné son bras meurtri à la paroi de la cabine.

La question de savoir comment il s'était blessé brûlait les lèvres de James et, bien que ce ne fût guère poli, il ne se retint pas.

– Comment vous êtes-vous fait ça ?

– Je me suis battu avec une sirène.

– J'ignorais que les sirènes étaient aussi redoutables.

– Détrompe-toi, James. Elles sont dangereuses. Les gens

les imaginent comme de jolies petites filles avec des queues de poisson, comme dans les contes de fées, alors qu'en fait ce sont des créatures sournoises, avec des dents coupantes. Malheur à celui qui les approche !

– J'essaierai d'être prudent.

Après tout, si Zoltan ne voulait pas en dire davantage, c'était son droit. Il n'allait tout de même pas l'assaillir de questions.

La navette bringuebala bruyamment en atteignant l'aire d'arrivée, construite en bois. En descendant, James remarqua que le câble arrimé à l'avant de la cabine tournait autour d'une énorme poulie avant de redescendre la pente, au-dessus du rail opposé.

– Par ici, dit Zoltan.

James lui emboîta le pas. Ils quittèrent la station sous l'ardente lumière du soleil.

Derrière le barrage, complètement dissimulé à la vue par de hautes falaises, se trouvait un grand lac. Un élégant canot à moteur à rutilante coque de bois mouillait à côté du Sikorski blanc, avachi dans l'eau tel un oiseau géant un peu gauche échoué sur quelque plage. James avait sa réponse.

– Voilà ton cousin, dit Zoltan en tendant le bras vers l'extrémité du barrage, où Victor observait les falaises à la jumelle.

James se mit en marche dans sa direction, se sentant soudain nerveux.

Il détestait être porteur de mauvaises nouvelles.

Comment Victor allait-il réagir ?

Su Compoidori

– Tout ? Ils ont tout pris ? Je ne peux pas y croire. Je pensais que j'étais en sécurité ici.

– Je suis désolé.

– Non, James, dit Victor. Tu ne pouvais pas faire plus. Tu as été très courageux. Je ne voulais pas t'emmener dans la montagne pour éviter les problèmes et regarde ce qui arrive…

– Que vas-tu faire ?

– S'il s'agit de gens de l'île, de simples bandits, alors ils vont probablement essayer de me revendre les toiles. C'est leur façon de faire. Les peintures n'ont aucune valeur pour eux. Tu vois, James, cela prouve qu'on ne peut pas vivre en dehors du monde.

Tandis qu'ils regagnaient lentement le funiculaire, James regarda par-dessus l'arête du barrage qui, ici, ne consistait qu'en un petit muret au-dessus d'un vide vertigineux. Il voulut faire un test, marcher juste à côté du parapet pour voir si le vide l'effrayait. Il fut soulagé de constater que tel n'était pas le cas. Il n'éprouva aucun vertige et ne ressentit pas la moindre attirance morbide pour le vide. Le plongeon depuis la falaise semblait l'avoir guéri.

Quand ils atteignirent le funiculaire, Victor s'entretint quelques minutes avec Mauro et Poliponi pendant que James et Zoltan attendaient dehors, au bord du lac artificiel, le regard perdu sur les chatoyants reflets du soleil à la surface de l'eau. James était comme hypnotisé par les éclats dorés qui dansaient devant ses yeux. Il entra dans une sorte de transe. Il dormait debout.

— On dirait que tu as besoin d'un lit, dit Zoltan.

— Effectivement. La nuit a été longue.

Le silence qui suivit fut interrompu par un plouf. Un des gardes d'Ugo, qui s'ennuyait, jetait des cailloux dans l'eau. James regarda les ondes courir à la surface avant de disparaître à l'ombre d'un surplomb rocheux qui dominait le côté droit du lac.

L'écho lointain des trompettes et des tambours monta de la vallée.

— Le carnaval va bientôt commencer, déclara Zoltan. Tu restes ?

— Je ne sais pas. Ça dépendra de Victor.

— Je vais devoir rentrer sur-le-champ, déclara Victor pendant la descente en funiculaire. Je suis vraiment navré, James. Tes vacances sont gâchées. Je ne sais pas quoi faire. Je ne sais pas si tu dois rentrer avec nous. Ça pourrait être dangereux. Mais que peut-on faire d'autre ? — Il jeta un coup d'œil dehors. — Je n'aurais jamais dû venir ici, maugréa-t-il en tapant du poing sur la vitre.

À ces mots, il se laissa tomber sur la banquette et se prit la tête entre les mains.

James décida de faire diversion, pour obliger Victor à penser à autre chose.

— Que faisais-tu au barrage ? Je t'ai vu observer quelque chose à la jumelle…

– J'étais en train d'inspecter la roche, répondit Victor en relevant la tête et en s'essuyant le visage. Ugo est complètement fou. Il n'aurait jamais dû construire un barrage ici. N'importe quel ingénieur l'en aurait dissuadé. Trop dangereux.

– Trop dangereux ? l'interrompit Zoltan. Je n'aime pas ça. Cela signifie-t-il que nous allons être noyés dans nos lits ?

– J'espère bien que non, répondit Victor en esquissant un sourire. Mais la saillie rocheuse au nord du lac a l'air instable. Ugo a profondément entaillé la montagne. Il a ainsi affaibli une structure géologique déjà fragile. Ces montagnes sont essentiellement composées de roches calcaires, très tendres. Il a déjà eu beaucoup de chance de ne pas avoir eu d'accident sur le chantier, quand il a excavé la montagne à l'explosif. Quoi qu'il en soit, il ne manque pas grand-chose pour que ces rochers s'écroulent. Il suffirait que l'eau du lac érode encore un peu la roche et toute une partie de l'ouvrage s'effondrerait.

– Ugo a toujours eu de grandes idées, dit Zoltan. Le problème, c'est qu'il ne tient compte d'aucune critique.

Sur la *piazza*, Zoltan prit poliment congé. Victor et Poliponi allèrent chercher leurs affaires à l'intérieur du palais pendant que James et Mauro empruntaient le second funiculaire. Ils n'attendirent que quelques minutes avant d'être rejoints par les deux adultes au pied de la montagne, après quoi ils se dirigèrent tous ensemble vers la vallée.

Sant'Ugo était encore plus bondée qu'auparavant. Il fallait se battre pour se frayer un chemin au milieu de la foule. Quand ils atteignirent la grand-place, James fut surpris de reconnaître Peter Love-Haight, accompagné d'un groupe d'élèves d'Eton, parmi lesquels Perry Mandeville.

– Regarde ! dit-il à Victor d'une voix tout excitée. Ce sont mes copains d'Eton.

James les héla puis alla les retrouver, jouant des coudes dans les remous de la foule.

– Que faites-vous ici ? cria-t-il, ravi de voir des têtes connues.

– M. Cooper-ffrench a entendu parler du carnaval et cela lui a semblé une trop belle opportunité pour que nous la manquions, répondit Haight. Nous sommes installés dans un camping aux abords de la ville, en compagnie d'un bon nombre d'écoliers sardes.

Soudain, il s'arrêta et fronça les sourcils.

– Mais… Et vous ? Vous êtes sûr que ça va ? Pardonnez-moi l'expression, vous avez une tête de déterré, mon garçon.

Victor et Poliponi les ayant rejoints, James les présenta à Haight avant de lui raconter ce qui s'était passé.

– Quelle horreur ! s'exclama-t-il en secouant la tête. Consternant ! Vous devez être dans tous vos états, signor Poliponi…

– Je ne vous le fais pas dire. Vous savez, mes toiles sont comme mes bébés, répondit tristement Poliponi qui n'avait jamais été marié et qui n'avait pas d'enfants.

– Qu'allez-vous faire ?

– Je vais retourner à la villa aussi vite que possible, répondit Victor. Mais je ne sais quoi faire de James. L'atmosphère risque de ne pas être très joyeuse à la Casa Polipo.

– Et pourquoi n'resterait-il pas avec nous ? lança Perry, qui n'avait pas perdu une miette de la discussion. On prendra bien soin de lui.

Victor lança un regard interrogateur à Peter Haight.

– C'est une possibilité, répondit l'enseignant. Nous partons demain pour visiter des grottes près de Dorgali. On y trouve la plus haute stalagmite d'Europe.

Victor se retourna vers James.

– Ce ne serait pas une mauvaise chose que tu restes avec le groupe, dit-il. Au moins jusqu'à ce que je sois sûr qu'il n'y a plus aucun danger et que la villa soit remise en ordre. À ce moment-là, je t'enverrai un télégramme et tu pourras passer tes derniers jours de vacances avec nous à Capo d'Orso.

– Entendu, répondit James. Et je t'en prie, ne te fais pas de souci pour moi. Tout ira bien.

– Tu as quelques affaires avec toi ?

– J'ai mon sac. Je l'avais pris « okazou ».

– Toujours prêt, hein, James ? lança Victor en ébouriffant gentiment le front de son neveu.

– Ne vous inquiétez pas, monsieur Delacroix, nous nous occuperons bien de lui, dit Haight. Et soyez certain que nous vous le renverrons entier.

– Je vous remercie, monsieur Haight, mais vous savez, j'ai acquis la conviction que James est parfaitement capable de s'occuper de lui tout seul. Au fait, où est passé Mauro ?

Ils le dénichèrent écroulé sur un banc, en plein sommeil.

– Le pauvre garçon. Il est éreinté. Il ne peut pas voyager comme ça. Son village n'est pas très loin d'ici. Il devrait y aller et se reposer quelques jours avec sa famille. Il a subi un gros choc.

À ces mots, Victor posa la main sur l'épaule de James et reprit :

– Écoute, on va y aller avant qu'il se réveille, sinon, je suis sûr qu'il va insister pour nous conduire. Dis-lui que j'ai ordonné qu'il retourne chez lui. Tu ferais ça ?

– Bien sûr. Tu peux compter sur moi.

James accompagna Victor jusqu'à l'Hispano-Suiza et prit son sac. Les deux hommes étaient sur le point de démarrer quand Poliponi s'agita soudain sur son siège et essaya de descendre de voiture, murmurant quelque chose. Il voulait dire au revoir au comte Ugo.

– Oublie-le, trancha Victor en le rattrapant par la manche et en le forçant à se rasseoir. C'est un imbécile.

– Comment peux-tu dire ça ? répliqua Poliponi, choqué. Tu as vu de tes propres yeux tout ce qu'il a réalisé.

– Justement, coupa Victor. C'est parce que je l'ai vu que je peux dire ça. Tout est faux chez lui, depuis le palais jusqu'à cet insensé barrage. Prends les bâtiments, par exemple, eh bien, leurs façades ne sont pas en pierre, mais en stuc. À la première tempête, tout va s'écrouler. Cet endroit n'est qu'un immense trompe-l'œil.

– C'est juste que tu es jaloux, rétorqua Poliponi.

– Et de quoi, grands dieux ? gloussa Victor. Ugo veut en mettre plein la vue à tout le monde mais, à sa place, je ne la ramènerais pas. Tu sais, Poliponi, dans ma vie, j'en ai vu des mines d'argent et, en géologie, j'en connais tout de même un rayon, crois-moi, s'il y a une chose dont je suis sûr c'est qu'il n'y a pas le moindre gramme de minerai d'argent dans ces montagnes. Et qu'il n'y en a jamais eu. Ugo n'est qu'un fat qui joue à l'empereur. Allez, en route. Au revoir, James. À bientôt.

Quand Mauro ouvrit les yeux, il entra aussitôt dans une fureur noire. Il ne supportait pas d'avoir été laissé en plan. À la colère succéda la bouderie. Il afficha un air dur et maussade jusqu'à ce que, finalement, l'idée de retrouver sa mère et sa sœur le déride.

– Vas-y vite, lui dit James. *Rapido*. Il ne vaudrait mieux pas que tu tombes à nouveau sur Ugo.

– Ugo ! répéta Mauro avec une mine dégoûtée, puis, certainement pour exprimer tout le bien qu'il pensait du personnage, il cracha par terre à nouveau.

– D'accord, mais pour l'instant, le mieux que tu as à faire c'est partir. Allez va, conseilla James qui venait d'apercevoir un des gardes du comte les observer du coin de l'œil. Et Mauro, je t'en prie, arrête de cracher !

Mauro lui lança un grand sourire.

– James, dit-il en l'enlaçant. Ami de moi. Ma sœur, elle t'aimerait bien aussi. Je te revois bientôt.

Un dernier signe de la main et il traversa la place d'un pas décidé. James le regarda s'éloigner jusqu'à ce qu'il soit avalé par la foule.

Bientôt, M. Cooper-ffrench fit son apparition, la face encore plus rouge et plus suante qu'à l'ordinaire. Il était stupéfait de voir James et il le fut encore davantage quand celui-ci lui eut raconté son histoire.

– Je savais bien qu'il ne fallait pas que vous partiez seul. J'aurais dû vous avoir à l'œil. Bien, maintenant entrons sans quoi on va tout rater.

James attrapa sa vieille valise toute cabossée.

– Fais-moi penser à la prendre, dit-il à Perry. Sinon, je suis sûr que je vais l'oublier quelque part…

Pendant qu'ils passaient les tourniquets, en piétinant sur place, James eut sa première vision de l'arène. Il avait du mal à en croire ses yeux, pourtant, connaissant le personnage, il aurait pu s'y attendre : le comte Ugo s'était fait construire une réplique miniature du Colisée de Rome. Au centre, un large anneau de terre battue, ceinturé par un haut mur au-dessus duquel partaient les gradins. Couronnant l'édifice, un alignement de statuts de héros romains se détachaient sur l'azur.

– Tu crois qu'on va assister à une course de chars ? Ou à des combats des gladiateurs ? ironisa James.

Perry s'étrangla de rire avant d'ajouter :

– Ou peut-être à des chrétiens jetés aux lions !

Les gens prenaient bruyamment place dans les tribunes. Des filles avec des plateaux arpentaient les gradins, proposant fruits, pain et boissons.

Tous les regards étaient tournés vers le comte, installé sous un dais, sur une plate-forme surélevée, aux côtés de sa sœur Jana. Vêtu d'une toge blanche, il avait tout de l'empereur romain. Jana portait encore plus de bijoux qu'à l'accoutumée, dont, au sommet du crâne, une tiare d'or. Ils étaient entourés de plusieurs gardes en uniforme violet et de deux joueurs de cor, habillés en légionnaires romains.

Les trompettes résonnèrent. Ugo se leva pour haranguer la foule en sarde.

Pendant qu'il s'égosillait, James en profita pour observer les occupants de la loge d'honneur, un aréopage bigarré d'une vingtaine d'hommes, assis aux côtés d'Ugo. Apparemment, ils n'étaient pas du cru et, au contraire, semblaient plutôt déplacés avec leurs chemises brillantes et leurs lunettes de soleil. Tous arboraient un air suffisant et arrogant, comme des hommes trop habitués à donner des ordres et à être obéis sans discussion. Pour autant, ils ne ressemblaient ni à des politiciens ni à des hauts gradés de l'armée, encore moins à des aristocrates. Il émanait d'eux quelque chose de dangereux et de secret, quelque chose qui disait clairement : « Restez à l'écart. » Le discours d'Ugo les ennuyait tout autant que James. Néanmoins, ils restaient tous sagement assis dans un parfait silence, s'éventant consciencieusement, le menton levé.

Tandis que James les observait, Zoltan arriva et prit place parmi eux. Il semblait parfaitement à l'aise, comme s'il était chez lui au milieu de ces hommes.

Quand, enfin, Ugo eut terminé son discours grandiloquent, un tonnerre d'applaudissements et de bravos explosa dans le stade. Ensuite, les portes s'ouvrirent et une fanfare s'avança au pas lent et cadencé d'un air lugubre et monotone. Ugo dirigeait l'orchestre avec une expression de profond sérieux.

Après la fanfare, et une nouvelle salve d'applaudissements, une procession d'autochtones, en tenue traditionnelle, fit son apparition dans le stade et s'étira en cercle autour de la piste dans un vacarme assourdissant de fifres, de trompettes, de tambours et de chants. Une pluie de fleurs s'abattit sur leurs têtes.

Le défilé semblait ne jamais devoir s'arrêter et James manquait de s'endormir à chaque nouveau tour de piste. Finalement, des hommes portant des masques de bois et d'étranges costumes en poil de chèvre agrémentés de cloches de vaches entrèrent en courant sur la piste. Ils sautaient partout en faisant de grands gestes qui évoquaient un étrange rituel que James trouva déconcertant mais que le public sembla apprécier. L'ambiance était tapageuse, pourtant, il paraissait évident que tout le monde attendait quelque chose, le clou du spectacle.

Pour éviter de s'endormir James se mit à discuter avec Perry, lui racontant tout ce qui s'était passé depuis qu'il l'avait quitté à Abbasanta.

– Ben au moins on peut dire que t't'es plus amusé que nous, bafouilla Perry avec son inimitable débit. Un ennui mortel. M'rtel, m'rtel, m'rtel. Des ruines, encore des ruines et toujours des ruines. J'ignorais qu'il y avait autant de débris dans ce bas monde. À croire que la planète entière n'est qu'un vaste champ de ruines. Cagliari, guère mieux, ville morne, et le pire des hôtels. Et quand j'dis l'pire, j'pèse mes mots. Je suis sûr qu'il y avait des rats. Jamais eu autant de mal à dormir. Heureusement, ce bon vieux Love-Haight avait un médicament. Un truc horrible. Amer comme pas possible. J'ai eu l'impression d'avaler de l'eau de mer.

– Peut-être, mais moi j'aurais volontiers échangé ma place contre la tienne si cela avait pu m'éviter d'être attaqué par des bandits et de risquer ma peau. Crois-moi, j'aurais été plus que content si mon seul problème avait été de ne pas dormir.

– Pipeau ! coupa Perry. Je te connais, James, je sais bien que tu aimes le danger. Ça pimente ton ordinaire… Au fait, j'-j'imagine qu't'as conduit l'Hispano-Suiza, espèce de petit veinard. Et puis t'as visité le *palazzo*, alors que nous, pauvres mortels, on doit se contenter de le regarder d'en bas en se demandant à quoi ça peut bien ressembler à l'intérieur. J'ai entendu dire qu'il avait un paquet de peintures, de statues et de trucs comme ça.

James lui décrivit le funiculaire, lui raconta l'esclandre avec Mauro, quand il avait craché par terre, ainsi que l'étrange discussion morbide qu'il avait eue avec Zoltan la première fois qu'il l'avait rencontré, devant la toile du martyr. Mais la seule chose qui semblait intéresser Perry, c'était la toile.

– Un saint, tu dis ? Avec une épée qui lui transperce le crâne ?

– C'est ça… Mais tu sembles tout retourné, poursuivit James, légèrement inquiet. Ne me dis pas que ça t'effarouche, ce n'est qu'une toile.

– Tu connais le nom du saint ?

– Aucune idée. Je n'y connais pas grand-chose en saints. Pourquoi est-ce que ça t'intéresse tant que ça ?

– Est-ce qu'il avait l'air quasiment heureux ?

– Oui, répondit James en se souvenant de ce que Zoltan avait dit à propos de l'image. Béat même.

– Il portait pas un suaire vert et doré ?

– Si, je crois bien.

– Et celui qui lui plantait son sabre dans la tête, il avait pas une sorte de toque en fourrure ?

– Exact, avec une grande pointe sur le dessus.

– *Le Martyre de saint Boniface*, conclut Perry avec assurance.

– Et comment tu sais ça, toi ?

– Parce que ce que tu me racontes correspond trait pour trait à une des toiles qui a été volée chez moi.

– Et puis quoi encore ? s'étrangla James.

– Je sais, ça a l'air délirant, mais c'est pas un tableau qu'on oublie facilement.

Les mots de James se perdirent dans le vacarme des tambours qui envahirent soudain la piste. Les hommes-chèvres avaient terminé leur danse.

Une fois encore, les portes s'ouvrirent et, cette fois, un cavalier, sabre au clair, pénétra dans l'enceinte du stade au triple galop. Sa monture était décorée de fleurs.

Un cri immense montait des gradins, repris en chœur par des centaines de voix. « *Su Compoidori ! Su Compoidori* ! » scandait la foule.

Le cavalier avait une allure étrange, quasi dérangeante. En effet, il portait une ample chemise bouffante blanche, à bords brodés de dentelle, une large ceinture noire, un veston, et une grande mantille, retenue dans un chapeau noir à large bord. Plus étrange encore était ce qu'il avait sur la figure : un masque de femme, dénué de la moindre expression, impassible et caricatural comme le visage d'une poupée de porcelaine. Ni homme ni femme, il évoquait ces dieux des mythologies antiques dont on voit les statues dans certains musées.

Il fit plusieurs fois le tour du stade, au galop, saluant la foule, la remerciant de ses vivats et exécutant diverses cascades sur son cheval : debout sur la selle, couché à plat ventre, assis à l'envers. Sa prestation s'accompagnait d'un interminable roulement de tambours dont l'écho se répercutait sur les murs, produisant un effet entêtant et hypnotique qui électrisait le public. Oubliant sa fatigue, James, comme tous les autres spectateurs, était transporté.

Quand le cavalier fut prêt, il alla se placer au centre de l'arène et s'arrêta. Il salua le comte avec son épée puis fit un signe vers les portes qui s'ouvrirent à nouveau. Deux autres cavaliers entrèrent dans l'arène. Ils portaient pratiquement le même costume que le premier, seulement un peu moins sophistiqué : de simples masques blancs et des bonnets en lieu et place du chapeau noir. Vestons et bonnets étaient assortis, un homme était en noir, l'autre en rouge.

Les tambours reprirent leur roulement. James commençait à avoir la tête qui tournait, comme s'il avait été saoul.

Une corde, avec une petite étoile d'argent accrochée au bout, fut lancée au centre de la piste. À tour de rôle, les deux nouveaux cavaliers chargeaient et essayaient d'attraper l'étoile à la pointe de leur épée.

Hurlements et hourras accompagnaient chaque tentative fructueuse et des grognements de consternation accueillaient celles qui ne l'étaient pas.

Visiblement, un certain nombre de paris avaient été passés et, pour la première fois, James vit les hôtes de marque du comte s'agiter. Des altercations passionnées éclataient et beaucoup d'argent changeait de mains.

James fut gagné par le bruit et par l'excitation générale. Toute fatigue oubliée, il se laissa prendre au jeu, mais, comme il n'avait pas d'argent à parier, il décida de supporter le cavalier rouge, qui gagna six étoiles à cinq.

Quand l'épreuve s'acheva, il était l'heure de déjeuner. La foule quitta l'arène et se dirigea sur la place centrale du bourg où plusieurs cochons de lait finissaient de rôtir sur leur broche et où des stands ambulants vendaient toutes sortes de victuailles.

Les rues résonnaient du vacarme des tambours et des incessantes explosions des cuivres. Les gens déambulaient dans tous les sens, engageant des discussions enflammées et riant fort. La foule paraissait plus désireuse de boire que de manger. On vendait du vin partout et les gens étaient de plus en plus imbibés.

James, lui, mourait de faim. D'ailleurs, il réalisa qu'il n'avait rien avalé depuis la veille au soir. Un des stands était tenu par Stefano, l'ami de Mauro. James attrapa un peu de *carasau*, cette galette plate et craquante dont il était devenu friand depuis qu'il était ici, puis se servit de cochon grillé.

Non loin de là, un groupe de Sardes dansaient en rond au son des guitares et des accordéons. À côté d'eux, une bande d'hommes hurlant de toutes leurs forces s'étaient rassemblés en un cercle informel ; ils fixaient quelque chose.

James et Perry s'approchèrent. C'était un combat de lutte sarde.

Le spectacle semblait avoir été organisé pour plaire à Ugo, assis sur une estrade, à l'ombre d'un parasol, en compagnie de ses amis aux mines patibulaires. Zoltan se tenait juste derrière le comte, hurlant des encouragements aux lutteurs.

Les autres garçons d'Eton étaient là aussi, massés autour de l'estrade et hurlant aussi fort que n'importe qui d'autre.

Les règles possédaient l'avantage de la simplicité. Deux hommes en simple habit de berger s'attrapaient et essayaient de faire tomber l'adversaire au sol. De ce que James put en juger, le perdant était celui qui avait mordu la poussière deux fois après trois assauts.

Les paris allaient bon train. Zoltan et Ugo semblaient avoir engagé une forte somme l'un contre l'autre. Vint le dernier combat. Les deux lutteurs paradèrent sur la place, faisant encore monter d'un cran le délire de la foule. Zoltan et Ugo choisirent leurs favoris.

Juste avant que la joute ne commence, James surprit Ugo murmurant quelque chose à un garde, qui se précipita ensuite vers un des lutteurs et lui parla à voix basse. Le catcheur regarda Ugo et opina du chef d'un air entendu.

– J'suis pas un expert en catch sarde, déclara Perry à l'issue du combat, mais j'dirais qu'il a fait exprès de perdre, qu'il s'est couché.

– Difficile de ne pas être de cet avis, répondit James.

Ugo remarqua sa présence et l'appela.

– Je dois vous présenter mes excuses, James. À propos de ma colère au palais. Mais, vous comprenez, j'étais un peu tendu. C'est un jour important pour moi, mais, quoi qu'il en soit, je me suis montré un peu trop irascible. Où est votre valet ?

– Il est parti, répondit James. Rentré chez lui.

– Quand vous le reverrez, dites-lui que je ne lui en veux pas. C'est juste que j'étais… – Ugo marqua une pause, cherchant le mot juste. – Taquin.

Il sourit et jeta un regard autour de lui.

– Voici sans aucun doute les autres élèves d'Eton. Quand j'ai appris qu'ils étaient sur l'île, j'ai tout de suite su qu'il fallait que je les invite. Eton est une bonne école, une école pour les aristocrates.

– Bonjour, enchanté de v-vous rencontrer. Perry M-Mandeville, dit Perry en s'avançant et en serrant la main d'Ugo avant même que celui-ci ait compris ce qui lui arrivait. Drôlement chouette votre fête. Nous étions justement en train de dire à quel point nous appréciions la lutte.

– Ah ! Tant mieux, répondit Ugo. Les gens des montagnes aiment la lutte. *Prima bevono, poi stringono !*

Les garçons le regardèrent avec des yeux ronds. Zoltan traduisit la phrase pour eux.

– D'abord on boit, ensuite on se bat.

– Vous autres, jeunes Anglais, êtes célèbres pour vos sports, poursuivit Ugo. Vous devez nous en montrer un.

215

Nous vous avons montré nos jeux autochtones, maintenant, c'est votre tour. Pratiquez-vous la lutte ?

— En Angleterre, le catch n'est pas considéré comme un sport noble, expliqua Zoltan. En revanche, on y apprécie beaucoup la boxe.

— Est-ce que vous pratiquez la boxe à l'école ? demanda Ugo.

— La p-plupart d'entre nous, répliqua Perry.

— Magnifique ! Dans ce cas, c'est dit, trancha Ugo. Nous allons organiser un tournoi de boxe anglaise ! Je vais choisir mon champion et toi, Zoltan, tu vas choisir le tien.

— Je choisis James Bond, répondit Zoltan du tac au tac. Il n'est ni le plus grand, ni le plus âgé, mais il me paraît le plus fort.

Les autres acclamèrent et bousculèrent James, qui restait de marbre, guère satisfait d'être ainsi donné en spectacle.

— Moi aussi, j'ai choisi mon champion, dit Ugo avec un petit sourire carnassier avant de montrer du doigt quelqu'un dans la foule. Vous là-bas ! Approchez, mon garçon.

James tourna la tête et soupira en voyant avancer Tony Fitzpaine, un large sourire benêt aux lèvres.

— Cette fois, tu ne m'auras pas par surprise, Bond. Je serai prêt. Ce sera un combat à la loyale. Et tu vas le perdre.

Les gladiateurs

On emmena James et Fitzpaine à l'écart, derrière les arènes, pour qu'ils se préparent. Un garde les conduisit dans une pièce impeccablement propre, avec sol de marbre et murs recouverts de toiles représentant des sportifs, dont le centre était occupé par un grand bassin encastré dans le sol. Un domestique les attendait. Il leur donna des serviettes et des shorts. James commença aussitôt à se changer.

Au bout de quelques minutes, Zoltan et Ugo firent leur apparition. Ils portaient chacun une paire de gants de boxe et, sans échanger le moindre regard, se dirigèrent vers leur champion respectif.

– Tu penses que tu peux le faire ? demanda Zoltan en enfilant le premier gant sur la main de James. Tu penses que tu peux battre ce balourd ?

James déglutit bruyamment. Il avait longtemps espéré pouvoir se battre avec Fitzpaine devant tout le monde, mais pas devant autant de monde.

Il jeta un regard croisé à son adversaire, de l'autre côté de la pièce.

– Je vais essayer.

Il avait un peu pratiqué la boxe à Eton, et il n'était pas mauvais, pouvant compter à la fois sur sa légèreté, la rapidité

217

de son jeu de jambes et, surtout, sur une détermination sans faille. Il possédait un direct puissant et précis et savait aussi encaisser les coups. Mais là c'était différent. Il allait combattre dans l'arène, sous les yeux du public, sous une chaleur étouffante et face à un adversaire qui le haïssait. En plus de tout ça, il avait perdu connaissance la nuit précédente et n'avait guère dormi depuis.

On était loin des conditions idéales pour préparer un match de boxe.

– Il est plus grand que toi, mais il a de plus petits bras, poursuivit Zoltan. De vous deux, je pense que c'est toi qui as la meilleure allonge. Sers-t'en. Mais fais attention. Il est plus lourd et possède certainement un meilleur punch que toi. C'est par ta rapidité que tu peux le surclasser. Sois un danseur, pas un cogneur. Évite les coups jusqu'à ce que tu trouves une ouverture.

James observa le garde d'Ugo qui laçait les gants de Fitzpaine. Le garçon fit la grimace et rabroua le garde. Au même moment, Ugo se pencha vers son champion et lui glissa quelque chose à l'oreille. Fitzpaine écarquilla un instant les yeux puis il dodelina du chef en souriant.

Qu'est-ce qu'Ugo était en train de mijoter ? James se rappela qu'il avait payé le lutteur pour que celui-ci se couche à la première occasion. Qu'avait-il manigancé cette fois pour s'assurer de la victoire ?

– Regarde-le, murmura Zoltan. Son Altesse le comte Ugo Carnifex… Je vais te dire un secret, James, il n'est pas plus comte que toi et moi.

– Je sais. C'est un gardien de chèvres originaire des montagnes.

Zoltan gloussa.

– On dirait que tu en sais long, dit-il avant de soudain se crisper et serrer les dents sous la douleur.

Il s'était fait mal en essayant tant bien que mal de lacer les gants avec son bras blessé. Il appela le garde à la rescousse.

– Peut-être sais-tu également pourquoi il a une telle répulsion pour la saleté ?

– Non, répondit James.

– Eh bien, je vais te le dire. Il a grandi ici, dans la Barbagia, au sein d'une famille aussi pauvre que les autres. Aussi, quand la guerre a éclaté, il a vu là l'occasion de fuir. Il s'est engagé dans la célèbre Brigata Sassari et il est parti au combat. Pendant deux ans, il a lutté contre les armées de l'Empire austro-hongrois, à la frontière nord-est de l'Italie. Durant la bataille de Triangular Woods, il a été blessé à la tête. Son jeune frère, Guido, qui combattait à ses côtés depuis le début de cette campagne, l'a porté à l'abri sous le feu de l'ennemi. La blessure n'était pas très sérieuse, cependant ses cheveux blanchirent brutalement sous l'effet du choc. Dans la confusion de la bataille, ils se sont retrouvés coupés de leurs lignes, en terrain ennemi. Ils étaient quatre et Ugo n'était pas le seul à être blessé. Un autre soldat, Colombo, avait pris une balle dans la hanche. Il était très faible et perdait beaucoup de sang, ralentissant d'autant la progression du petit groupe. Perdus, terrorisés et ne sachant que faire, ils trouvèrent finalement refuge dans une maison abandonnée. Mais ce n'était pas n'importe quelle maison. Il s'agissait d'un palais que ses propriétaires avaient déserté en emportant tout avec eux. Les pièces étaient parfaitement vides et nues. Malgré son dénuement, l'endroit possédait encore un faste certain. Ugo n'avait jamais rien vu de semblable. Les quatre Sardes avaient fait le tour du propriétaire. Ils n'en revenaient pas. Il y avait tellement de pièces qu'ils ne pouvaient pas les compter.

Bientôt, ils entendirent le bruit de camions qui approchaient. Ils durent sur-le-champ trouver un endroit où se cacher. Ils firent donc le tour du palais et, finalement, tombèrent sur une petite trappe, qui donnait dans une fosse septique, qui collectait toutes les déjections des toilettes du palais. Ils y descendirent et se retrouvèrent plongés jusqu'à la taille dans une vase puante. Ils restèrent là toute la nuit, tremblant de peur, écoutant les voix des soldats, au-dessus d'eux, attendant qu'ils partent.

Il faisait une chaleur moite là-dedans et l'odeur prenait à la gorge. Plongés dans le noir, ils baignèrent ainsi dans les infects relents d'excréments. Le pire, c'est qu'à chaque fois que les soldats ennemis utilisaient les toilettes, une nouvelle douche nauséabonde s'abattait sur eux.

Les quatre Sardes n'osaient pas faire le moindre bruit, encore moins parler, de peur d'être découverts. Pour Colombo, dont la plaie ouverte baignait dans ce cloaque humide, cela a dû être horrible. Mais l'homme était brave. Il ne fit pas le moindre bruit.

Ce fut la nuit la plus longue qu'Ugo eût jamais vécue. Il avait les yeux qui piquaient et l'impression que la pourriture s'insinuait en lui, par les pores de sa peau, par ses narines, par sa bouche. Il essayait de garder les mains au-dessus de la surface, les tenant en l'air, comme ça.

Zoltan mima l'action, allant jusqu'à faire une horrible grimace dégoûtée pendant qu'il levait les mains, s'amusant lui-même de ce qu'il racontait.

— Mais il était trop épuisé, l'effort était trop intense. Il fermait les yeux et à chaque fois il se réveillait en sursaut quand ses mains coulaient dans cette boue épaisse et répugnante.

Zoltan éclata de rire et fit semblant de s'essuyer les mains sur sa tunique.

— Que s'est-il passé à la fin ?

— Les soldats sont partis et, finalement, ils ont pu sortir

de leur cachette. Sauf Colombo. À un certain moment de la nuit, il avait fermé les yeux et avait lentement coulé sous la surface de cet épais marais putride et puant. En sortant de là, les trois autres ne devaient pas être beaux à voir, couverts de la tête aux pieds d'immondices verdâtres et jaunâtres.

– Beurk, ajouta James.

– Tu peux le dire, déclara Zoltan en observant Ugo du coin de l'œil. Ils se sont débarrassés de leurs vêtements et ils ont dégotté une douche qui marchait encore. Ugo est resté dessous pendant des heures, se frottant tout le corps jusqu'à ce qu'il soit à vif. Même maintenant, après toutes ces années, il continue à prendre quatre bains par jour.

– Quelle histoire horrible, dit James qui, soudain, se sentait sale lui-même.

– Mais ce n'est pas tout, poursuivit Zoltan avec un enthousiasme amusé. Alors qu'ils étaient là, tout nus, à reprendre leurs esprits, deux soldats ennemis apparurent. Difficile de dire quel groupe fut le plus surpris de se retrouver nez à nez avec l'autre. Quoi qu'il en soit, les Sardes se ruèrent sur les soldats pour prendre leurs armes – il poussa un profond soupir –, les hommes qui ont peur sont de mauvais tireurs. Dans la panique qui s'ensuivit, plusieurs coups de feu partirent et deux hommes furent tués, un Austro-Hongrois et un Sarde. Ils se retrouvaient dans une impasse. Ugo n'avait pas d'arme, il devait se contenter de regarder son frère cadet, Guido, et le soldat ennemi pointer mutuellement leur arme l'un sur l'autre.

Zoltan marqua une pause et inspecta les gants de James.

– C'est bon, tu es paré.

– Non, attendez ! protesta James. Vous ne pouvez décemment pas vous arrêter là. Que s'est-il passé ensuite ?

– Je te raconterai le reste de l'histoire un autre jour. Tu as un gamin à étaler.

– Non, dites-moi ce...

James n'avait pas fini sa phrase qu'un puissant relent de parfum emplit la pièce, bientôt suivi du claquement sec de deux talons aiguilles sur le sol de marbre. La comtesse Jana fit son apparition dans la pièce. Elle détailla les deux adolescents de la tête aux pieds en se léchant les babines.

– Que voilà de beaux garçons, dit-elle. Puissants et bien bâtis. J'espère que vos doux visages ne seront pas trop salement amochés par le combat.

À ces mots, elle fit glisser une bague en argent le long de son doigt et ajouta :

– Cette bague au vainqueur.

Les hurlements de la foule, quand James s'avança dans la lumière du soleil, étaient assourdissants. Deux heures auparavant, il avait demandé sur le ton de la plaisanterie si Ugo avait prévu un combat de gladiateurs. Il était à mille lieues d'imaginer que le gladiateur... ce serait lui.

Il marcha dans l'arène jusqu'à une chaise, placée là à son intention. Le sable était chaud sous ses pieds nus. Zoltan lui fit boire une longue rasade d'eau et lui versa le reste de la bouteille sur la tête, pour le rafraîchir.

Un des gardes d'Ugo, qui assurait le rôle d'arbitre, hurla quelques mots à la foule puis sonna une cloche pour marquer le début du combat.

Les deux garçons s'avancèrent au centre du ring, tournant l'un autour de l'autre avec prudence. Fitzpaine était grand, mais pataud. Il se déplaçait d'un pas lourd et de manière disgracieuse. James suivit les conseils de Zoltan, bougeant sans arrêt, sur la pointe des pieds.

Des cris fusèrent dans la foule des spectateurs. James leva les yeux et vit Ugo, souriant de manière impérieuse, le menton posé sur sa main. Il se tourna vers la comtesse, qui suivait le combat avec une concentration non feinte, et lui hurla quelques mots à l'oreille.

Elle regarda James en se mordant un ongle.

Fitzpaine avança pesamment vers James, qui fit un bond en arrière, empêchant son adversaire de l'approcher de trop près.

— Arrête de gigoter, espèce de pois sauteur, grogna Fitzpaine avant de charger James comme un taureau, les poings battant l'air.

James baissa la tête et sautilla de côté, mais Fitzpaine continuait d'avancer, frappant dans le vide, totalement oublieux de sa garde. James en profita. Il bloqua ses appuis et envoya un rapide direct au flanc qui s'offrait à lui. Fitzpaine jura et lui lança un coup sauvage à la tête. Le gant ricocha sur son crâne. Le coup aurait dû être quasiment inoffensif, pourtant, James sentait sa tête tourner. Il avait le goût du sang dans la bouche.

Mince.

Son adversaire avait plus de punch que prévu.

James recula en sautillant, secouant la tête pour reprendre ses esprits. Face à lui, Fitzpaine affichait un sourire triomphant, ce qui eut le don de l'énerver. Il se rua en avant et décocha un puissant direct du gauche que Fitzpaine s'arrangea pour bloquer entre ses gants. Bien qu'inélégante, la défense fut d'une redoutable efficacité. James eut l'impression de frapper un mur de briques. Malgré la protection du gant, sa main lui faisait un mal de chien. Et cela n'avait rien à voir avec le punch de son adversaire car celui-ci s'était contenté de lever les bras. Pourquoi cela faisait-il si mal ?

James étant momentanément distrait et embrouillé, Fitzpaine en profita pour avancer… et cogner. James vit le coup arriver une fraction de seconde trop tard. Il eut juste le temps de tourner les hanches et de jeter sa tête sur le côté. Le coup qui, sans ce mouvement, aurait atterri directement sur son menton l'atteignit au cou. Une fois encore, ce fut comme recevoir un coup de masse. Il grogna et tomba à genoux, complètement groggy. Fitzpaine n'en demandait pas tant, il se rua maladroitement en avant, pressé d'en finir. D'un bond, James se remit sur ses pieds et recula, évitant de peu l'estocade.

Comment avait-il pu faire ça ? Pourquoi ses coups étaient-ils aussi dévastateurs ?

C'est alors que James se souvint du conciliabule entre Ugo et Fitzpaine, au moment où celui-ci enfilait ses gants.

Il y avait quelque chose à l'intérieur. Ils étaient lestés, soit avec du sable ou peut-être même avec du métal.

Évidemment, Ugo n'avait rien voulu laisser au hasard.

Maudit soit-il.

Cela changeait beaucoup de choses. Il allait vivre l'enfer pour simplement éviter de se faire étaler. Il recula de plusieurs pas et lança un regard inquisiteur à Zoltan qui avait l'air inquiet.

En bougeant constamment et en prenant soin de garder ses distances, James réussit à tenir jusqu'à la fin du round, mais la cloche fut longue à venir.

Il regagna son coin et s'écroula sur sa chaise.

— Qu'est-ce qui se passe ? demanda le Magyar.

— Il a des poids dans ses gants. À chaque fois qu'il me touche, j'ai l'impression de recevoir un coup de pelle.

— C'est bien ce que je pensais, ajouta Zoltan avant de lancer un chapelet d'insultes colorées à Ugo. Mais ne t'inquiète pas, James. Pour l'instant, tu fais tout ce qu'il faut. Continue comme ça. Garde tes distances. Ne le laisse surtout pas te cadrer. Ses gants sont lourds et, à chaque crochet, ils vont devenir plus lourds. Ça va être de plus en plus difficile pour lui de maintenir sa garde. Il va se fatiguer. Ses coups vont devenir moins puissants. Si jamais tu vois une ouverture, fonce. Frappe-le et recule immédiatement pour qu'il ne puisse pas te toucher en sortie. Tu l'auras à l'usure.

– Je ne sais pas, répondit James sur un ton dubitatif. Je ne partage pas totalement votre optimisme.

Il était d'ores et déjà épuisé. La tension permanente et l'absolue nécessité de bouger l'avaient vidé, mais le plus éreintant de tout, c'était d'être cogné sans arrêt. Il devait se concentrer pour bloquer les coups dans ses gants et surtout n'en prendre aucun ni au visage ni au corps.

L'arbitre fit sonner la cloche. James avala une dernière gorgée d'eau et avança précautionneusement vers le centre de l'arène, sans quitter Fitzpaine des yeux un seul instant. Un soleil de plomb brillait dans l'azur. Aucune brise ne circulait dans la cuvette circulaire du stade. L'air lui brûlait les poumons. Il était trempé de sueur, de la tête aux pieds. Le sable collait à ses jambes.

Une chose le réconforta toutefois : c'était tout aussi dur pour Fitzpaine.

James fixa le visage écarlate de son adversaire. Il pouvait y lire la douleur. Si Fitzpaine avait pensé avoir la tâche facile, il devait commencer à déchanter.

Visiblement, le garçon voulait en finir rapidement, il grogna et chargea James. Celui-ci bloqua l'assaut dans ses gants, se recroquevillant autour de sa garde, tournant autour de son assaillant pour se protéger. Il recula et baissa les yeux sur ses bras. Ils étaient déjà couverts d'ecchymoses.

Il attendait son heure. D'ici là, il devait se préserver, économiser son énergie. De temps en temps, il envoyait un petit direct à Fitzpaine, histoire de décourager un peu ses ardeurs et de lui faire peur, mais jamais assez fort pour lui donner une idée réelle de la puissance qu'il pouvait mettre dans un punch.

Fitzpaine avançait encore, plus lentement cette fois, et en traînant des pieds.

Il lâcha un coup si voyant et si prévisible que James n'eut aucun mal à l'éviter en baissant le tronc. Emporté par l'élan de son crochet, Fitzpaine trébucha en avant et perdit totalement sa garde.

James saisit sa chance. Il releva le buste après son esquive et, forçant sur ses appuis, envoya un puissant direct qui atteignit Fitzpaine au menton. En plein dans le mille. La tête de son adversaire bascula vers l'arrière.

La foule se mit à hurler de façon démente tandis que Fitzpaine reculait en titubant, battant des bras pour retrouver son équilibre. Il fit trois pas chancelants avant de tomber lourdement sur son arrière-train.

Il n'était pourtant pas complètement KO. Il se releva, cracha un peu de sang et secoua la tête.

Le gong retentit avant que le combat ne puisse reprendre. James était certain que le round était arrêté trop tôt, toutefois il accueillait ce répit avec un certain soulagement.

Il retourna vers Zoltan qui l'accueillit avec de l'eau fraîche.

– Joli punch, dit Zoltan, admiratif. J'ai bien cru que tu l'avais assommé pour de bon. Tu l'as à ta main maintenant. Il est émoussé. Il va avoir du mal à continuer, mais fais attention à ne pas prendre un coup, il pourrait t'envoyer au tapis sur une simple faute d'inattention.

– Merci, je suis au courant, répondit James hors d'haleine.

Levant les yeux, il aperçut Perry dans la foule des spectateurs. Il affichait un large sourire, plein de confiance. Il leva le pouce. James ressentit une énergie nouvelle monter dans sa poitrine.

Le gong retentit. James quitta son coin. Il se sentait galvanisé et prêt à en découdre.

Le visage de Fitzpaine était tordu par l'effort. Il transpi-

226

rait à grosses gouttes et son souffle se faisait rauque. Il avait la bouche grande ouverte.

– Allez viens, finissons-en, lança James avec un air de défi.

Une fois encore, ce fut Fitzpaine qui déclencha les hostilités. Une pluie de coups s'abattit sur James, qui s'arrangea pour reculer suffisamment. Aucun ne fut réellement porté. Ensuite, il se mit à tourner autour de son adversaire en sautillant, pour le fatiguer et aussi pour l'exaspérer car James savait qu'en le mettant en colère il lui ferait commettre des erreurs.

La première ne tarda pas. Fitzpaine baissa les bras en signe de découragement et de dépit. James se jeta à corps perdu dans la contre-attaque, envoyant un terrible enchaînement de gauches droites dans les côtes de son adversaire et finissant son assaut par un crochet du droit en sortie qui cueillit Fitzpaine sur la joue. Un jet de salive vola dans les airs. Mais, cette fois, il fut prompt à réagir. Trop prompt pour James, qui encaissa un puissant direct au foie.

Il suffoqua sous la violence du choc. Il eut l'impression qu'il allait être malade. Un instant, sa vue se troubla. Des points noirs dansèrent devant ses yeux. Il cherchait sa respiration, sa tête tournait et il devait se concentrer pour ne pas paniquer.

Soudain, il eut le sentiment de se désincarner, sa conscience ordonnant à son corps de fonctionner normalement, le forçant à faire ce que, clairement, il n'était pas disposé à entreprendre.

Heureusement pour lui, ses jambes le portèrent assez loin de Fitzpaine pour que celui-ci ne puisse pas le frapper à nouveau. Mais il s'en fallut de peu car il aurait suffi d'un seul autre coup pour que le combat s'achève.

James prit une profonde bouffée d'air et recula en sautillant tandis que Fitzpaine avançait vers lui. Par une suite de vives esquives de côté, il parvint à éviter chacun des coups de son adversaire dont les lourds gants fouettaient l'air de façon parfaitement inoffensive. Ses coups faiblissaient. Et ils étaient de plus en plus bas. Il pouvait tout juste lever les poings à la hauteur de la tête de James.

« Ne sois pas trop confiant pour autant, James.

« Joue la montre. Ne te rue pas en avant. Attends le bon moment.

« Maintenant ! »

Un autre coup dans le vide avait déséquilibré Fitzpaine qui chancelait vers l'avant, garde baissée. Déconcentré, il tentait tant bien que mal de retrouver ses appuis. James serra les poings, il était prêt à frapper et, en un éclair, il se déchaîna, lançant son bras droit vers l'avant, comme un piston dans son cylindre, y mettant tout son poids. Le gant s'écrasa sur le visage de Fitzpaine. Sa tête bascula pitoyablement, comme celle d'une poupée de chiffon. Ses genoux l'abandonnèrent, il flancha, se pliant en deux pour reprendre ses esprits. C'est alors que James lâcha sa gauche. Le crochet s'abattit sur la tempe de Fitzpaine. Ce second coup l'anéantit. Il s'écrasa sur le sol, inconscient.

C'était fini.

Debout à côté de son adversaire terrassé, James laissa pendre ses bras. Il était vidé, à peine entendait-il les hurlements et les cris qui montaient des gradins.

Zoltan et l'arbitre se précipitèrent au chevet de Fitzpaine et le firent rouler sur le dos. Il était à demi conscient et saignait abondamment du nez. Il battait des paupières pour recouvrer la vue. James espérait qu'il n'avait rien de grave.

Zoltan lui mit quelques claques avant de lui asperger le visage d'eau. Finalement, il bougonna et s'assit par terre. L'arbitre lui enleva rapidement ses gants et lui massa les poignets.

James leva les yeux vers Ugo. Il avait la mine déconfite, une moue de dépit et le regard plein de mépris. Les choses n'avaient pas tourné comme elles auraient dû.

James se baissa et ramassa un des gants de Fitzpaine. Il pesait lourd. Il plia lentement le bras et, avec ce qui lui restait de forces, le lança dans les airs. Il s'écrasa sur le sable avec un bruit sourd, juste devant Ugo.

Un sourire se dessina sur le visage tanné et défraîchi de Jana. Elle jeta quelque chose à James.

Il attrapa l'objet au vol. C'était la bague en argent.

Tandis que la foule exultait, Ugo se leva et disparut dans l'ombre, au fond de sa loge.

Appuyé sur Zoltan, Fitzpaine se tenait debout. Il lança un regard à James, esquissant un sourire.

– Bien joué, dit-il. C'était un beau combat. Et…

Il baissa les yeux, honteux, avant d'ajouter :

– Je suis désolé.

– Excuse-moi pour le dernier coup, répliqua James. Je savais que la droite t'avait sonné. C'était cruel de continuer avec une gauche… Mais j'imagine que je voulais être sûr d'emporter la décision.

– Il vaut toujours mieux être sûr, rétorqua Fitzpaine en tendant la main.

James la serra.

– Sans rancune, hein ? ajouta-t-il en essayant à nouveau de sourire, même si cela avait pour principal effet de rendre son visage tuméfié et enflé encore plus grotesque.

– Sans rancune, répondit James, magnanime, espérant seulement que le comte Ugo Carnifex verrait les choses du même œil.

Mais, au fond, il en doutait.

Frères de sang

Mauro avait marché tout l'après-midi, mais peu importe. La fatigue de la marche était largement compensée par le fait que chaque pas l'éloignait des cauchemars de la Casa Polipo et du palais Carnifex et le rapprochait de chez lui. Il n'était pas rentré à la maison depuis Pâques et il se languissait de revoir sa mère et sa jeune sœur.

Il aimait bien la vie qu'il menait à Capo d'Orso. Il appréciait de travailler pour Victor et il aimait bien lézarder sur la plage pendant son temps libre, mais, malgré tout, il ne se sentait pas vraiment chez lui à la Casa Polipo, et ce ne serait jamais le cas. C'est dans son village qu'il se sentait chez lui ; et puis Victor et Poliponi ne pourraient jamais remplacer sa famille.

Les habitants de la Barbagia sont des gens durs et fiers, animés d'une loyauté indéfectible pour leur famille. Dans ces clans, les rivalités et les disputes entre lignées se réglaient à coups de fusils. Certaines querelles remontaient à des générations, leurs causes originelles oubliées depuis des lustres. Son propre père avait disparu dans une de ces vendettas, quand Mauro n'avait que trois ans et que sa jeune sœur était encore dans le ventre de sa mère. Celle-ci avait alors bravement approché la partie adverse en la suppliant de faire cesser le conflit afin de sauver la vie de son jeune fils unique. L'autre famille, écœurée par le sang versé de part et d'autre, avait accepté sans tarder.

Le démêlé n'était toutefois pas totalement oublié puisque la sœur de Mauro avait été baptisée Vendetta. Vendetta Maria Grazia Benetutti. Treize ans maintenant, pas très grande, mais très mate et très brune, avec des yeux de chat et un caractère d'animal sauvage. Elle grandissait vite, et elle lui manquait.

Il approchait de chez lui. Il avait quitté les monts du Gennargentu et était entré dans le Supramonte, au nord, cet endroit désolé et spectaculaire, avec ces immenses murs de pierre grise, nus et lugubres, tachés çà et là d'un carmin profond, écrasant la cime des arbres de leur minéralité intemporelle.

Mauro connaissait bien ce coin. C'est là qu'il avait grandi, joué dans les rochers et les arbres. Un parfum de thym sauvage et de romarin embaumait l'air.

En gravissant une petite crête, il effraya un mouflon. La bête détala à une vitesse folle sur la roche, faisant voler des cailloux dans son sillage. En moins de deux secondes, elle avait totalement disparu.

Depuis ce promontoire, c'était la première vue sur le village. Au bout d'une petite vallée boisée, une grappe de maisons blanches accrochées au flanc de la montagne.

Il marchait dans les bois d'un pas alerte, se chantant silencieusement une rengaine, un truc idiot qu'il chantait avec sa maman dans son jeune âge, quand il entendit le bruit d'un gros animal dans le bois. Il n'y prêta pas attention, sûrement un autre mouflon, ou un sanglier fouillant le sol à la recherche de glands. De toute façon, cela ne pouvait pas être quelque chose de dangereux, il n'y avait ni loups ni ours sur l'île.

Hâtant le pas, il s'aperçut néanmoins que l'animal le suivait. Aucun animal sauvage ne ferait ça. Ils ont bien trop peur des hommes.

Il continua à marcher. L'animal continuait d'approcher. Mauro pouvait clairement entendre une lourde démarche, accompagnée de craquements de brindilles.

C'était trop gros pour être un homme. Mais c'était quoi ?

Mauro s'immobilisa au milieu du sentier.

– *Chini Sesi ?* (Qui va là ?) hurla-t-il.

Aucune réponse.

– *Faidi biri !* (Montrez-vous !)

Les bruits de pas avaient cessé. Il n'y avait plus que le silence de la forêt, le vent qui faisait bruisser les hautes branches des chênes verts, le murmure d'un ru minuscule courant entre les pierres, le pépiement d'un oiseau, le bourdonnement d'abeilles autour d'un fraisier sauvage.

Mauro scruta le bois dans la direction d'où lui semblaient venir les bruits. Rien.

Il avait certainement rêvé.

Il tournait les talons pour se remettre en route quand un cavalier apparut sur le chemin, face à lui.

Mauro fronça les sourcils, mais, en même temps, eut envie de rire.

Le cavalier portait la tenue de carnaval de Su Compoidori, avec le voile de la mariée, le chapeau noir et le masque de femme.

L'apparition était si incongrue qu'elle en paraissait presque irréelle.

– Que voulez-vous ? cria Mauro.

Seuls lui répondirent le regard fixe et la bouche figée du masque froid et impavide.

L'énigmatique cavalier sortit une épée et la leva brièvement dans les airs avant de la pointer sur Mauro.

Il n'allait tout de même pas le charger comme une étoile d'argent.

Ce n'était pas vrai. Un personnage de carnaval, dans les bois, au milieu de nulle part.

Le cavalier éperonna son cheval et descendit le chemin au triple galop, l'épée pointée en avant.

Eh bien si, il le chargeait.

Mauro cria avant de s'enfuir à toutes jambes dans les bois. Mais le cavalier avait bien choisi l'endroit de son attaque. Les arbres étaient suffisamment espacés pour un cheval et le sol était plat et ferme.

Mauro filait entre les arbres, zigzaguant follement. Mais le cheval était trop rapide pour lui. Le bruit de ses sabots heurtant le sol se rapprochait.

Maudit...

C'était fou cette histoire.

Il se retourna un instant. Le cavalier était pratiquement sur lui. Il se jeta à terre. L'épée glissa sur son épaule, déchirant sa chemise.

Il se remit aussitôt debout et détala en sens inverse. Il devait tenter d'atteindre le village. Son seul espoir était de trouver quelqu'un qui pourrait l'aider.

Il appela à l'aide :

— *Aguidai ! Aguidaimi !* mais ses mots se perdirent dans le sous-bois.

Le cavalier avait fait demi-tour et revenait rapidement sur lui, son masque impassible toujours aussi impénétrable.

Le chemin s'ouvrait sur une clairière. Mauro émergea dans la lumière du soleil et fit s'envoler un essaim de papillons écarlates qui l'entourèrent de leurs volutes hésitantes.

Il jura. C'était trop à découvert par ici, le cheval pourrait galoper sans problème. Il jeta un rapide coup d'œil autour de lui, il y avait un gros roncier dans un coin de la clairière, un épais entrelacs de mûriers, de cactus et d'arbustes. Ça arrêterait le cheval.

Pouvait-il atteindre la haie avant l'animal ?

Il fallait qu'il essaye. Il n'avait pas le choix.

Il sprinta à une vitesse dont il se serait cru incapable. Le sol défilait sous ses pieds.

La haie se rapprochait. Il pouvait voir les mûres briller au soleil. Il y était presque, oui, encore quelques mètres...

Quiconque eût regardé la scène depuis le village n'aurait vu qu'un essaim de papillons rouges s'élever dans les airs et, s'il avait bien tendu l'oreille, il aurait juste perçu un faible cri :

– *Mamai...*

Il était huit heures du soir et les festivités de Sant'Ugo battaient encore leur plein. James et Perry s'étaient éloignés des autres garçons pour regarder un groupe d'hommes qui chantaient sur une petite scène adossée aux murs des arènes.

L'après-midi avait été terrible. On avait tiré des feux d'artifice dans les rues et certains hommes avaient été jusqu'à organiser une course de chevaux sur la grand-place.

Les choses s'étaient un peu calmées maintenant et James accueillait avec plaisir l'apaisement et la quiétude qui émanaient de ce chœur d'hommes. Entre songe et éveil, il se laissait porter par ces voix *a cappella*, qui accompagnaient ses rêves. Il y avait quatre chanteurs, portant tous l'habit traditionnel noir et blanc, avec le bonnet noir. La musique ne ressemblait à rien de ce qu'il avait entendu jusqu'alors. Le son était inhumain, comme le bourdonnement de plusieurs cornemuses. Ce chant montait du fond des âges, ça s'entendait, un élan primitif résonnait dans ces voix, renvoyant James à l'épisode de la tour de Sant'Antine.

L'Angleterre et ses cieux plombés semblait à des années-lumière.

Les deux garçons étaient attablés avec un groupe de bergers bien éméchés. James s'écroula sur la table, la tête sur ses avant-bras. Les paysans se passèrent une bouteille de vin, qu'ils vidèrent au goulot, sans s'embarrasser de verres.

Un buveur reposa bruyamment la bouteille sur la table. James se réveilla en sursaut et posa les yeux sur le flacon. Le vin s'appelait Mithra et son étiquette montrait un dieu terrassant un taureau. Il était sur le point de s'en saisir pour l'étudier de plus près quand une main se referma sur la bouteille.

La gorge de James se noua.

Le dos de cette main était orné d'un tatouage : M.

James leva les yeux.

Debout à côté de la table, vidant la bouteille de vin rouge à grands traits, se tenait le balafré qu'il avait vu discuter avec Cooper-ffrench à Eton.

Et ses yeux.

N'étaient-ce pas ceux-là qui brillaient au-dessus du bandeau noir, hier soir, dans la cuisine de Victor ?

James détourna rapidement la tête, espérant que l'homme ne l'avait pas remarqué, et baissa les yeux sur ses chaussures.

L'homme lança la bouteille vide contre un mur. Son explosion fut accueillie par les hourras des bergers qui se trouvaient là. Il éclata de rire puis s'en alla.

– Attends-moi ici, dit James en quittant discrètement la table.

– Où tu vas ? demanda Perry.

– Je reviens dans une minute.

Avant que Perry ait le temps d'en savoir plus, James décampait à la suite du balafré, dont la silhouette disparaissait déjà dans la foule. La présence de cette masse de gens facilitait sa tâche. S'il l'avait suivi seul dans une rue sombre, l'homme se serait immédiatement aperçu qu'il avait quelqu'un aux basques, alors que là, il n'en avait aucune idée. Toutefois, James prenait soin de garder ses distances afin que, si jamais l'inconnu se retournait inopinément, il ne le remarquât pas.

James était étourdi de fatigue. Le simple fait de mettre un pied devant l'autre lui coûtait, les éraflures et les hématomes avaient transformé son corps en chair dolente, pourtant, l'excitation de la filature ne tarda pas à lui insuffler une énergie nouvelle.

L'homme traversa la ville jusqu'à la cabine du funiculaire. Le garde nonchalant et somnolent du matin avait laissé place à un groupe d'hommes à l'allure beaucoup moins engageante. Il paraissait clair, dès le premier regard, que personne n'irait au palais sans leur approbation.

James recula dans l'ombre d'une porte cochère. Le balafré s'était arrêté pour discuter avec les gardes qui, d'évidence, le connaissaient – l'un d'eux lui offrit même une cigarette et du feu. Pendant qu'ils discutaient, deux autres hommes approchèrent. Ils avaient tout des barons qui occupaient la loge privée d'Ugo, dans les arènes : costumes sombres et attitudes de mafieux. Ils exhibèrent des invitations sous les yeux des gardes et partirent d'un pas nonchalant vers le funiculaire.

James voulait absolument savoir qui était le balafré et ce qu'il venait faire ici. Il prit une décision inconsidérée : d'une façon ou d'une autre il allait le suivre au *palazzo*.

La cabine du funiculaire était arrêtée dans sa station de bois, partiellement ouverte sur l'extérieur pour permettre l'accès et la sortie des voyageurs. S'il pouvait entrer dans l'abri, il pourrait peut-être grimper sur le toit de la cabine sans être repéré.

Il remarqua une rigole de béton qui sortait au bout de la

cahute avant de descendre la pente et de se jeter dans une bouche d'égout. Il se remémora la vidange d'eau, sous la cabine, quand celle-ci s'était arrêtée. Le réseau n'était protégé que d'un simple grillage, cela pouvait être une solution.

Courbé en deux, caché au regard des gardes par la station du funiculaire, James approcha de la clôture. Dès qu'il y fut, il se jeta au sol et, comme un chat, s'aplatit pour se glisser dans l'interstice au pied du grillage. Il poursuivit son chemin en rampant jusqu'à la goulotte et roula à l'intérieur.

Il attendit un moment pour savoir si on l'avait repéré.

Rien.

Il remonta lentement la pente vers l'aire d'arrivée, se tortillant comme un ver dans le fond du goulet de béton.

Une minute plus tard, il avait atteint le départ du circuit et pouvait presque passer la tête dans le plancher, à l'intérieur de la station.

La cabine du funiculaire était stationnée là. De l'eau gouttait en dessous. Il rampa encore sur quelques dizaines de centimètres quand, soudain, il entendit un claquement sourd, immédiatement suivi d'un bruit de cascade.

On vidangeait le réservoir.

Un mur d'eau s'abattit sur lui. Juste avant que celui-ci ne le balaye dans le goulet à rebours du chemin qu'il venait de parcourir, il aperçut une barre d'acier au-dessus de lui et réussit à l'agripper. Il s'y accrocha avec l'énergie du désespoir tandis que des centaines de litres d'eau se déversaient sur lui, le soulevant à l'horizontale, le giflant et tirant sur ses bras.

L'eau l'avait réveillé, mais il dut néanmoins puiser dans ses dernières réserves pour ne pas lâcher prise.

Aussi subitement qu'il avait commencé, le déluge cessa. Il se hissa sur le plancher de la remise, ruisselant d'eau et à moitié groggy.

Pas le temps de s'arrêter pour reprendre ses esprits.

Si on avait vidé le réservoir, cela voulait dire que la cabine n'allait pas tarder à partir.

Il se redressa, toute peine oubliée. Caché dans l'obscurité, il pouvait voir les hommes à l'intérieur du funiculaire, fumant et discutant. Il ne lui fallut que quelques séries de gestes furtifs pour se faufiler jusqu'à une pile de caisses à claire-voie qui se trouvait dans un coin du hangar, y grimper et atteindre un des madriers de la charpente. Prenant pied sur la poutre, il avança rapidement, zigzaguant une fois ou deux jusqu'à se trouver à l'aplomb de la cabine. Des cris retentirent sous ses pieds.

– Allez, Smiler, remue-toi.

– On y va. Monte !

Le balafré s'avança vers la cabine, s'arrêta pour balancer son mégot sur le côté, puis monta à bord.

Smiler. C'était donc comme ça qu'il s'appelait. Au fond, c'était logique.

La cabine s'ébranla. Aussi silencieusement et délicatement que possible, James s'accroupit puis s'allongea à plat ventre sur le toit, juste assez tôt pour passer la petite arche pratiquée dans la façade de la station.

Il retint sa respiration, priant pour que les gardes ne le voient pas.

Lentement – atrocement lentement –, ils entamèrent la montée.

Il n'y eut ni cri, ni coup de feu tiré en l'air pour donner l'alarme, ni coup de frein brutal.

Enfin, ils prirent un peu de vitesse et disparurent dans l'obscure ascension de la montagne.

Dégoulinant sur le toit de tôle peinte, James ne bougea pas. Il reprit peu à peu son souffle… et aussi le fil de sa pensée.

Bon sang, que faisait-il là ?

À suivre comme ça les élans d'une nature intrépide, un jour il aurait de sérieux ennuis.

Quelques instants plus tard, ils croisèrent la deuxième navette qui descendait, puis passèrent le pont menant au tunnel. Il faisait nuit noire là-dedans et James craignait à tout instant de heurter une pierre saillant de la voûte. Heureusement pour lui, il déboucha de la galerie sans une égratignure et entendit des éclats de voix au loin, le tintement des verres, de la musique et des rires. Il leva les yeux. Les murs blancs du *palazzo* étincelaient sous le clair de lune avec, ici et là, des étages inférieurs illuminés.

Ils approchaient de leur destination.

Il était arrivé jusque-là. La chance continuerait-elle de lui sourire ?

Il s'aplatit de tout son long, se fondant du mieux qu'il put dans le toit de la cabine qui ralentit avant de s'arrêter complètement devant la *piazza* illuminée. Les voyageurs descendirent. James regarda Smiler traverser la place et disparaître sous une arche de côté. Assuré que le danger était passé, James se laissa glisser le long de la cabine, côté rail. Il se frictionna les cheveux, les séchant au mieux et essora les pans de sa chemise trempée.

Il y avait deux gardes, mais, maintenant qu'ils avaient contrôlé l'identité des voyageurs, ils étaient retournés à leur partie de cartes, dans le poste de sentinelle.

Dès qu'il en trouva le courage, James fila sur la *piazza* déserte, restant proche du bord, utilisant les bâtiments au mieux vers l'arche où Smiler avait disparu. Dessous se trouvaient un petit couloir et un escalier en colimaçon menant à l'étage inférieur.

Les marches conduisaient à un jardin où brillaient moult bougies et quelques torches. Autour d'une fontaine décorative, de petits groupes d'hommes en costume buvaient et palabraient. Des tables, regorgeant de nourriture et de boissons, étaient dressées un peu partout.

Il y avait aussi deux ou trois filles du cru avec eux, visiblement contentes d'elles-mêmes sous leur épaisse couche de maquillage et dans leurs robes hors de prix. Elles riaient trop fort et semblaient quelque peu nerveuses.

James remarqua Smiler. Il s'était arrêté pour dire deux mots à l'un des convives, puis s'était remis en route aussitôt après. Dans son sillage, les hommes finissaient promptement leurs verres et lui emboîtaient le pas dans un bel unanimisme. S'il voulait continuer à filocher Smiler, James était forcé de se montrer.

Il attrapa un plateau de verres vides sur une des tables puis traversa le jardin à grands pas, espérant qu'on le prendrait pour un des domestiques d'Ugo.

Il en était presque à se féliciter lui-même de cette ruse efficace quand un type avec un cou de taureau et un nez cassé lui barra le chemin.

— Je te connais, toi [1].

James secoua la tête.

— Oui. Je te connais, répéta l'homme en prenant le plateau des mains de James.

Quand il l'eut posé, il prit James par les épaules et le regarda droit dans les yeux, soufflant au passage de violentes vapeurs d'alcool sur son visage. Et puis il éclata de rire.

— Tu es le garçon du stade, dit-il en feignant d'envoyer un crochet à James. Beau combat. Tu l'as massacré !

Il éclata de rire à nouveau et lui serra la main.

James balbutia quelque chose avant de se détourner subitement et de marcher dans la direction que Smiler avait prise.

Un instant, il crut l'avoir perdu, mais non, au bout de ce

---

1. En français dans le texte.

couloir et au bas de ces marches, il était là, traversant à grands pas une terrasse, vers ce qui avait toutes les apparences d'un temple semi-circulaire, à moitié enterré, et sculpté à même la roche. Tous les invités d'Ugo semblaient y converger. Il en venait de partout.

James observa un groupe d'hommes qui gravissaient les marches menant au temple. Ils passaient ensuite sous les pilastres et disparaissaient dans l'intense lumière qui régnait à l'intérieur.

Mille questions tournaient dans sa tête.

Qu'est-ce que Smiler faisait dans le palais d'Ugo ? Était-il l'homme masqué qui avait attaqué la maison ? Quels liens avait-il avec Cooper-ffrench ?

Et puis il y avait aussi le tableau de saint Boniface. Se pouvait-il qu'il ait effectivement été volé à la famille de Perry ? Et le portrait d'Ugo dans une cave à Eton ? Comment s'était-il retrouvé là ?

Trop de coïncidences pour que ce soit seulement le fruit du hasard. Il y avait un lien entre tout ça, un sens. Mais, en dépit de ses efforts, James ne parvenait pas à le saisir, trop mince, trop évanescent.

Une seule solution pour lui donner plus de corps, aller voir à l'intérieur du temple.

James étudia la façade. Les murs ne comportaient pas la moindre fenêtre. Toutefois, le bâtiment offrait une saillie, en forme de nef. De grandes statues, éclairées à contre-jour, étaient adossées à une corniche et supportaient le dôme du toit. Peut-être y avait-il une ouverture à cet endroit ?

Les derniers traînards étaient entrés à l'intérieur. Il n'y avait personne alentour.

James traversa la terrasse en direction du temple.

Dans un angle se trouvait une grande statue équestre du comte Ugo. Il s'en servit pour grimper, ne tardant pas à atteindre la tête du cavalier. Juché là, il était juste à la bonne hauteur pour sauter sur la corniche.

En se réceptionnant, il fit fuir des hirondelles, qui s'envolèrent en claquant des ailes. Il se faufila sur le rebord jusqu'à trouver un espace assez grand, entre deux statues de femmes dévêtues, pour se glisser entre elles et atteindre un réduit couvert de fientes d'oiseaux et sentant l'ammoniaque.

Il s'accroupit et s'approcha d'une petite bouche d'aération, recouverte d'une grille métallique, qui offrait une vue plongeante sur l'intérieur du temple.

Le sol était décoré de mosaïques représentant les signes du zodiaque et au centre du cercle se tenait une lourde table de marbre ronde, autour de laquelle étaient réunis une trentaine d'hommes.

Il y avait le Français à cou de taureau qui l'avait accosté, les deux types du funiculaire, et Zoltan, le teint jaune et l'œil brillant de fièvre, sa tunique toujours tachée du sang qui coulait de son épaule.

Smiler se tenait légèrement à l'écart. De loin, ses cicatrices ressemblaient encore plus à un faux rire grotesque dont on aurait maquillé son visage. Avec ses cheveux roux et sa peau si pâle, il évoquait un clown d'horreur.

Ugo était à côté de lui, une coupe levée.

– *Salve, amici*, déclara-t-il avec solennité. *Iterum tibi occurrere mihi placet.*

– Épargne-nous ton cinéma, Ugo. Tu as l'air vraiment ridicule, déclara Zoltan. Tu peux jouer à l'empereur romain tant que tu veux, mais tu n'es pas obligé de nous faire participer.

– Ah oui. J'oubliais, répondit Ugo sur un ton paternaliste. Tu ne sais pas parler latin. Tu as toujours été le plus stupide de tous, Zoltan.

– Je parle plusieurs langues, tu sais. Mais celles qui sont utiles. Le latin est une langue morte pour des gens morts. Ton simulacre de messe noire et ton parler en langues… Ce n'est pas sérieux. Le pouvoir, le vrai, c'est autre chose que de réprimander une poignée de paysans affublés d'uniformes ridicules en prétendant qu'on est Jules César.

– Le vrai pouvoir, hein, Zoltan ? Et que crois-tu en connaître du vrai pouvoir ?

Ce disant, il s'approcha d'un garde et lui retira son arme. James la reconnut aussitôt, une mitrailleuse à camembert Thompson.

– Ça, c'est le pouvoir, poursuivit Ugo en caressant l'arme comme s'il s'agissait d'un adorable petit animal.

– D'accord, mais si je n'avais pas été là, ces armes, tu ne les aurais pas, rétorqua Zoltan sûr de lui. N'oublie jamais ça. Sans moi, tu ne serais rien.

– Je dois admettre, dit Ugo en rendant l'arme à son garde, que tu m'as été bien utile au cours des ans, Zoltan. Mais tu n'es pas le seul. Tous ces hommes que tu vois là ont un jour ou l'autre été bons pour moi. Les frères Pasulo, de Sicile, Armando Lippe, de Lisbonne, Herr Gröman et Doktor Morell, d'Allemagne, Henri Boucher, de France… La liste est longue. Quand je regarde autour de cette table, je vois des têtes amies qui viennent d'Espagne, de Turquie, d'Arménie, de Grèce. À ton avis, quelle langue devrais-je parler, hein, Zoltan ?

– Je connais ton utopie, une langue parlée par tous les criminels, mais, tu vois, je ne comprends pas le latin et j'ai autre chose à faire que de l'apprendre. Qu'est-ce que tu as contre l'anglais ?

Un murmure approbateur monta autour de la table.

– Très bien, concéda Ugo à contrecœur. Maintenant, avant de commencer, portons un toast.

Smiler fit le tour de la table, remplissant les verres à pied d'un épais liquide couleur carmin. Les hommes regardaient leurs verres avec suspicion. Certains en reniflaient le contenu avec inquiétude.

Ugo leva le sien.

– Du sang de taureau, lança-t-il à haute voix, déclenchant une série de grimaces et de borborygmes dégoûtés de la part des autres hommes. Buvez. Cela nous unira d'une manière indéfectible, sous la protection de Mithra. Nous allons créer une fratrie si puissante que personne n'osera se dresser sur son passage.

– Est-ce que cette séance de magie noire est vraiment indispensable ? demanda une voix.

– Cela fera de nous des hommes à part, rétorqua Ugo. Ce sang symbolise le sang du commun, le sang des gens ordinaires, des peuples d'Europe. Nous allons nous nourrir de leur sang. Maintenant, montrez-moi que vous êtes des hommes et buvez… *Viva la Millenaria !*

Ugo vida sa coupe et la reposa à l'envers sur la table pour montrer qu'elle était vide. Sans enthousiasme, les autres l'imitèrent. Il y eut des grognements et des plaintes, certains s'étranglèrent et recrachèrent une partie de l'épais liquide visqueux.

– La ruse, c'est d'avaler vite, zézaya Ugo avec un sourire sournois. Sinon, ça coagule dans la gorge…

Un visage à la fenêtre

UCMM, était-il écrit au bas de la toile représentant Ugo dans la cave de la maison d'Eton.

Ugo Carnifex et le symbole de la Millenaria.

C'était tellement évident. Pourquoi ne l'avait-il pas vu ?

Autour de la table, les hommes posèrent leurs calices. Un long murmure s'éleva dans la petite assemblée. Ugo devait hausser la voix pour se faire entendre.

– Au fil des ans, j'ai constitué un réseau d'espions, de criminels et de révolutionnaires capables de répandre la désinformation et la terreur aux quatre coins de l'Europe. Mais, avec vous gentlemen ici présents, je peux créer une chose vraiment extraordinaire, un empire. Dans un premier temps, tout ce que j'attends de vous, c'est une somme d'argent, raisonnable, qui non seulement fournira la preuve de votre implication dans mon projet, mais permettra aussi le financement de notre effort de guerre.

– C'est bien gentil, dit un gaillard avec un fort accent allemand, mais je ne crois pas savoir que vous possédiez les ressources en hommes pour lever une armée et vous engager dans une guerre.

– Ce n'est pas moi qui vais faire la guerre, répondit Ugo. C'est une tâche que je préfère laisser aux autres. Après tout, comment Rome a-t-elle défait les Germains ?

– Quel rapport ?

– Comment César a-t-il conquis la Gaule ? poursuivit Ugo, ignorant l'objection de l'Allemand. En attisant les luttes intestines. Les tribus locales se sont retrouvées si occupées à se battre entre elles qu'à aucun moment elles n'ont pu inquiéter les légions de Rome. Voyez-vous, les choses n'ont guère changé en deux mille ans. Les tribus d'Europe sont toujours là. Elles sont seulement devenues plus grandes, plus peuplées et plus institutionnalisées. Pourtant, quand on y regarde de plus près, les Anglais détestent les Allemands, les Allemands détestent les Russes, les Russes détestent les Italiens, les Italiens détestent les Français et les Français détestent tout le monde.

Des rires gras montèrent dans l'assemblée.

– Et à quoi conduisent tous ces antagonismes et toute cette haine ? À la Grande Guerre. Des millions de jeunes hommes vaillants et vifs transformés en chair à canon et massacrés dans la boue.

Il marcha lentement autour de la table, dévisageant chacun des invités.

– Nul besoin de vous rappeler, j'imagine, que, durant cette période, les opportunités furent particulièrement nombreuses. Combien de criminels ont, comme nous, fait fortune pendant que les autorités, trop occupées à la guerre, détournaient les yeux. C'est pourquoi notre but premier sera toujours de pousser l'Europe dans une nouvelle guerre, en montant les nations les unes contre les autres car c'est dans le chaos que nous prospérons le mieux...

– Si ce que vous dites est vrai, l'interrompit un Turc à l'autre extrémité de la table, comment pouvez-vous penser que nous allons nous unir ? Après tout nous venons tous de pays différents.

– Non, trancha Ugo. Nous, nous sommes des semblables, unis par les liens du crime. Frontières, lois, nationalités, tout cela n'a aucun sens pour nous. Dorénavant, nous travaillerons ensemble, main dans la main, pour créer de l'agitation dans les pays et même, si nous le souhaitons, faire ou défaire les gouvernements. Nous pouvons devenir la force la plus puissante d'Europe, l'empire du crime organisé.

Tandis qu'il suivait Ugo des yeux, observant son manège autour de la table, James remarqua une chose qui lui avait échappé jusqu'alors : une statue de Mithra. Et pas n'importe laquelle puisqu'il s'agissait de celle qui, deux jours auparavant, ornait encore le patio de la Casa Polipo. Il en était à se demander comment elle avait bien pu arriver là quand, soudain, il prit conscience du péril qu'il courait.

Il avait foncé ici la tête la première, sans réfléchir, et voilà qu'à moins de dix mètres de lui s'était réuni le plus dangereux ramassis de criminels d'Europe.

De toute façon, il en avait assez vu. Maintenant, il fallait qu'il parte. Et le plus vite serait le mieux, tant qu'Ugo et ses hommes se trouvaient encore dans le temple.

S'il était pris…

Bah, mieux valait ne pas y penser.

Il se retourna et quitta sa cachette entre les deux statues. Une fois sur le rebord, il s'arrêta un instant et remplit ses poumons d'air frais, après quoi, il courut le long de la corniche et sauta sur la statue équestre, s'accrochant au bras levé d'Ugo comme un singe à une branche. Descendu de la statue en moins de temps qu'il n'en faut pour le dire, il se dirigea au pas de course vers les escaliers.

S'il pouvait retourner au funiculaire, il pourrait certainement redescendre en marchant sur les rails ; avec un peu de chance il trouverait peut-être même le moyen de monter en douce sur le toit de la cabine.

Avec un peu de chance…

« James, espèce de crétin.

« Tu t'es fourré tout seul dans la mouise.

« N'y pense plus, et avance. »

Le cœur battant, il entra dans un couloir plongé dans l'obscurité.

Soudain, il sentit sa tête partir en arrière. Il grogna tandis qu'on le tirait dans l'embrasure d'une porte, une main fermement serrée sur sa bouche.

D'un violent coup d'épaule, il parvint à se libérer et fit volte-face, poings levés, prêt à en découdre.

Un garçon. Et James le reconnaissait. Stefano, l'ami de Mauro. Le jeune montagnard qui travaillait dans les cuisines du palais. Posant un doigt sur sa bouche, il entraîna James dans l'ombre de la porte, un éclair de panique dans les yeux.

Deux gardes du *palazzo* approchaient. Les talons de leurs bottes noires claquaient sur le pavé.

– Merci, murmura James dès qu'ils furent passés. *Grazie.*

– Je te suis depuis un moment. Maintenant, c'est toi que me suis.

– Entendu, rétorqua James non sans soulagement.

Juste au moment où il se retrouvait dans une situation désespérée, un sauveur providentiel venait frapper à sa porte. Il se sentit immédiatement soulagé d'un grand poids.

Stefano lui fit passer une porte, puis traverser un long couloir sombre qui serpentait de gauche à droite avant de déboucher dans une cour apparemment laissée à l'abandon où un gros buisson gris de poussière s'évertuait à pousser. Caché par le bosquet, au bas du mur délimitant la cour, il y avait un trou juste assez grand pour laisser passer un homme.

– Viens, dit Stefano en disparaissant dans le passage.

James lui emboîta le pas. Il se retrouva sur un toit-terrasse.

– Où allons-nous ? demanda James sans obtenir la moindre réponse du jeune Sarde qui poursuivait imperturbablement sa route.

Il sauta sur le toit voisin. James l'imita.

Stefano le conduisit d'une plate-forme à une autre jusqu'à ce qu'ils atteignent la limite du palais, directement au-dessus de la ligne du funiculaire. Là, le jeune Sarde entreprit de se glisser le long d'une colonne de descente en enjoignant James de le suivre.

Il paraissait évident que ce n'était pas la première fois que Stefano se livrait à ce petit gymkhana.

Quand tous deux eurent regagné la terre ferme, Stefano regarda à droite et à gauche pour vérifier qu'aucune cabine n'était en route, puis posa l'oreille sur le rail, histoire d'en être vraiment sûr.

– Tout va bien, dit-il avec un sourire si contraint qu'il revenait à affirmer l'inverse.

Demeurant tout proches des rochers, sur leur gauche, ils entamèrent la descente le long des rails. La marche était difficile en raison de la forte pente, sans compter que ces rails n'étaient pas conçus pour accueillir des marcheurs.

Après de longues minutes éprouvantes sur une pente à presque quarante-cinq degrés, ils atteignirent le tunnel qui traversait l'énorme pic rocheux que la voie n'avait pas pu contourner. James était sur le point d'y pénétrer quand Stefano le rattrapa par la manche.

– Non. Par là.

– C'est toi le patron, répliqua James en se détournant du tunnel et en regardant Stefano grimper sur le rocher.

Une fois encore, le garçon suivit le mouvement. Mais, à sa grande surprise, Stefano montait au lieu de descendre.

– Attends, appela-t-il en essayant de ne pas faire trop de bruit. Où cours-tu comme ça ?

– Je vais montrer à toi.

James préféra éviter de regarder en bas pendant qu'il escaladait le rocher. La manœuvre était aisée, la lune brillant suffisamment pour éclairer toutes les prises, malgré cela, l'immense vide qui se trouvait sous lui n'avait rien de rassurant.

Plus haut, la roche était presque plane et ils arrivèrent devant un échafaudage de bois, adossé au mur extérieur du palais. Stefano ne perdit pas une seconde et se mit à gravir les échelons avec l'agilité d'un singe. James ne le quittait pas d'une semelle.

Au sommet, ils prirent pied sur un toit de béton en cours de finition. Ils se trouvaient dans une partie du *palazzo* encore inachevée, juste au-dessus du gros rocher percé par le funiculaire. Des sacs de chaux et de sable traînaient un peu partout, à côté des outils que les ouvriers semblaient avoir précipitamment abandonnés : pioches, marteaux, barres à mine et truelles.

Et maintenant ?

Cela ne ressemblait vraiment pas à une sortie.

Stefano l'emmena de l'autre côté du toit et lui fit signe de regarder en bas.

Il y avait un mur en contrebas, percé de deux fenêtres superposées ouvrant sur un vide vertigineux et noir.

– Je ne comprends pas, dit James. Qu'attends-tu de moi ? Pourquoi m'as-tu amené ici ?

– Toi. Écoute.

– Je suis tout ouïe.

– Quelque chose arrivé, reprit Stefano. Quelque chose pas bon.

– De quoi s'agit-il ? demanda-t-il, fronçant les sourcils.

– Je travaille ici. Ugo me paye. Je ne dis jamais rien de ce que je sais. Besoin l'argent. Mais, aujourd'hui, j'ai entendu des hommes parler. Ils pensent qu'on n'écoute pas parce qu'on est servants et qu'on ne comprend rien, mais, en fait, on sait tout.

– Je ne comprends toujours pas, objecta James. Qu'est-il arrivé ?

– Mauro est mort, répondit seulement Stefano.

– Quoi ? s'étrangla James, incrédule.

Les mots de Stefano avaient frappé James aussi durement qu'un coup de poing. Il était abasourdi.

– Comment est-ce arrivé ?

– Un des hommes d'Ugo, répondit tristement Stefano. Ugo ne pouvait pas excuser Mauro d'avoir craché par terre dans son palais et puis aussi à cause de ce que Mauro lui avait dit.

– Qu'est-ce que tu veux dire ? Ugo l'a fait abattre ?

– *Sì*. Ils l'ont tué. Mauro m'a dit que tu étais son ami. Tu dois venger sa mort. Moi, je ne peux pas. Je ne suis pas fort. Et j'ai peur. Mais toi, tu es fort. Tu as battu le garçon ce matin et Mauro m'a dit que tu étais courageux. Je t'ai vu monter ici…

– Ça n'a aucun sens, l'interrompit James, l'esprit embrouillé. Je ne peux pas me battre contre Ugo.

– Non. Tu ne vas pas te battre. Mais tu vas lui faire du mal. Il y a une fille…

Tout en parlant, Stefano avait attrapé un bout de corde qui traînait là et l'avait attaché à une colonne de pierre à moitié terminée.

– Quelle fille ?

– C'est le type qui s'appelle Zoltan qui l'a amenée ici, répondit Stefano en attachant l'autre bout de la corde à la taille de James. Ugo l'a faite prisonnière. Une Anglaise.

Il conduisit à nouveau James au bord du toit.

– Descends. Va à la deuxième fenêtre et tu trouveras la fille. Moi je t'attends.

– Mais c'est de la folie, répondit James. Qui est cette fille ?

– Une captive. Parle-lui et tu pourras avertir quelqu'un.

– Je t'en prie, arrête de délirer…

– Vas-y vite. Ce n'est pas sûr par ici. Allez…

James ne savait que penser et il avait un peu peur, mais Stefano était si insistant qu'il n'y avait pas d'échappatoire. Il devait faire ce qu'il lui disait. Et puis Stefano était son seul espoir de sortir de là sain et sauf.

Pour tendre la corde à laquelle il était attaché, il jeta du mou dans le vide. Après quoi il se coucha à plat ventre et se laissa glisser en arrière jusqu'à ce que ses pieds touchent le mur et qu'il puisse descendre en rappel. Ses doigts blessés et endoloris par le combat de boxe lui faisaient toujours mal. Tentant d'ignorer la douleur, il laissa la corde glisser dans ses paumes. Elle le brûlait.

Il arriva à la première fenêtre. Derrière les volets clos, aucune lumière ne brillait. Il se mit debout sur le rebord pour reprendre des forces et regarda au-dessus de lui. Il avait fait presque cinq mètres, soit environ la moitié du chemin.

Sur son rebord de fenêtre, il réalisa soudain que, si cette partie était relativement aisée, il en serait autrement de la remontée.

« Pas le moment de penser à ça. »

Il reprit sa descente, faisant lentement glisser la corde tandis qu'il appuyait solidement les pieds contre la paroi verticale.

Une minute plus tard, il était à la deuxième fenêtre.

Il prit appui sur le rebord, dénoua le nœud qu'il avait à la taille et retendit la corde afin qu'il n'y ait plus de mou.

La chambre n'était pas éclairée. Mais les volets étaient ouverts. Toutefois, un barreau vertical au milieu de l'étroite ouverture lui interdisait d'y pénétrer. Il scruta l'intérieur. Il faisait trop sombre pour qu'il distingue quoi que ce soit, en revanche, il sentit un mouvement.

– Hello ? demanda-t-il timidement, gêné par le côté grotesque de la situation. Y a quelqu'un ?

Rien. Juste le chant des grillons sur la colline.

– Hé ho… ?

Toujours rien.

Il était sur le point d'abandonner et de commencer sa remontée quand il entendit un froissement.

– Bonjour ? répéta-t-il.

Une timide voix inquiète lui répondit. Une voix féminine, avec un accent anglais.

– Bonjour ? Où êtes-vous ?

– À la fenêtre.

Quelques secondes plus tard, le visage d'une jeune fille apparut dans l'obscurité.

Déjà vu

Ses cheveux courts étaient en bataille, avec de nombreux épis, et ses grands yeux brillaient dans le noir. Sa peau diaphane, couverte de taches de son, luisait d'une pâleur singulière dans le clair de lune. Elle fixait James comme si elle avait du mal à croire qu'il était bien là et ne tarda pas à passer le bras à travers la fenêtre pour vérifier qu'elle ne rêvait pas. James lui tint la main quelques instants.

– Tu es réel ? ! ?

– Aux dernières nouvelles…

– Un moment, j'ai cru que j'avais une hallucination. Mais… qui es-tu ?

– Mon nom est Bond, James Bond. Et toi ? Qui es-tu ?

– Amy Goodenough.

Le choc fut tel que James faillit en tomber de la fenêtre.

– Quoi ? La sœur de Mark ? s'étrangla-t-il.

– Et en plus, tu sais qui je suis ! s'exclama la jeune fille avec un rire qui évoquait déjà une délivrance.

– Mais comment diable t'es-tu retrouvée ici ?

Amy lui raconta rapidement l'histoire, depuis sa capture en mer jusqu'à cette geôle dans la montagne.

– Visiblement, reprit James quand elle lui eut exposé les faits, Zoltan était au courant pour la statuette. Il savait pertinemment où dénicher la *Sirène* et ce qu'il trouverait dans ses cales.

– Oui, acquiesça Amy. Il m'a avoué qu'il volait des pièces de collection pour le compte d'Ugo.

– Et Carnifex ? Comment a-t-il su ?

– Il a des gens qui travaillent pour lui un peu partout, y compris en Angleterre.

– Y compris à Eton, tu veux dire.

– Exactement. Il y a même un type qui se pose en maître de conférences dans votre école et qui lui dit tout ce qu'il a besoin de savoir.

– Cooper-ffrench, s'exclama-t-il aussitôt. Je le connais. Et il est sur l'île en ce moment même.

Ce fut au tour de James de prendre la parole et d'expliquer, aussi succinctement que possible, ce qu'il savait.

– C'est sans espoir, dit tristement Amy quand il eut fini.

– Non, trancha James en lui serrant la main. Je vais te sortir de là.

– Maintenant ? demanda-t-elle sans trop y croire, avec un air de chien battu qui le contraignit à détourner les yeux.

– Peut-être. Il y a des outils là-haut. Je pourrais essayer de casser ce barreau... Et puis, je suis avec un garçon qui travaille ici. Il pourra sûrement nous aider.

– Stefano ?

– Exactement. Donc tu vois, ce n'est pas le moment de baisser les bras.

Deux grosses larmes coulèrent de ses yeux et roulèrent le long de ses joues.

– Je n'arrive pas à y croire, dit-elle la gorge nouée. J'ai tant prié pour que quelqu'un vienne.

– Tiens bon, dit James en se redressant sur le rebord de fenêtre. Je reviens.

Avant toute autre chose, il fallait retourner sur le toit.

Il appela Stefano, aussi fort que la prudence la plus élémentaire le lui permettait, sans obtenir de réponse. Il ne l'entendait pas. C'était évident. Il donna des coups à la corde. Rien non plus.

Il soupira profondément puis cracha dans ses mains. Il s'était arraché un peu de peau en descendant. Il n'avait plus qu'à en prendre son parti et à remonter aussi vite que possible.

Il agrippa fermement la corde, appuya ses pieds contre la façade et se hissa vers le haut, une main après l'autre, en s'aidant des jambes. Deux fois, ses pieds glissèrent et il s'écrasa douloureusement contre le mur. Il parvint néanmoins à atteindre sans trop de bobos la première fenêtre. Il s'arrêta sur le rebord pour reprendre son souffle.

– Stefano, appela-t-il dans la nuit. Où es-tu ?

Toujours rien.

Il se demanda s'il ne ferait pas mieux d'entrer dans la maison pour essayer de trouver une sortie plus facile. Il explora les volets, glissant la lame de son canif dans l'interstice pour soulever le loquet et réussit finalement à les ouvrir. Il les replia et se glissa à l'intérieur, toujours attaché à la corde.

La pièce était totalement vide, la porte fermée de l'extérieur. Il ne pouvait pas prendre le risque de la forcer, ça ferait trop de bruit, aussi retourna-t-il dehors à contrecœur et reprit la pénible ascension de la façade.

Son opiniâtre détermination eut raison de l'obstacle et, après de longues minutes d'efforts, dents serrées, il atteignit enfin le toit, et découvrit que Stefano n'y était plus.

« Bon sang de bois.

« Ça fout tout en l'air. »

Il se retrouvait seul.

Il s'assit par terre et détacha la corde. Tandis qu'il la dénouait, il entendit quelqu'un escalader l'échafaudage. Il se débarrassa rapidement de la longe et se précipita pour voir qui c'était.

Malheureusement, il ne s'agissait pas de Stefano mais de deux gardes d'Ugo.

Durant un court instant, il fut tenté d'abandonner. Il était si fatigué !

Il y avait eu tellement de **rebon**dissements au cours de cette journée qu'il se dem**and**ait sérieusement s'il serait capable d'en supporter davantage.

« Hérésie.

« Tu n'es plus tout seul maintenant. Pense à Amy.

« Bouge-toi, espèce de bras cassé. Va-t'en de là. »

Il traversa le toit en courant et sauta sur le bâtiment contigu.

Dès qu'il eut atterri, il reprit sa course folle, sans s'arrêter, toute fatigue oubliée.

Il riait. C'était exactement la même situation qu'à Eton, avec le club du Danger. La nuit, courir sur les toits, fuir sans être repéré. À la seule différence près que, cette fois, il risquait plus qu'une correction s'il se faisait prendre. Cette fois, c'était une question de vie ou de mort.

Il courut à toutes jambes jusqu'à l'extrémité d'un toit plat et sauta sur un rempart, légèrement en contrebas. Il n'avait pas la moindre idée de l'endroit où il se trouvait. Tout ce qu'il voulait c'était échapper à ses deux poursuivants.

Écartant les bras pour garder l'équilibre, il courut sur l'arête de la muraille.

Sur sa gauche, il y avait une cour plongée dans l'obscurité avec un poulailler au milieu et, à droite, un vide vertigineux d'une bonne centaine de mètres au-dessus de la vallée.

« Ne regarde pas en bas... »

Au bout du mur poussait un petit arbre. Il grimpa dans les branches et réussit à atteindre le toit suivant. Il était aussi plat que les autres, mais ceint d'un petit muret et pourvu d'un endroit couvert où étaient installées une table et des chaises. Un escalier allait de la terrasse à une coursive surélevée. Plié en deux, il gravit les marches sur la pointe des pieds, mais se figea quand il eut atteint le sommet.

Les deux gardes couraient dans la coursive.

« M... »

Il fit demi-tour, détalant aussi vite qu'il pouvait. Sa course éperdue le mena à une nouvelle volée de marches, descendantes cette fois. Sans réfléchir, il bondit dans les airs par-dessus l'escalier. Quand il toucha le sol, il fit une roulade avant et reprit sa course. Un cri résonna derrière lui, bientôt suivi du bruit sourd d'un corps s'écrasant lourdement sur le sol. Visiblement, un des gardes avait tenté la même figure que lui... sans succès. James s'amusa à l'idée des genoux bleus du bonhomme.

Mais il les avait toujours accrochés à ses basques, et il avait totalement perdu son sens de l'orientation.

Ce n'était pas bon. Il fallait qu'il retourne sur les toits, là où les gardes patauds et lourds ne seraient pas à leur avantage et là où il pourrait peut-être retrouver son chemin. Sitôt dit, sitôt fait, il sauta d'un bond le parapet et atterrit sur le toit du bâtiment en contrebas. Il le traversa en trombe, marquant la cadence avec ses bras, allongeant la foulée du mieux qu'il pouvait. Il s'engouffra ensuite dans un vide étroit entre deux pignons et déboucha sur un petit promontoire d'où il sauta. Il vola un instant dans les airs avant de s'écraser douloureusement sur l'arête du toit suivant. Un horrible craquement d'os résonna dans sa tête quand sa cage thoracique heurta l'angle. Sans trop savoir comment, il parvint à s'agripper, à la seule force des bras, le corps pendu dans le vide.

Il se hissa sur le toit, fit quelques pas à quatre pattes et prit une profonde inspiration. Une douleur infernale tenaillait ses poumons. Tout son corps le faisait souffrir. Un mal de chien. Il n'était plus sûr de pouvoir continuer.

« N'y pense pas.

« Tu n'as rien de cassé.

« Seulement quelques nouveaux bleus demain matin. »

Il se remit debout et secoua la tête. Quand il jeta un regard derrière lui, il vit deux silhouettes noires qui se ruaient dans sa direction.

Il reprit sa course.

Un cri retentit, suivi d'un choc sourd et d'un petit jappement.

Il tourna la tête.

Il n'y avait plus qu'un garde à ses trousses maintenant, l'autre ayant visiblement mal calculé son coup.

Devant lui s'ouvrait un large vide. Le bâtiment suivant était à bonne distance de celui-ci. Combien exactement ? Difficile à dire. De toute façon, il n'avait pas le temps de prendre des mesures, seulement le risque.

Il accéléra encore, lançant son corps en avant, exigeant de ses jambes qu'elles martèlent le sol et se détendent comme jamais elles ne l'avaient fait.

Arrivé à proximité du vide, il vécut un instant de pure terreur, réalisant que celui-ci était beaucoup plus large qu'il ne l'avait pensé. Beaucoup, beaucoup plus large que tout ce qu'il avait jamais tenté à Eton. Instinctivement, il bifurqua et se rabattit sur une grosse crevasse. Il y avait bien des constructions de l'autre côté, mais elles étaient horriblement loin.

Il était trop tard pour s'arrêter. Il allait trop vite. Au lieu de ralentir, il accéléra et se jeta dans le vide.

Il prit brièvement conscience de la faille noire qui se trouvait sous lui alors qu'il volait vers le toit suivant.

« Non… »

Il ne réussirait jamais à l'atteindre. Beaucoup trop loin. C'était impossible. Il tombait, voyant inexorablement s'éloigner la lisière du toit, de plus en plus vite, plongeant dans cette insondable crevasse. Il écarta les bras, battant désespérément des mains pour agripper quelque chose qui pourrait arrêter sa chute. Un choc. Il avait heurté quelque chose.

Il s'accrocha de toutes ses forces à l'objet. De chaudes larmes coulaient sur ses joues. Il était secoué par un irrépressible sanglot de soulagement.

Le garde avait eu la sagesse de ne pas tenter le saut.

James pendait à un mât de ferraille qui saillait de la façade et qui, à son extrémité, supportait une grosse lampe éteinte. Sous le lampadaire se trouvait une fenêtre ouverte.

Bien. Les choses n'auraient pas pu mieux tourner s'il les avait planifiées, sauf qu'il faisait une cible parfaite si le garde décidait d'ouvrir le feu.

Pendu au lampadaire, il balança son corps vers la fenêtre et atterrit lourdement dans la pièce.

Un hurlement aigu et les babils effrayés de jeunes voix sardes l'accueillirent.

Il se trouvait dans une chambrée de quatre lits, probablement le quartier des domestiques.

– Pardon. Excusez-moi, dit-il en se glissant jusqu'à la porte. Ne vous occupez pas de moi. Rendormez-vous !

Il ouvrit vivement la porte et se précipita dans le couloir. À son passage, d'autres portes s'ouvraient et des têtes de femmes aux yeux pleins de sommeil apparaissaient dans les embrasures. Un étrange brouhaha s'empara du corridor.

Courant dans le bâtiment en tous sens, il découvrit un escalier en colimaçon à l'assaut duquel il s'engagea aussitôt. L'escalier ne semblait jamais devoir finir, mais, finalement, il atteignit le sommet, poussa une porte et déboucha sur une petite terrasse.

Il s'arrêta un instant et s'appuya contre le mur. Ses jambes étaient en plomb. Son cœur battait à tout rompre.

Le *palazzo* était un vrai labyrinthe, comment pouvait-il espérer s'en échapper ?

Durant quelques minutes, il déambula sans but, tournant en rond, tendant l'oreille en direction des cris et des sifflets qui résonnaient au loin dès que les gardes donnaient l'alarme. Un projecteur fut allumé très haut dans la montagne. Un pinceau de lumière blanche vint balayer les lieux.

Il faillit débusquer James au moment où celui-ci traversait une cour à toutes jambes. Il n'eut que le temps de se tapir derrière une fontaine. Le faisceau le dépassa et glissa sur les bâtiments adjacents.

C'est alors qu'il remarqua une statue au niveau inférieur.

Un homme sur un cheval, le bras tendu dans une pose princière.

La statue équestre d'Ugo.

James se dirigea vers ce point de repère inespéré à partir duquel il serait en mesure de retrouver son chemin.

Il arriva bientôt à proximité du temple désert et plongé dans le noir.

Il repéra l'escalier menant à la ruelle. Serait-il capable de retrouver la porte et de refaire le chemin qu'il avait emprunté avec Stefano jusqu'aux rails du funiculaire ?

Ça valait le coup d'essayer.

Il monta prudemment les premières marches, puis se figea.

Quelqu'un arrivait et il n'avait aucun moyen de se cacher.

— Bond ?

Il reconnut immédiatement la voix. C'était celle de Peter Love-Haight.

— M'sieur..., dit James en tombant à genoux sur les marches tandis que Haight émergeait dans la lumière.

— James ? Ça va ? Vous semblez bien mal en point, que vous est-il arrivé ?

— Tout va bien... Enfin, je crois, répondit le garçon avec une grimace de douleur qui démentait totalement ce qu'il venait d'affirmer.

— Mais... Que diable se passe-t-il ici ? Et puis, que faites-vous là ? Nous nous faisions un sang d'encre... Quelqu'un nous a dit qu'il vous avait vu monter au palais... On vous cherche aux quatre coins de la ville.

Il marqua une pause, son visage aux traits fins et réguliers affichant soudain une moue inquiète.

— Vous êtes sûr que ça va ?

— Il y a... Une fille..., répondit James, dont le cerveau épuisé et confus ne savait plus par quel bout commencer.

— Quelle fille ?

— Amy Goodenough, monsieur. La sœur de Mark. Elle est vivante. Et elle est ici. Enfermée dans une chambre. Le comte Ugo la retient prisonnière.

— Comment ? Amy Goodenough est ici ?

— Oui. Et il faut qu'on l'aide. Elle est en danger.

— Vous semblez en plein délire, James, répondit gentiment Haight en l'aidant à se relever. Venez avec moi, nous allons redescendre. Tout ira bien.

Haight soutint James et l'aida à avancer.

— Le comte Ugo, monsieur, poursuivit ce dernier. Ce n'est pas un vrai comte. Mais un bandit. Le plus grand bandit de l'île et il espère qu'un jour il deviendra le plus grand bandit du monde. Il est à la tête d'une société secrète appelée la Millenaria...

– Là, il ne fait plus aucun doute que vous délirez, l'interrompit Haight.

– Vous devez me croire. Je sais que ça semble fou, pourtant c'est la vérité.

– Écoutez, James, pour le moment, n'en parlons plus. Tout ce que je veux, c'est vous redescendre dans la vallée et vous mettre au lit.

– Non, protesta James en cessant brusquement de marcher. Il y a aussi Cooper-ffrench.

– Cooper-ffrench ? demanda Haight, incrédule. Et que vient-il faire là-dedans ?

– Il travaille pour Ugo.

Haight éclata de rire.

– Où diable allez-vous chercher tout ça ? Ce n'est qu'un humble professeur de latin.

– Je l'ai vu à Eton, monsieur. Dans une bâtisse regorgeant de trucs appartenant à la Millenaria. Et l'homme d'Ugo, Smiler, celui avec la cicatrice sur le visage, il était là aussi. Voilà pourquoi Cooper-ffrench est venu en Sardaigne. Pour rencontrer Ugo. C'est pour ça qu'il a insisté pour que nous venions tous ici.

Haight avait l'air de plus en plus inquiet.

– C'est une accusation très grave, James.

– Je sais.

– Enfin ! Qu'elle soit fondée ou non, vous n'avez rien à faire ici. Nous allons donc redescendre en ville et vous me raconterez tout ça en chemin.

– Entendu, monsieur.

Haight conduisit James dans le *palazzo*. Chemin faisant, le garçon lui raconta ce qu'il savait en un flot ininterrompu de phrases parfois confuses. Il parla de cette première nuit avec le club du Danger, de la lettre de Merriot, du culte de Mithra et de la toile volée chez Perry. Il était sur le point d'évoquer le comportement étrange de Cooper-ffrench durant ce voyage d'étude quand ils parvinrent devant une lourde porte de bois.

Emporté par son récit, James n'avait pas prêté attention à l'itinéraire. Il s'arrêta un instant de parler et tenta de savoir où ils se trouvaient.

— Je crois que nous nous sommes trompés de chemin, monsieur.

— Vous connaissez ce palais mieux que moi, répondit Haight en soupirant.

— Peut-être, mais je n'en suis pas moins aussi perdu que vous, avoua James.

— Essayons par ici. Je suis presque sûr que c'est par là que je suis venu.

À ces mots, Haight ouvrit la porte et conduisit James dans un large couloir, orné par deux alignements de statues, et qui menait à une nouvelle porte.

— Au fait, demanda Haight, comment avez-vous su pour Amy ? Qui vous a dit qu'elle était là ?

James s'arrêta net. Un bout de sa chemise effilochée s'était pris dans une des statues. Tirant pour se libérer, il déchira un pan de son vêtement. Un morceau de tissu souillé de sang et de crasse tomba sur le sol.

Haight maugréa quelque réprobation et se pencha pour ramasser le chiffon.

— Mieux vaut ne pas laisser ça ici, dit-il avec un sourire. Vous connaissez l'aversion d'Ugo pour la saleté.

Alors qu'il baissait la main pour ramasser le bout de tissu, James vit quelque chose qui brillait d'un reflet argenté à son poignet. Haight remonta précipitamment l'objet sous sa manche, sans toutefois parvenir à le cacher à la vue de James. Un bracelet d'argent. Le même que celui qu'il avait ramassé par terre à l'issue de la conférence d'archéologie, quand Haight et Cooper-ffrench s'étaient cognés.

Un sinistre vertige s'empara soudain de James, comme si le monde avait tout à coup basculé cul par-dessus tête. Il avait fait fausse route de bout en bout.

Il se sentait dans le même état que la première fois où il avait regardé sous l'eau avec le masque que lui avait donné Victor : transporté instantanément dans un monde nouveau, dans un endroit où l'on voyait les choses différemment.

Il avait tout faux. Mais, maintenant, la vérité s'imposait à lui avec une rare clarté.

Quel idiot !

Le complice d'Ugo n'était pas Cooper-ffrench. Bien sûr que non. Puisque c'était Haight.

Eurêka !

– James, vous n'avez pas répondu à ma question, poursuivit Haight avec un brin d'irritation dans la voix. Qui vous a mis au courant pour Amy ?

James tentait tant bien que mal de refréner une folle bouffée de panique.

La vérité était là, devant ses yeux, depuis le début, si proche qu'il ne l'avait même pas vue.

C'était le bracelet de Haight – et non celui de Cooper-ffrench – qui était tombé par terre ce soir-là.

– James ? répéta Haight avec l'insistance du professeur qui pose une question à un élève dont il sait parfaitement qu'il n'écoute pas – chassez le naturel, il revient au galop.

– Désolé, monsieur, s'excusa James. Vous disiez ?

– Je voulais savoir comment vous aviez su pour Amy.

– Ah, ça ?

James ne voulait pas trahir Stefano. Malheureusement, il n'avait préparé aucune fadaise au cas où on l'interrogerait à ce sujet et il avait beau fouiller son cerveau, celui-ci était aussi vide et blanc qu'un torchon oublié dans l'eau de Javel.

– Euh… Eh bien, je faisais le tour du *palazzo*, en quête d'une sortie, quand je suis tombé nez à nez avec elle.

266

Haight le regarda avec une moue dédaigneuse teintée de mépris. James comprit aussitôt que la partie était mal engagée.

Haight savait évidemment que James mentait, et celui-ci savait qu'il savait. La seule question qui restait en suspens était : combien de temps encore allaient-ils jouer à ce petit jeu ?

— J'ai bien peur que nous nous soyons trompés de chemin, monsieur, déclara James en reculant vers la porte qu'ils venaient de franchir.

— James…

Haight n'eut pas le temps de finir sa phrase : James avait déjà fait volte-face et détalé à toutes jambes. Derrière la porte, deux hommes d'Ugo lui barraient le passage. Il se figea et tourna la tête. Haight n'avait pas bougé d'un pouce.

— Par ici, dit-il calmement en faisant signe à James de le rejoindre.

Il n'avait pas le choix.

La porte à l'autre extrémité du couloir ouvrait sur une vaste bibliothèque. Les murs étaient couverts de livres à reliure de cuir dont les alignements n'étaient rompus que par des peintures et des sculptures.

Ugo était assis face à un imposant bureau en acajou en compagnie de Smiler. Deux gardes en uniforme se tenaient au garde-à-vous de part et d'autre de la table.

— Le voilà, dit Haight en poussant James au milieu de la pièce.

Ugo faisait semblant de lire des papiers. Durant un long moment, il ne daigna pas lever les yeux. James distinguait les muscles de sa mâchoire se tendre alors qu'il serrait les dents.

Il en profita pour observer la pièce. Posé sur une desserte qui aurait fait le bonheur de n'importe quel antiquaire, il remarqua un petit bronze, correspondant trait pour trait à la description du Donatello volé que lui avait faite Amy. Juste à côté, sur un chevalet, ce qui avait tout l'air d'un des Canaletto qui se trouvaient dans sa chambre à la Casa Polipo.

Et puis il y avait autre chose, derrière Ugo, la toile inachevée d'un jeune garçon au milieu d'une plage déserte. Le personnage avait l'air quasi reptilien, avec des pieds palmés et des yeux difformes et exorbités. Il tenait le chiffre sept dans une main et un oursin dans l'autre. Il y avait quelque chose de surnaturel et de dérangeant dans cette image, comme si le garçon était mort, comme s'il s'agissait d'un fantôme.

Finalement, il reconnut ce garçon. C'était lui. Avec le masque de plongée et les palmes. Poliponi avait dû le peindre, conformément au souhait qu'il avait formulé en voyant James dans son accoutrement de plongeur.

Ugo finit par lever les yeux de ses papiers.

– Vous aimez ? demanda-t-il après avoir remarqué que James fixait la toile des yeux.

Il se contenta de répondre par un haussement d'épaules.

– Elle provient de la demeure du signor Delacroix, que j'ai fait visiter alors que vous étiez tous censés vous trouver ailleurs. Ces Canaletto sont exquis, dit Ugo en levant le menton vers les deux scènes de Venise, en revanche, ça, cette… chose, ajouta-t-il en se retournant vers la toile de Poliponi, je n'aime pas du tout. L'art moderne n'a aucun intérêt. C'est un art dégénéré, décadent, le produit d'esprits dérangés. Non, l'art doit rester pur.

À ces mots, il attrapa un coupe-papier sur son bureau et lacéra la toile par trois fois, la détruisant totalement.

James était déchiré, comme si c'était sa peau à lui qu'Ugo venait de tailler.

– Vous nous avez causé de sérieux ennuis, monsieur Bond, zézaya le comte en s'approchant de James, sa dent en argent étincelant dans la lumière tamisée de la pièce.

– Ce fut un plaisir, rétorqua l'adolescent avec morgue et insolence.

Il se moquait de ce que pouvaient penser ses interlocuteurs. Il était à bout, épuisé, et, perdu pour perdu, autant faire montre d'un peu d'impertinence.

– Maîtrisez-vous, Bond, lança Haight en donnant à James une taloche derrière la tête. Je vous conseille de faire preuve d'un peu plus de respect.

Le mot lui fit l'effet d'une bombe. Il sortit soudain de son abattement et sentit la rage bouillir en lui. Il repensa à Victor, à Mauro et à Amy.

– Du respect ? s'étrangla-t-il. Et pour qui ? Pour lui ?

– Ne vous rendez pas la vie impossible, conseilla Haight. Je vous croyais plus raisonnable.

– C'est un meurtrier et un voleur.

– Vous ne savez rien de moi, trancha Ugo.

– Que vous croyez, répondit James. Je sais par exemple que vous n'êtes pas un vrai comte, mais un vulgaire gardien de chèvres de la Barbagia.

– Bond ! hurla Haight. Encore une remarque impertinente et vous allez avoir de sérieux ennuis. Le comte Ugo est un très grand homme.

James ricana ostensiblement. Ugo le fusilla du regard. Il le regardait avec des yeux pleins de colère, se mordillant la lèvre inférieure comme un gamin capricieux au bord de la crise de nerfs.

– Je suis peut-être né dans ces montagnes, se défendit-il quand il eut desserré les mâchoires. Mais j'ai évolué. Je me suis élevé au-dessus de ces racailles. – Il se frappa la poitrine. – Un jour, le monde entier reconnaîtra ma splendeur.

– C'est sûr, rétorqua James. Vous allez bâtir un empire. Une dynastie d'instituteurs, de bandits et de bergers endimanchés qui marcheront au pas de l'oie dans leur uniforme d'opérette.

Haight blêmit de rage.

– Votre comportement est inacceptable, James.

– Et je vous le copie cent fois, c'est ça, monsieur ? « Je ne serai pas impoli avec les meurtriers. »

– Je vous préviens, Bond, encore une remarque insolente et vous allez le regretter, menaça Haight.

– Mais c'est pire qu'à l'école, répondit James, ironique.

N'y tenant plus, Haight le gifla. La blessure que James s'était faite au visage en s'écrasant tête la première sur l'arête du toit se rouvrit. Il plaqua une main sur la plaie pour stopper le saignement.

– Il fut un temps où je vous appréciais, monsieur Haight.

– Écoutez, répliqua l'enseignant sur un ton conciliant. Il n'y a aucune raison de nous mettre dans tous nos états. Nous ne sommes pas là pour vous punir. Si vous nous dites qui vous a aidé ce soir, on oublie toute cette histoire, d'accord ? Qu'est-ce que vous en pensez ?

– Personne ne m'a aidé.

D'une voix grinçante, Smiler grogna quelque chose en latin.

James n'était pas censé comprendre ce qu'il disait. Il reconnut néanmoins un mot : *occide*, tue-le.

Haight répliqua, lui aussi en latin, et tous deux argumentèrent pendant un moment.

James frissonna. C'étaient les deux voix qu'il avait entendues dans la nuit, à Eton, alors qu'il était caché dans le lierre : celles de Smiler et de Haight. Le premier avec son ton cassant et sa parfaite maîtrise de la langue d'Ovide, le second avec son fort accent anglais dont il ne se départait pas, même en latin.

C'est Ugo qui mit fin à la discussion, s'exprimant délibérément en anglais pour que James comprenne ce qu'il disait.

– On ne peut pas le tuer maintenant, Smiler. Nous devons d'abord découvrir qui l'a aidé et comment il a su où la fille se trouvait.

– Je vous l'ai déjà dit, déclara James d'un ton las. Personne ne m'a aidé.

– Monsieur James Bond, dit Ugo, soudain presque paternel, je suis quelqu'un de raisonnable, vous savez. Mais je déteste qu'on me mène en bateau. Je hais autant les balivernes que le désordre et la crasse.

Le souvenir de Mauro retirant délicatement les épines d'oursin de son pied meurtri lui revint à l'esprit. Une fois de plus, son sang ne fit qu'un tour.

– C'est ça, éructa James, fou de colère. Vous pouvez sans sourciller donner l'ordre de tuer des gens, mais vous ne voulez pas voir la moindre goutte de sang. Peut-être même que vous avez oublié à quoi ça ressemble…

Ce disant, il secoua la main au-dessus du bureau. Le sang éclaboussa la table et macula le costume blanc du comte.

– Du sang humain, voyez-vous ? poursuivit James, toujours aussi énervé. Pas du sang de taureau. Car c'est bien de cela qu'il s'agit. Des gens meurent à cause de vous.

Ugo resta un instant debout sans bouger, pétrifié, tremblant, paralysé de dégoût, puis il retira vivement sa veste tachée, déchirant les coutures dans sa hâte. Il planta son regard dans celui de Haight. Celui-ci rougit et baissa les yeux sur ses chaussures.

– Peter, balbutia Ugo en frottant comme un fou une petite tache de sang sur sa chemise. C'est votre faute. Vous auriez dû faire plus attention.

– Désolé, comte, répondit Haight, penaud.

– Désolé ? Ça ne suffit pas. Puissiez-vous ne pas commettre une autre erreur, sinon, croyez-moi, vous aurez à le regretter.

– Il n'y en aura pas d'autre, faites-moi confiance.

– Confiance ? s'étrangla Ugo. Ne soyez pas ridicule, Haight. Vous pouvez d'ores et déjà bannir ce mot de votre vocabulaire. Je ne fais confiance à personne. Je suis un criminel et tous ceux qui travaillent pour moi le sont également, comment voulez-vous que je puisse faire confiance à qui que ce soit ? Dans mon monde, le pouvoir se fonde sur la crainte. Et si jamais un problème survient, je le règle à coups de revolver ou de couteau. Alors j'espère pour vous, Peter, que vous ne me causerez jamais le moindre problème, et que vous saurez gérer les vôtres.

Après quoi, il débita à toute allure une série d'instructions à ses gardes qui, dans la seconde, traînèrent James hors de la pièce.

Dans la cabine du funiculaire qui grimpait à flanc de falaise en direction du barrage, M. Cooper-ffrench était plus qu'inquiet. Non seulement il devait lutter contre la fatigue mais aussi contre l'angoisse. Peter Haight était parti à la recherche de James Bond, et, à l'heure qu'il était, n'avait toujours pas reparu. Ne le voyant pas revenir, Cooper-ffrench n'eut d'autre choix que d'abandonner les garçons au camp, sous la surveillance du guide italien, Quintino, pour partir lui-même aux nouvelles.

Le garde le regardait avec des yeux endormis, impassibles, tandis qu'il triturait nerveusement sa moustache, les yeux fixés au-dehors. Il ne distinguait pas grand-chose sinon la bordure du barrage qui se détachait sur le ciel nocturne. Il consulta sa montre pour la énième fois depuis qu'il s'était levé et qu'on lui avait transmis le message qui l'avait plongé dans une telle panique.

Enfin, dans un dernier cahot contre les butoirs, la cabine s'arrêta. Le garde ouvrit la portière. Cooper-ffrench descendit de voiture. À quai, deux autres gardes le jaugèrent de la tête aux pieds. Visiblement indifférents à ce qu'il venait faire ici, ils retournèrent bien vite à leur guérite enfumée pour jouer aux cartes.

Il jeta un œil sur les eaux noires du lac et remarqua la lourde silhouette de l'hydravion, sagement amarré à son appontement.

L'air était bien plus frais ici que dans la vallée, ce qui n'était pas un mal car, dans son épais costume, il éprouvait de terribles démangeaisons et avait le plus grand mal à s'empêcher de transpirer en permanence. En plus, il n'y avait pas de moustiques sur ces hauteurs. Il haïssait ces satanées bestioles qui transformaient toutes ses soirées en calvaire.

Il longea le barrage, n'entendant rien d'autre que l'écho de ses talons cognant sur le béton, amplifié par les falaises alentour.

À contre-jour entre deux lampadaires, il distingua une ombre, devant lui. Il plissa les paupières sans parvenir à l'identifier.

– Excusez-moi ? appela-t-il timidement.

L'ombre avança dans la lumière.

Peter Haight.

– Peter ? demanda Cooper-ffrench, seulement à moitié rassuré. Vous l'avez trouvé ? Il est ici ?

Haight secoua la tête.

– J'ai bien peur que non. Mais vous, mon vieux, que diable faites-vous ici ?

Cooper-ffrench se racla la gorge.

– Un des domestiques d'Ugo est descendu au camp. Il a

dit que Bond était ici, au *palazzo*, et que je devais me dépêcher.

– C'est bien ce que j'ai cru comprendre moi aussi, répliqua Haight avec le plus grand calme, mais je suis au regret de vous dire que je n'ai trouvé aucun signe de sa présence ici.

– Tout cela est très inquiétant.

– Que pensez-vous que nous devrions faire ? demanda Haight en allumant une cigarette. Attendre ?

– Je ne sais pas, répondit prudemment Cooper-ffrench.

Il ne faisait pas confiance à Haight. Depuis le premier jour, il s'en méfiait.

– Vous avez bien regardé partout ?

– Affirmatif, trancha Haight. Même s'il fait trop sombre pour y voir quoi que ce soit. Mais écoutez, mon vieux, il y a une chose dont j'aimerais vous parler.

– Ah oui ?

– Absolument, répondit Haight en expirant une longue bouffée de fumée.

Il sortit une petite flasque de sa poche.

– Voulez-vous un peu de brandy ? Cela nous aidera peut-être à rester éveillés…

– Pas pour moi, merci, déclina Cooper-ffrench. Il est déjà tard et j'ai beaucoup de mal à digérer en ce moment. Alors ? De quoi voulez-vous me parler ?

Haight avala une lampée de brandy.

– J'ai découvert des choses inquiétantes concernant notre hôte, le grand Ugo Carnifex, et j'ai bien peur qu'il ne soit en train de préparer un mauvais coup.

– Que voulez-vous dire ?

– Avez-vous déjà entendu parler d'un groupuscule appelé la Millenaria ? demanda Haight.

Cooper-ffrench hésita.

– Un peu, concéda-t-il finalement.

– Eh bien, d'après les renseignements que j'ai pu glaner, ceci est leur quartier général et le comte est à leur tête. Cet endroit grouille de comploteurs et d'escrocs.

Pendant quelques minutes, Cooper-ffrench ne répondit rien. Peut-être qu'il s'était trompé sur le compte de Haight. Malgré tout, il ne lui faisait pas confiance.

– Comment l'avez-vous appris ?

– J'ai parlé aux gens du village, répliqua Haight.

– Et vous n'étiez pas du tout au courant avant ?

– Comment l'aurais-je su ? demanda-t-il avec un froncement de sourcils.

– Peut-être parce que…

Cooper-ffrench hésita un instant puis décida d'abattre son jeu.

– J'ai déjà vu un de ces gars avant.

– Comment ça ? demanda Haight, pendu aux lèvres de son collègue.

– Eh bien, comme vous le savez sûrement, je suis passionné d'archéologie.

– Et…

– Pendant longtemps, j'ai essayé de localiser une chapelle dédiée au dieu romain Mithra, quelque part dans Eton. Il en est fait mention dans plusieurs documents historiques, malheureusement perdus depuis des siècles. J'ai toutes les raisons de penser qu'elle a été bâtie sur les ruines d'un temple celte consacré à la déesse Tamesis, à laquelle la Tamise doit son nom.

– J'ai bien peur de ne pas vous suivre, John. Où voulez-vous en venir ?

– J'y arrive à l'instant. Voyez-vous, j'ai toujours pensé que, si j'arrivais à trouver cette chapelle, ce serait une importante découverte. Mes recherches m'ont conduit à une maison d'Eton apparemment inoccupée. Je m'y suis souvent rendu, mais, malheureusement, sans jamais réussir à y entrer. Et puis, un après-midi, j'ai trouvé la porte ouverte. Je suis donc entré et, à l'intérieur, j'ai découvert un homme plutôt inquiétant, un Écossais aux joues balafrées avec deux M majuscules tatoués sur les mains. M, comme Millenaria.

– Mon Dieu ! s'exclama Haight. J'ai vu cet homme ici même, au palais. Vous dites qu'il était à Eton ?

– En personne. Étrange, n'est-ce pas ?

– Et pourquoi ne m'avez-vous rien dit ?

Gêné, le rouge aux joues, Cooper-ffrench se racla à nouveau la gorge et déclara :

– Je dois avouer que je nourrissais quelques soupçons à votre égard, Peter. Je me demandais si vous n'étiez pas impliqué d'une manière ou d'une autre.

– Moi ? lança Haight en riant. Impliqué avec des criminels au sein d'obscures sociétés secrètes italiennes ? Comment diable en êtes-vous arrivé à cette conclusion ?

– Je sais… Cela semble ridicule aujourd'hui, marmonna Cooper-ffrench. Et, croyez-moi, cela m'ôte un grand poids de vous parler de la sorte… Euh, finalement, je prendrais bien un nuage de brandy.

Haight lui passa la flasque. Cooper-ffrench avala une courte goulée. Les deux hommes avançaient le long du parapet, en surplomb du palais et de l'aqueduc.

– Avez-vous fait part de vos soupçons à qui que ce soit ? demanda Haight innocemment.

– Vous n'y pensez pas, répliqua Cooper-ffrench en secouant vigoureusement la tête. Et si mes craintes s'étaient révélées infondées ? En aucun cas je n'aurais voulu créer un scandale à l'école. Mais, comme je savais que vous alliez régulièrement en Sardaigne et que la Millenaria a sa base ici, je préférais avancer prudemment… tout en gardant un œil sur vous.

Haight regarda Cooper-ffrench. C'était donc ça. Voilà pourquoi il ne cessait de lui tourner autour et pourquoi il avait débarqué comme un cheveu sur la soupe dans ce voyage. Le pauvre idiot ! Il n'avait pas idée du sac de nœuds dans lequel il était tombé.

Haight passa un bras autour des épaules de Cooper-ffrench.

– Dès demain, nous emmenons les garçons loin de cet endroit.

– Très bonne idée, répondit Cooper-ffrench. Cet endroit est funeste. Nous devons absolument avertir les autorités.

– Vous avez raison, concéda Haight.

– Et le jeune Bond ? demanda soudain Cooper-ffrench. Où diable a-t-il bien pu se fourrer ?

– Ne vous inquiétez pas. Je vais tirer tout ça au clair.

Ce disant, Haight posa sa main entre les omoplates de Cooper-ffrench et le poussa sèchement vers l'avant.

Il n'eut que le temps de hurler « Haight ! » avant de passer par-dessus le parapet.

Peter Haight le regarda tomber. Il lui sembla qu'il mettait un temps interminable à toucher le sol.

– Il est tombé des nues, déclara-t-il finalement en lançant la flasque de brandy vide après lui.

Un peu de sadisme avant le souper

James avait été enfermé dans une resserre à outils vide au plus profond des galeries de la mine, sous le *palazzo*. La porte en ferraille était verrouillée à double tour et l'on avait éteint la lumière de l'extérieur. Une forte odeur de cave emplissait ce ténébreux réduit.

Il n'avait aucune idée de l'heure, il ne savait même pas s'il faisait jour ou nuit.

Il avait un peu dormi. Un sommeil profond, peuplé de rêves bizarres, dont il était sorti vaseux et souffreteux, perclus de courbatures et couvert d'hématomes, si raide que son corps lui donnait l'impression d'avoir été piétiné par un troupeau d'éléphants. En plus des bleus au visage et aux mains qu'il avait récoltés durant le match de boxe, il y avait les blessures de la course-poursuite sur les toits, sans parler de l'œuf de pigeon qu'il avait sur le crâne depuis le fric-frac chez Victor.

Il savait pertinemment qu'il était inutile de tenter de fuir. Tout ce qu'il pouvait faire, c'était inventer une histoire pour couvrir Stefano, l'ami de Mauro. Il se sentait déjà partiellement responsable de la mort de ce dernier, il ne pourrait supporter que Stefano subisse le même sort à cause de lui.

Son seul espoir était Cooper-ffrench. Le maître de conférences ne manquerait pas de bientôt sonner l'alarme et de retourner ciel et terre pour le retrouver.

Il n'arrivait toujours pas à croire qu'il avait été assez stupide pour faire confiance à Peter Haight.

Tout cela était si clair maintenant.

C'était Haight qui avait organisé ce voyage d'étude en Sardaigne, au plus fort de l'été. Comme ça, en prétextant assister au carnaval donné par Ugo, il pouvait lui livrer les toiles volées. James se souvint des canevas roulés dans le sac de Haight, ce fameux sac dont il ne se séparait jamais. En plus, grâce à son statut, il avait disposé de la plus parfaite des couvertures pour passer en contrebande des œuvres d'art volées : un inoffensif prof de lycée en voyage d'étude avec ses élèves.

Haight avait questionné les garçons à propos des collections que possédaient leurs familles. Il avait ainsi appris sans se fatiguer où se trouvait chaque pièce et même quand les propriétaires s'absentaient. Lui seul était au courant pour la précieuse statuette à bord de la goélette des Goodenough. L'affection qu'il avait témoignée à Mark n'avait rien à voir avec de l'empathie. C'était juste qu'il se sentait coupable de ce qui s'était passé. Tous les autres vols s'étaient déroulés sans anicroche, rapides et efficaces. Personne n'avait été blessé. En revanche, celui-là avait mal tourné et des gens avaient péri.

La lumière s'alluma. James se leva en sursaut. Et, même si l'ampoule ne diffusait qu'une faible lueur orange, il cligna des paupières et se protégea les yeux du plat de la main.

Une clé racla dans la serrure. La porte s'ouvrit en grinçant.

Smiler et le comte Ugo pénétrèrent dans le réduit.

Smiler balaya d'une main la poussière qui se trouvait sur une caisse de bois et s'y assit.

279

Ugo jaugea l'état de saleté de l'endroit, fit la fine bouche, et décida de rester debout.

— Mon cher James Bond, commença-t-il bientôt, au cours de ma carrière, j'ai eu affaire à des soldats, à des bandits, à des pirates et à des meurtriers de tous poils. Ce n'est pas un vulgaire lycéen qui va me résister. Tout ce que je vous demande, c'est de répondre à quelques questions, après quoi, nous pourrons clore le chapitre.

— Et vous me laisserez partir ? ajouta James aussitôt. Après tout, je ne suis qu'un vulgaire lycéen.

— Pourquoi pas ? répondit Ugo. Comme je viens de vous le dire, vous ne me faites absolument pas peur. J'imagine que l'idée infantile d'alerter la police ou d'envoyer l'armée pour libérer la fille vous a traversé l'esprit, mais je vous conseille d'oublier tout ça. Comme vous le savez sûrement, j'ai beaucoup de pouvoir sur cette île. Et les hommes sont vénaux. Il suffit de pas grand-chose pour corrompre un officier de police. Je leur donne de l'argent et ils ferment les yeux. Même chose pour l'armée. Et puis nous sommes sardes avant tout. Ensuite, seulement, italiens. Le peuple de Sardaigne éprouve plus de loyauté pour moi que pour Mussolini. C'est normal, moi je lui offre l'espoir. Ce pays est pauvre. Grâce à moi il va devenir riche.

— En volant des peintures ? coupa James.

Ugo éclata de rire.

— Quand l'empereur Napoléon a conquis l'Europe, il a pillé toutes les richesses qu'il a trouvées. Il a vidé les musées et les collections privées de leur contenu pour l'exposer ensuite à Paris, en l'honneur de son empire. C'est exactement ce que je vais faire. Mes fidèles sont partout. Aux quatre coins de ce qui fut jadis l'Empire romain : en Espagne, en France, au Maghreb, au Moyen-Orient, en Allemagne et, bien sûr, en Angleterre. Ils me rapportent des trésors venus de partout. La plupart du temps, j'échange ces œuvres contre de l'argent. En revanche, l'art italien, je le garde par-devers moi. Un empereur doit se comporter en empereur et en posséder tous les attributs. Il doit être entouré des choses les plus raffinées. Je veux devenir un nouveau César, un nouveau Napoléon. Un jour j'exposerai au monde ma magnificence, même si, pour l'instant, j'agis encore de façon souterraine.

– Comme un rat, ironisa James, comme un rat dans un égout.

– Bon. Nous avons déjà perdu beaucoup de temps. Et je suis très occupé. Alors dites-moi comment vous avez appris pour Amy Goodenough. Qui vous a indiqué sa cellule ? Qui vous a aidé ?

– Personne.

– Vous pensez peut-être que quelqu'un va venir vous libérer, déclara Ugo à voix basse. Mais ce n'est pas près d'arriver. Le signor Delacroix est rentré à la maison et le signor Cooper-ffrench a été victime d'un malheureux accident. Il semblerait que la folie du carnaval se soit emparée de lui. La nuit dernière, il s'est saoulé et il est tombé du haut de mon barrage. Une bien triste fin, en vérité. Maintenant, dites-moi qui vous a aidé.

James sentit sa gorge se nouer et une froide nausée l'envahir.

– Personne ne m'a aidé.

Il devait à tout prix s'en tenir à cette version, garder le cap. Gagner suffisamment de temps pour que Stefano puisse fuir et ne pas prendre le même chemin que Cooper-ffrench.

Ugo esquissa un sourire et passa la main dans sa chevelure argentée et sèche, coupée en brosse.

– J'obtiendrai cette information. Je connais le moyen… Je vais vous emmener à la chasse. Vous aimez la chasse, monsieur Bond ?

James haussa les épaules.

– Peu importe, ajouta le comte, car, dans cette chasse, vous ne serez pas chasseur, mais gibier.

Son sourire se fit plus carnassier encore.

– Et j'ai bien peur que les chances ne soient pas égales…

– Rien d'étonnant à cela, rétorqua James. Je connais votre goût pour les combats loyaux.

– Je vais vous attacher à un piquet, poursuivit Ugo, comme appât. Mais quel animal va vous attaquer ? Vous avez une idée ?

– Non, répondit James d'une voix blanche.

– La créature la plus fatale du monde, déclara Ugo, celle qui fait le plus de victimes. Vous savez ce que c'est ? Vous pensez peut-être au tigre, mais non, ce n'est pas un tigre. Oh ! il y a bien quelques malheureux qui périssent chaque année sous les griffes d'un tigre ou d'un lion, mais pas tant que ça. Crocodile ? Encore une fois, non. Seulement une poignée de victimes. Des serpents alors ? Il est vrai qu'il en existe de vraiment redoutables sur cette planète, mais pas en Sardaigne. Une araignée ? Non plus. Les bêtes qui vont vous attaquer sont les pires de toutes. Elles tuent des millions de gens chaque année.

Ugo s'approcha de la porte. Son garde l'ouvrit pour lui.

– Pensez-y, monsieur Bond. Essayez de trouver quel animal ça peut bien être. Cela vous rendra éventuellement plus causant. En même temps, j'espère bien que vous n'allez pas vous mettre à table dans l'instant car je vais adorer vous voir souffrir. Voyez-vous, ma vie ici est d'un ennui… Un peu de sadisme avant le souper m'ouvrira certainement l'appétit. Venez, Smiler.

Les deux hommes s'en retournèrent d'où ils étaient venus et James resta à nouveau seul.

Plongeant sa main dans sa poche, il y sentit quelque

chose. La bague en argent que Jana lui avait donnée en trophée. Il la regarda en la faisant tourner entre ses doigts
meurtris.

Elle avait quelque chose d'étrange mais, avant qu'il ait eu
le temps de comprendre ce que c'était, la lumière s'éteignit.
Il se laissa lentement glisser par terre et il resta assis là, à
broyer du noir en tournant et en retournant la bague.

Quelque temps plus tard – comment savoir si c'était une
heure ou bien deux –, il eut une autre visite : Zoltan le
Magyar, qui lui apportait de la nourriture.

– James ! s'exclama-t-il en lui jetant un morceau de pain
et un petit bout de porc froid. Toujours en galère, hein ?
Mais qu'est-ce que nous allons faire de toi, je me le
demande ?

James ne répondit rien, se jetant sur la nourriture avec
une voracité non feinte sous le regard amusé de Zoltan.

– Ugo ne sait pas que je suis ici. Alors motus ! Ce sera
notre petit secret.

– Qu'attendez-vous de moi ? Et surtout évitez les boni-
ments. Je vous connais.

– Je peux t'aider, James.

– Pas besoin d'aide.

– Tu es fort, consentit Zoltan d'une voix calme. Mais
Ugo va te briser. Pourquoi refuser mon aide ?

– Pourquoi voudriez-vous me donner un coup de main ?
Quel est votre intérêt là-dedans ?

– Je veux reprendre Amy. Et toi, tu sais où elle est. Dans
un sens, nous voulons la même chose tous les deux.

– Pas exactement, répondit James d'un ton mordant.
Moi, je veux la libérer, vous, vous voulez la vendre.

– Je ne veux pas que cela.

– Vous fatiguez pas. Elle m'a raconté que vous essayiez de

rançonner sa famille. Qu'est-ce qu'elle peut vous apporter de plus ?

– Bonne question, répondit Zoltan. Je me la pose depuis le départ. Je ne sais pas… Je sens qu'il y a quelque chose entre nous. Peut-être parce qu'elle a failli me tuer. Nos destins sont liés. Je ne suis même plus certain de vouloir la vendre. Je veux l'avoir auprès de moi.

– Pourquoi ?

– Moi-même, j'aimerais bien le savoir. Elle est trop jeune – et moi bien trop vieux – pour qu'on puisse envisager le mariage et, qui plus est, elle me hait. J'ai tué son père, pas la meilleure façon de gagner le cœur d'une fille…

– Ah ça… Je n'y connais pas grand-chose, mais on peut penser que des fleurs ou des chocolats auraient fait meilleur effet.

Zoltan éclata de rire avant de reprendre à voix basse :

– James, je ne veux pas qu'on lui fasse du mal.

– Et si vous la récupérez, que ferez-vous d'elle ?

– Je ne sais pas. C'était ma prise de guerre. Mais tout ce que j'ai jamais eu de bien, Ugo me l'a pris. Il se voit comme un nouvel empereur romain. Pfff ! Juste un voleur, une crapule.

– Exactement comme vous.

– Peut-être, mais au moins je sais ce que je suis et je ne joue pas à être quelqu'un d'autre.

– Un voleur honnête, donc. J'ignorais que de telles choses existaient.

Zoltan le regarda avec un sourire.

– Je n'ai jamais fini de te raconter l'histoire d'Ugo, n'est-ce pas ? Ce qui lui est arrivé pendant la guerre.

– Non, en effet. Vous l'avez laissé tout nu sous la douche face à un soldat allemand.

– Pas allemand, hongrois !

– Mais oui… Je me demandais comment vous aviez pu être aussi bien informé sur ce qui s'était passé ce jour-là… C'était vous, n'est-ce pas ?

– Affirmatif, répondit Zoltan. C'était moi, et c'est comme ça que j'ai rencontré Ugo.

Zoltan s'appuya contre une caisse et s'essuya le visage. Il était trempé de sueur. Ses yeux pâles brillaient d'un maladif éclat jaunâtre. Il prit une profonde inspiration qui siffla dans sa poitrine.

– Alors ? Que s'est-il passé ?

– Avant que quiconque ait appuyé sur la gâchette, j'ai vu quelque chose d'extraordinaire. Certaines des balles qui avaient été tirées durant notre échauffourée avaient traversé le plancher et fait un trou à travers lequel j'ai vu briller de l'or. Le trésor du palais était caché sous la salle d'eau. Les propriétaires avaient enfoui là tous leurs objets de valeur au moment où la guerre avait éclaté. Dans notre excitation, nous en oubliâmes que nous étions ennemis. On s'est jetés sur le trou, et on a vu une fortune. Le frère d'Ugo, Guido, était un homme très croyant. Pour lui, il ne fallait pas y toucher. Dix minutes plus tard, il était mort, le couteau d'Ugo planté entre les deux omoplates. Carnifex venait de tuer son propre frère, celui-là même qui venait de lui sauver la vie. Et tout ça pour quoi ? Pour l'or.

Ugo et moi avons travaillé dur. On a extrait le trésor de sa cachette, puis on l'a traîné dehors et enterré dans les bois. Ensuite, on a fait le serment de n'en parler à personne et on a pris rendez-vous à la fin de la guerre. J'en avais assez de me battre. Alors j'ai fait route vers le sud. J'ai traversé l'Albanie et je suis arrivé en Grèce, où j'ai débuté ma glorieuse carrière de pirate contrebandier.

– Le trésor était toujours là quand vous êtes revenu ?

Zoltan éclata de rire.

– Et tu crois quoi, gamin ? À ton avis, pourquoi est-ce qu'Ugo est un homme riche aujourd'hui alors que moi je n'ai que mon bateau et les frusques que j'ai sur le dos ?

– Il vous a doublé, c'est ça ?

– Exact. Il a vendu l'essentiel. Toutes les pièces facilement négociables, c'est-à-dire tout l'or et l'argent. Le reste, il me l'a gentiment confié pour que je le recèle. Je connais beaucoup de monde autour de la Méditerranée. Des gens qui posent peu de questions. On faisait fifty-fifty sur les profits avec, toujours, la promesse qu'il y aurait de nouvelles pièces à fourguer, encore plus précieuses.

Mais, tandis que moi je vivais la vie de contrebandier, au jour le jour, dépensant l'argent plus vite que je ne le gagnais, Ugo était plus malin. Il voulait un palais semblable à celui que nous avions pillé. Donc il garda son argent et se lança dans la prospection minière.

James vit une lueur d'espoir percer l'épais manteau de son malheur. Peut-être y avait-il encore quelqu'un pour l'aider. Quelqu'un d'improbable, certes, mais un allié tout de même. Un pirate hongrois blessé.

– Vous ne participez pas au complot des millénaristes, n'est-ce pas ?

– Non, répondit Zoltan. Tout ce que je veux c'est récupérer mon fric et m'en aller.

– Ugo ne vous a pas encore payé ?

– Non. Je lui ai apporté exactement ce qu'il voulait, mais il tarde à envoyer l'oseille.

Une lueur de rancune et de haine illumina les yeux de Zoltan. Il y avait sûrement un moyen de l'utiliser contre Ugo, mais il fallait assurer le coup.

– Il ne vous paiera jamais.

Zoltan parut choqué.

– Quoi ?

– Il vous trahira une fois de plus. Pourquoi lui feriez-vous confiance ?

– Tu es sage pour un gamin, répondit Zoltan en le regardant droit dans les yeux.

– Est-ce moi qui suis sage ou vous qui êtes débile ?

Durant un instant, Zoltan sembla prêt à l'étrangler. Mais, finalement, ses traits se radoucirent et il éclata de rire.

– Tu as de la chance, James. Je t'aime bien. Mais des hommes sont morts pour moins que ça.

Le garçon sortit quelque chose de sa poche et le tendit à Zoltan.

– C'est quoi ça ? demanda le pirate. Une bague ?

– À votre avis. Combien ça vaut ?

– Rien, répondit Zoltan en lui rendant vivement l'objet. C'est du toc.

– Pas de l'argent ? demanda James.

– Mmh mmh !

– C'est bien ce que je pensais.

– Où l'as-tu eue ?

– C'est la ravissante comtesse Jana qui me l'a donnée. Ugo se donne des airs de nabab, mais, en fait, il est fauché comme les blés. Il a tout englouti dans la construction de cet endroit. Il est aussi faux que cette bague. Victor m'a dit qu'il n'y avait jamais eu le moindre gramme d'argent dans ces roches. Il vend de l'art volé pour gagner le peu qu'il a. Jamais il ne vous paiera. Tout simplement parce qu'il n'en a pas les moyens. Et à votre avis ? Pourquoi tient-il tellement à se faire de nouveaux alliés ? Parce qu'ils sont riches.

Zoltan était sur le point de répondre. Il fut interrompu par le cliquetis d'une clé dans la serrure de la porte. Smiler, accompagné d'un jeune garde sale et débraillé, entra dans la pièce. Ses yeux se posèrent sur Zoltan et, cette fois, James était en mesure d'affirmer qu'il ne riait pas.

La créature la plus
meurtrière de toutes

– Qu'est-ce que tu fais ici ? demanda l'Écossais.

– Pas tes oignons, répondit Zoltan en se redressant.

– J'ai dit : qu'est-ce que tu fais ici ? répéta-t-il d'une voix menaçante.

– Tu sais, James, expliqua Zoltan, avant, Smiler travaillait pour moi. Il faisait partie de l'équipage. Mais, dès qu'il a rencontré Ugo, son petit cœur avide lui a commandé de quitter le navire et de faire son chemin dans le monde.

– Toi, tu es un tocard. J'ai juste choisi le meilleur cheval.

– Comme toujours, ajouta Zoltan en posant sa main valide sur l'épaule de James. Tu vois sa balafre, James ? Ce sont les gars de son premier gang, à Glasgow, qui lui ont fait ça. Quand ils se sont rendu compte qu'il les balançait tous un par un aux poulets. Le plus drôle, tu sais ce que c'est ? C'est que Smiler est un bon chrétien. Avant de se tourner vers le crime, il a fait le séminaire. Mais qu'est-ce qui s'est passé, hein, Smiler ? Pourquoi ne racontes-tu pas au garçon ?

– C'était chez les jésuites, embraya Smiler d'un ton affable, tout content de pouvoir enfin parler de lui. Ils avaient un vrai penchant pour les corrections et les sévices corporels. Au fouet, à la règle, au nerf de bœuf… Un jour, j'en ai eu ma claque. J'ai arraché la trique des mains du père McCann et je lui ai fracassé le crâne avec. Ensuite je me suis enfui et j'ai rejoint un des gangs de la ville, une confrérie plus en adéquation avec mes aspirations.

— Jusqu'à ce que tu les trahisses, ajouta Zoltan.

— Je n'ai jamais éprouvé de loyauté pour quelqu'un d'autre que moi.

— Bien sûr. Tu as commencé par trahir ton Dieu. Ce n'est pas trahir quelques pêcheurs qui va t'arrêter.

Sur ce, Zoltan quitta la pièce. James entendit ses pas s'éloigner dans le couloir.

Smiler n'eut même pas besoin de s'adresser à son sous-fifre pour que celui-ci traîne James hors de son cachot.

Suivis de près par Smiler, ils avancèrent ensuite dans les innombrables galeries de la mine. Régulièrement, le jeune garde assenait un coup à son prisonnier pour l'obliger à se tenir droit. Au bout de quelques minutes, ils parvinrent à un poste de garde enfoncé dans un mur. La cahute était occupée par deux hommes armés qui contrôlaient une sortie. L'un d'eux leva les yeux vers Smiler en opinant du chef. Celui-ci ouvrit violemment la porte et jeta James au-dehors, non sans en profiter pour lui donner un bon coup de pied aux fesses.

James tituba dans la chaleur du jour, clignant des yeux dans l'intensité du soleil. Un bourdonnement d'insectes emplissait l'air. Il se sentit soudain tout bizarre, étourdi et les jambes molles. Un violent coup au bas des reins se chargea de le ramener instantanément à la réalité.

Ils étaient très bas par rapport au palais, au pied de l'immense ravin traversé par les hautes arches de l'aqueduc. Ils marchèrent quelques mètres à découvert, sur une aire caillouteuse et plane puis s'engagèrent sur un sentier qui s'enfonçait dans un épais maquis. James caressa l'idée de s'enfuir, de détaler. Mais pour aller où ? Il avait perdu toute énergie. Il baissa les yeux sur sa poitrine et fut choqué de constater à quel point il était sale. Il y avait des croûtes de sang séché sur les guenilles qu'il portait et, là où sa peau était visible – dans les déchirures de ses vêtements –, ce n'était qu'un patchwork de bleus et d'écorchures.

L'air encore très chaud grouillait de mouches. Les deux hommes tentaient vainement de les chasser en bougonnant. Un peu plus loin, ils s'arrêtèrent au milieu du sentier pour se désaltérer. Ils se passèrent la gourde et, après une courte délibération, Smiler consentit à ce que James boive aussi. Il avala goulûment quelques rasades puis en versa au creux de sa main et se frotta le visage, une toilette rudimentaire dont, pour l'instant, il devrait se contenter.

À Eton, tous les matins, la Dame lui apportait de l'eau pour se laver et, quand son linge était sale, il lui suffisait de le poser devant sa porte. Ensuite, les vêtements sales disparaissaient comme par miracle avant de refaire leur apparition, quelques jours plus tard, lavés, repassés et impeccablement pliés, sur l'étagère en bois d'une guérite au bas de l'escalier principal qu'on appelait la dalle. Il avait toujours trouvé ça parfaitement normal, comme une sorte de dû. Mais jamais plus.

Après quelques minutes de marche, ils parvinrent à la rivière qui servait de déversoir au barrage. Un minuscule torrent boueux s'y jetait aussi, face à eux. Ils suivirent le ruisseau et pénétrèrent dans une gorge très profonde, à l'atmosphère moite et humide, couverte d'une végétation exubérante. Ils progressèrent lentement entre les arbustes, faisant bien attention à l'endroit où ils posaient les pieds car le sol détrempé devenait de plus en plus mou.

L'humeur des deux hommes s'assombrit en proportion

de leur progression dans le marais. À l'évidence, ils n'avaient pas plus envie que James de se retrouver là.

Un puissant bruit de ruissellement se fit entendre. James en déduisit qu'il devait s'agir d'une cascade, pourtant, au détour d'un talus, il découvrit une sortie d'égout qui émergeait de la roche. Un affreux liquide marron s'en échappait et se déversait dans un large bassin, dont le trop-plein ruisselait au hasard des accidents du terrain, où il donnait naissance à une succession de flaques et de mares d'eau stagnante.

Ils se trouvaient dans une cuvette naturelle où poussait un bosquet de chênes-lièges. James distinguait clairement les lignes claires qu'avaient laissées les écorçages passés. Mais, maintenant, ils étaient en train de crever, noyés par l'écoulement des eaux usées d'Ugo. D'autres plantes rabougries, aux feuilles couleur charbon, la plupart impossibles à identifier, émergeaient péniblement du sombre marais. Il était difficile de dire laquelle était vivante et laquelle ne l'était plus. Une horrible odeur de pet au chou pourri flottait dans l'air immobile. La puanteur s'insinua au fond des sinus de James.

Au centre du bassin de sédimentation, se trouvait une sorte d'île, hérissée de buissons de genévriers à l'air malade et d'un arbre mort, où Ugo les attendait aux côtés de Jana et Peter Haight.

Une jeune fille tenait un grand pare-soleil au-dessus de la tête du comte, assis sur une chaise pliante. Une autre le rafraîchissait en maintenant un ventilateur dans sa direction. Il portait des bottes cavalières noires impeccablement cirées qui s'arrêtaient juste au-dessous du genou et son costume blanc. Il plaquait fermement une serviette sur sa bouche et son nez afin de se protéger, autant que possible, de l'air nauséabond.

– Ah James, enfin, s'exclama-t-il à la vue du garçon. Comme c'est aimable à vous de vous joindre à nous.

Une de ses servantes fit un geste brusque avec son chasse-mouches pour éloigner un insecte récalcitrant.

Le bourdonnement aigu des moustiques était partout autour de lui. James baissa les yeux et en vit un qui était déjà passé à table sur son avant-bras. Il l'écrasa et, sous sa main, découvrit, non sans un certain plaisir, une belle tache rouge et noir à l'endroit même où l'insecte avait été réduit en bouillie.

– Un vrai poison, hein ? zézaya Ugo, sa dent d'argent lançant un éclair depuis l'ombre du pare-soleil. On a fait de notre mieux pour s'en débarrasser, mais c'est un ennemi redoutable, et il n'abandonne jamais. Bien ! Avant de commencer, pouvez-vous nous dire qui vous a aidé la nuit dernière ? Comme ça on pourra vous ramener au *palazzo* et vous donner des vêtements propres, un bain chaud et un bon repas.

Jusqu'ici, c'était la meilleure offre qu'on lui ait faite. Mais il ne dit rien, se contentant de regarder Ugo droit dans les yeux.

– Vous ne voulez pas parler ? Parfait, cela nous eût privés de notre petite séance de sport.

– Je ne vois pas le rapport avec le sport, objecta James. M'attacher à un piquet pour me faire dévorer par quelque chose.

– Un sport sanguinaire, lança Ugo, accompagné par le rire grinçant de Jana.

– Savez-vous enfin ce que c'est ? demanda-t-elle d'une voix traînante. L'animal qui tue le plus au monde ?

James explosa un moustique sur son poignet.

– Oui. Je sais, répondit-il en exhibant sa paume tachée de sang.

– Exactement, embraya Ugo. Le moustique. Chaque année, il cause la perte de millions de gens. C'est le fléau de cette île, qu'il a pratiquement rendue exsangue. Son cancer. Les gens ne peuvent pas participer au développement de nos terres parce qu'ils ont la malaria. Vous les avez vus comme moi déambuler dans les rues, l'œil vitreux et la peau jaune. Et encore, ceux-là sont ceux qui ont eu de la chance. Les autres mangent les pissenlits par la racine. Oh ! le gouvernement a bien consenti de gros efforts pour assécher les marais où les moustiques se reproduisent, mais, comme vous pouvez le constater, il nous reste encore pas mal de chemin à parcourir.

Ugo agita la main dans un essaim de moustiques. L'air commençait à grouiller d'insectes. Un malaise s'empara de James, grandissant au rythme des douloureuses piqûres.

– Mais peut-être ai-je été légèrement injuste envers ce cher moustique ? poursuivit Ugo. Car, en fait, l'insecte lui-même est plutôt inoffensif. C'est ce qu'il transporte avec lui qui est mortel, un parasite appelé plasmodium. *Via* la salive du moustique infecté, le parasite passe chez les victimes à chaque fois que notre vampire se met à table devant un bon bol de sang frais. Ensuite, le parasite se fixe sur le foie où il se développe avant de retourner dans le sang où il détruit les globules rouges. Alors surviennent de terribles fièvres, des crises de tremblements, d'atroces douleurs dans toutes les articulations, une migraine à vouloir se faire sauter la tête. Lentement, vos organes se détériorent, les vaisseaux sanguins à l'intérieur de votre cerveau se bouchent, et si vous n'êtes pas traité, vous mourez.

Ces mots effrayèrent James. Il n'avait pas pris de quinine depuis deux jours et, sur sa peau, il ne restait plus la moindre trace de répulsif. Il échangea un regard avec Peter Love-Haight, qui détourna rapidement les yeux et fixa ses pieds.

– Vous saviez que seule la femelle pique ? reprit Ugo sur le ton du badinage. Qu'est-ce qu'on dit déjà ? Que les femmes sont plus redoutables que les hommes ? Sans doute. Regardez ! Elles arrivent déjà. Elles ont détecté le dioxyde de carbone que vous expirez. Donc, si vous voulez vous en sortir, vous n'avez qu'à retenir votre respiration jusqu'à demain matin. – Il gloussa. – Je repasserai vous voir à ce moment-là. Peut-être qu'alors vous vous montrerez plus loquace.

Il aboya ensuite un ordre à Smiler, qui poussa James devant le comte avant de l'immobiliser en lui coinçant les bras dans le dos.

Jana s'avança et déchira le dernier pan de sa chemise.

– Quel dommage de gâter une si jolie peau ! dit-elle en sortant une fiole d'ambre de son sac. On dit que les moustiques apprécient le parfum. Ils ont bon goût. Et vous aussi vous allez avoir bon goût... au moins pour eux.

À ces mots, elle pulvérisa un épais nuage de parfum sur James qui toussa et éternua dans les lourds effluves entêtants, clignant des yeux pour les protéger.

– Les moustiques sont surtout actifs au crépuscule et à l'aube, même si, ici, il y en a presque en permanence, déclara Ugo quand elle eut terminé. Ce doit être l'endroit. Ils l'adorent. Au fait, au moment des premières piqûres, souvenez-vous ! Ce sera de pire... en pire... Vous allez finir par être entièrement recouvert d'un linceul à la fois statique et mouvant. Une chose fascinante. Des millions de femelles affamées qui, une à une, vont plonger leurs trompes sous votre peau. J'en connais que ça a rendus fous.

Ugo attrapa James au menton et lui releva violemment la tête, plantant ses yeux dans les siens.

– Vous ne voulez toujours pas parler ?

James baissa le regard. Déjà, deux moustiques étaient

posés sur son torse, à l'œuvre. Pour l'instant, c'était juste un chatouillis. La démangeaison viendrait plus tard. Et après ? Est-ce qu'un de ces deux-là était porteur du parasite mortel ? Comment savoir ?

– Très bien, très bien, je vais vous parler, déclara désespérément James.

– Le bon garçon, dit Haight. Je savais que vous finiriez par entendre raison. Alors ? Qui était-ce ?

– Zoltan.

Ugo resta un instant interdit. Sans quitter James des yeux, il tourna et retourna ce qu'il venait d'entendre dans son cerveau torturé et suspicieux.

– Ça n'a aucun sens, finit-il par déclarer.

– Que vous dites, répliqua James. Il vous hait. Vous l'avez doublé et arnaqué durant toute sa vie. Et, en plus, vous ne l'avez pas payé. Vous lui avez pris Amy. Il préférerait la voir libre que sous votre coupe.

– Je ne vous crois pas, dit Ugo sur un ton dubitatif.

James prit conscience qu'il avait planté une première banderille. Mais, après tout, c'est Ugo qui lui avait soufflé cette idée ! Monter les tribus les unes contre les autres, les faire se battre entre elles. Puis se retirer et revenir ensuite pour ramasser la mise.

– Vous n'êtes pas obligé de me croire, mais c'était Zoltan, répéta James. Qui d'autre était au courant qu'elle était séquestrée ici ?

– Non. Vous mentez…

Smiler s'avança et glissa quelque chose à l'oreille d'Ugo. Peut-être qu'il avait trouvé le Magyar dans la cellule de James ? Ugo se pinça les lèvres d'un air soucieux.

– Ça ne fait rien, lança-t-il à James. Que vous disiez la vérité ou pas ne fait aucune différence. J'ai ma réponse, on peut partir maintenant.

– Vous ne pouvez pas me laisser ici.

– Si, je peux, rétorqua Ugo. Je peux faire tout ce qui me plaît. Je reviendrai vous voir demain. J'aurais aimé rester pour regarder, mais ça va prendre beaucoup de temps, et j'ai horreur des mouches. Demain matin, vous serez en plein délire, attendri comme il faut. Je pourrai alors sans peine obtenir toute la vérité.

Pendant qu'Ugo, Jana et Haight s'éloignaient, Smiler força James à s'agenouiller.

– C'était Zoltan ! hurla-t-il désespérément. Je vous ai donné ce que vous vouliez. Laissez-moi partir.

– Pas question, trancha Ugo. *Arrivederci*, signor Bond, je vous souhaite de passer une bonne nuit.

Une dalle de béton, avec un anneau rouillé à chaque coin, était scellée dans le sol. Smiler et le garde y allongèrent James sur le dos, puis attachèrent ses poignets et ses chevilles aux anneaux à l'aide de lanières de cuir.

Le jeune garde avait une pomme d'Adam très saillante et les traits fins et harmonieux, mais il avait l'air stupide. Face à Smiler, il essayait d'en rajouter, pour lui montrer comme il était costaud et sans pitié. Il pouffa en attachant James au sol et, quand ils eurent terminé, lui donna un violent coup dans les côtes. Smiler l'injuria. Le jeune Sarde se replia sur un talus où il dégotta une souche pourrie sur laquelle il s'assit et alluma une cigarette qu'il grilla en faisant la moue.

Smiler lança un dernier regard à James, puis s'engagea, à la suite d'Ugo et des autres, hors du marais.

James secoua la tête. Un moustique venait de se poser près de sa bouche. L'insecte avança sur ses lèvres. Il tenta de le repousser en chassant sèchement une bouffée d'air par ses narines. Un autre rampait sur son poignet gauche, et il en sentait un troisième sur son oreille. Il tourna la tête et se râpa la joue sur le sol de béton. Avec sa susurration caractéristique, le moustique s'éleva brièvement dans les airs avant de se poser tranquillement sur sa poitrine où il entreprit de frotter son appendice nasal entre ses longues pattes de devant.

C'était sans espoir. Il ne pouvait raisonnablement pas compter se débarrasser de ces buveurs de sang en se secouant et en gigotant. Déjà quatre autres avaient rejoint celui du poignet. Il crispa les doigts, pianota, remua. Rien n'y fit. C'était l'heure de passer à table, et rien n'empêcherait qu'il serve de plat principal.

Des quatre coins de cet infâme cloaque s'envolaient des millions de petits points noirs qui, d'instinct, convergeaient tous vers lui en zigzaguant dans les airs, le ventre vide et pressés de remplir leurs soutes de sang frais. Le sien.

Il se sentit horriblement seul, et se demanda où il allait bien pouvoir trouver les ressources pour survivre à la longue nuit d'horreur qui s'annonçait.

Plus redoutable que les mâles

James nageait dans un océan de douleur. Les démangeaisons étaient intolérables. Il aurait voulu gratter chaque
parcelle de son corps, mais tout ce qu'il pouvait faire,
c'était se tortiller pitoyablement tandis que les moustiques
buvaient son sang. Il en avait partout. À chaque seconde, il
en arrivait de nouveaux. Ils se pressaient sur sa poitrine,
ses chevilles, ses bras, son cou, leurs longues pattes grêles
chatouillant son épiderme. Autour de sa tête, il en avait un
nuage, dont le vol emplissait l'air nocturne d'un infini
vrombissement plaintif. Quand ils rentraient dans ses
oreilles, le bruit devenait si fort qu'il avait l'impression
qu'on lui forait le cerveau à la perceuse.

Il n'y avait pas une créature au monde qu'il haïssait
autant. C'était comme si le Créateur, dans un inexplicable
élan de méchanceté, avait tout fait pour rendre cette espèce
détestable : une apparence répugnante, un comportement
répugnant et, même, un bruit répugnant. Non, le moustique n'a vraiment rien pour lui.

Les premiers arrivés étaient petits, mais, à mesure que la
nuit tombait, il en arrivait de bien plus gros, des mastards
gras et marron, au vol lourd, qui, à peine à destination,
plantaient leurs trompes dans sa peau jusqu'à la gueule.

Il aurait tout donné pour pouvoir utiliser sa main, ne serait-ce qu'une minute, pour écraser ces démons posés sur lui, avoir le plaisir de les voir écrabouillés et démembrés. Mais non. Allongé là, il ne pouvait pas faire un geste, et en était réduit à se tordre comme un ver pendant qu'ils suçaient son sang.

Lentement, la lumière déclina sur le marais jusqu'à ce qu'il fasse pratiquement aussi sombre que dans la cellule où il avait séjourné juste avant. D'une certaine manière, c'était encore pire dans le noir. Ne restait que le bruit. Et l'interminable aiguillon des piqûres.

Au début, il pouvait encore les identifier, le long de ses bras ou sur ses jambes mais, peu à peu, les morsures se fondirent les unes dans les autres, jusqu'à ce que tout son corps s'embrase. Pas un morceau de peau qui ne fût boursouflé, cloqué, enflé. Tout son métabolisme en était affecté, comme s'il réagissait aux germes avec lesquels il entrait en contact.

L'image de son sang, circulant dans ses membres, emportant le parasite avec lui, s'imprima sur sa rétine. Il suffisait qu'un seul soit porteur du parasite de la malaria et il serait infecté. À vie.

Il pria tous les saints de la Terre et du Ciel pour pouvoir oublier ne serait-ce qu'un instant cette agonie. Mais dormir était parfaitement impossible. Il avait trop mal. Si seulement il pouvait perdre connaissance. N'importe quoi pour échapper à cette torture.

Le jeune garde tenait une bouteille. James l'avait vaguement vu s'enivrer à mesure que le niveau du flacon baissait. Régulièrement, il s'aspergeait de répulsif en jurant contre les insectes. Par deux fois, il s'était approché de James, l'avait secoué du bout du pied, puis s'était moqué de lui en patois. La seconde il avait soufflé une longue bouffée de fumée sur le visage de James et il avait rigolé. James se fichait pas mal de ce qu'il pouvait faire. Au moins la fumée tiendrait-elle les insectes à distance pendant un précieux instant. Depuis, il n'était pas revenu. James ne voyait aucun signe de lui, pas même le bout incandescent de sa cigarette.

Il cracha un insecte qui s'était introduit dans sa bouche et se racla follement la gorge en secouant la tête comme un dément. Mais rien ne pouvait les arrêter. Ils n'étaient pas effrayés comme les autres animaux. Ils avaient une idée en tête et une seule – et ils étaient prêts à tout pour y parvenir. Des êtres totalement impitoyables. Chassez-les d'une main, ils sont de retour la seconde suivante. L'unique solution ? Les aplatir un à un d'une bonne claque. Mais, avec les mains ligotées au sol, ce geste lui était formellement interdit.

Des larmes de désespoir montèrent à ses yeux. Cette nuit n'en finirait donc jamais ?

Et puis il distingua la lueur d'une torche, qui avançait dans l'obscurité en zigzaguant. Après un bref conciliabule, quelqu'un vint se poster près de lui : Peter Haight, enveloppé dans de la gaze comme un apiculteur.

– James Bond, embraya-t-il d'un ton doctoral et précieux, teinté de sarcasme. Peut mieux faire… James est un garçon intelligent, doué d'une vive curiosité. Mais, pour réussir, il lui faudra apprendre à réprimer son esprit rebelle. Bon en sports, à condition qu'ils ne soient pas collectifs. Comportement envers les maîtres : doit faire des efforts. James possède une fâcheuse tendance à répondre. Il faut qu'il apprenne à obéir sans discuter.

– Bravo, râla James depuis son lit de douleur. C'est divertissant au possible quand un maître de conférences essaie d'être drôle.

– Je vous en prie, tenta Haight en s'agenouillant. Il fut un temps où nous étions amis.

James se força à rire, mais sa gorge était si sèche que ne sortit de sa bouche qu'un étrange coassement de grenouille malade.

— Pourquoi faites-vous cela ? Ugo Carnifex est un âne.

— Pourquoi fait-on les choses que l'on fait ? L'argent, le pouvoir, la réussite sociale.

— Non, objecta James d'une voix rauque. On peut aussi faire des choses par amitié, par gentillesse ou simplement parce qu'on pense que c'est ce qu'il convient de faire à ce moment-là.

— Sûr. Il restera toujours des naïfs sur cette bonne vieille terre, railla Haight. Mais comment croyez-vous que ça s'est passé pour moi, James ? Un pauvre enseignant plongé au milieu des jeunes gens les plus riches et les plus privilégiés du pays, la progéniture pourrie d'aristocrates et d'amiraux, de politiciens et de têtes couronnées ? Comme je les hais. Leur arrogance, la sombre assurance que procure le sentiment d'appartenir au haut du panier.

Et puis, un jour, lors d'un voyage en Sardaigne, j'ai entendu parler d'Ugo et je me suis mis à sa recherche. Lui et moi partagions la même passion pour l'Antiquité romaine. Ensemble, nous avons évoqué ce que les empereurs avaient accompli et comment ils y étaient parvenus. Il m'a ouvert les yeux. Il m'a montré que tout n'était pas figé et que, moi aussi, je pouvais faire quelque chose pour améliorer mon destin, devenir riche. Pour cela, il suffisait que je lui apporte ce qu'il voulait. J'ai fait ce qu'il demandait. Au début, je ne lui fournissais que des informations. En effet, à travers ses fils, j'étais en parfaite position pour espionner l'élite dirigeante anglaise. L'étape suivante s'est imposée d'elle-même. Leur prendre ce qu'ils avaient et l'échanger à Ugo contre récompense.

— Le seul petit problème, dit James, c'est que vous tuez tous ceux qui se trouvent sur votre route.

301

– Écoutez-moi, mon vieux, répondit Haight en se baissant encore plus près de son interlocuteur. Pourquoi ne me dites-vous pas la vérité ? Ugo m'en sera éternellement reconnaissant et, moi, je pourrai faire en sorte que vous vous en sortiez sain et sauf. Je suis votre seul allié possible, James.

– Un allié ? pouffa James. Parlons-en. Vous avez essayé de me tuer, n'est-ce pas ? Le premier jour, à la tour. En fait, vous aviez tout planifié. Voilà pourquoi il fallait que je vienne en Sardaigne, non seulement cela vous laissait le temps de découvrir ce que je savais, mais, en plus, si nécessaire, vous auriez tout loisir d'arranger un petit accident, loin de l'école, au milieu de nulle part.

– J'étais dans une situation très précaire à Eton, poursuivit Haight. Tout a basculé avec la mort de sir Cathal Goodenough. Là, il ne s'agissait plus d'un jeu et je ne pouvais plus prendre le risque d'être pris. Quand je vous ai parlé, j'ai réalisé que vous en saviez déjà plus que ce que je craignais.

– Alors vous avez décidé de m'éliminer, rétorqua James. En me donnant de l'eau coupée avec un somnifère, n'est-ce pas ? C'était ça le goût amer et salé, pas une tablette de purificateur d'eau. Vous m'avez drogué puis vous m'avez conseillé de grimper en haut de la tour…

– Simple comme bonjour, répliqua Haight. Tragique accident : un garçon victime d'une insolation fait une chute mortelle du haut d'une tour.

– Mais c'était sans compter sur l'arrivée inopinée de M. Cooper-ffrench. Il vous a vu et il a essayé de me prévenir. Alors, au lieu de me pousser dans le vide, vous m'avez rattrapé en prétendant m'avoir sauvé d'une chute. Dans un sens, je lui dois la vie. Cela ne vous aurait pas empêché de recommencer – si vous n'aviez entendu parler de Victor et de ses peintures. Votre cupidité a été la plus forte.

– Vous savez, déclara Haight, un esprit curieux et vif peut s'avérer un handicap chez un jeune garçon. Vous ne devriez pas poser trop de questions.

– Sinon quoi, *sir* ? Vous allez me mettre au cachot ?

– Tout ce que j'aurais à faire, c'est d'appuyer, répondit Haight après avoir posé le pied sur la gorge de James. Vous seriez mort en moins de deux minutes. Ce serait aussi facile que d'écraser un insecte.

Haight retira son pied. James toussa douloureusement puis leva les yeux vers son tortionnaire.

– Vous n'avez pas toujours été comme ça. Je vous ai vu avec Mark Goodenough ce jour-là. Vous étiez désolé pour lui. Vous vouliez sincèrement l'aider. Comment avez-vous pu changer si vite ?

– Il le fallait, dit Haight d'un ton féroce, pour ressembler à mes modèles. Les héros de la Rome antique étaient parfaitement impitoyables. Ils ne faisaient aucun cas de leurs ennemis. Quand ils prirent Carthage, ils tuèrent l'ensemble de la population, hommes, femmes, enfants. Même les animaux ne purent échapper au carnage. Ensuite, ils rasèrent entièrement la ville et recouvrirent les ruines de sel afin que plus rien ne pousse à cet endroit car, à leurs yeux, seules la puissance et la gloire importaient.

– Glorieux, c'est le mot, ironisa James. Assassiner des maîtres d'école et torturer des enfants, nul doute que vous allez faire une entrée fracassante dans les livres d'histoire.

– On verra, rétorqua froidement Haight. On verra si vous ferez autant le malin demain matin.

– Allez-vous-en, trancha James avant d'ajouter, avec autant de fiel que possible dans la voix : *sir*…

Haight se redressa en bougonnant et dit au revoir au garde, après quoi James l'entendit s'en aller en pataugeant dans le marais.

La colère qui s'était emparée de lui l'avait momentanément détourné de son calvaire mais, maintenant que Haight était parti, les démangeaisons et les brûlures faisaient un retour en force. Il tira sur ses liens en serrant les dents, accueillant la douleur du cuir coupant son poignet quasiment comme un soulagement.

Il était couvert d'odieux insectes qui s'acharnaient sur toutes les parties tendres : paupières, autour des narines, sous les aisselles…

– Partez ! supplia-t-il. Dégagez ! Laissez-moi. Pitié, laissez-moi…

Aussi futile que vain.

Les moustiques arrivaient de partout.

Peu à peu, il glissa vers les états modifiés de la pensée, rêvant qu'il était ailleurs, comme si son cerveau tentait ce qu'il pouvait pour lui apporter un peu de réconfort.

Il était allongé sur la plage avec Mauro, à Capo d'Orso. L'après-midi était radieux. Le soleil dardait ses rayons dans l'intense azur. Mais il faisait chaud. Trop. Ça le brûlait. Sa peau pelait et cloquait…

Il secoua la tête pour chasser ces pensées, pour revenir à la réalité.

Peine perdue. Il était dans son petit lit douillet à Pett Bottom, dans le confort et la sécurité du cottage de Charmian. Elle lui apportait une tasse de café, le matin, pour le réveiller. Mais elle le renversait sur le dessus-de-lit et le liquide traversait, l'ébouillantait.

Non.

Pas ça.

Il n'y avait aucune échappatoire. Les routes qu'il essayait de prendre menaient toutes au même endroit. Ici même, dans ce marais puant, grouillant de vampires à six pattes.

Il lâcha prise.

Qu'ils viennent.

Qu'ils viennent et s'attellent à leur ouvrage.

Il n'y avait rien qu'il pût y faire.

Il ouvrit les yeux, fixa le rectangle étoilé au-dessus de lui – dont il convint intérieurement qu'il s'agissait du ciel – et se résigna à souffrir. Si c'est comme ça que tout finissait, alors qu'il en soit ainsi. Il ne gâcherait pas ses derniers instants dans une lutte stérile.

Il y avait deux Bond maintenant. Le premier était incarné : un corps entièrement couvert de moustiques, saignant et suintant par tous ses pores. Le second n'était que pur esprit, flottant au-dessus de la dépouille, regardant la scène avec détachement, séparé de la douleur. Lentement, comme on baisse le gaz sous une casserole, il sombra. Finalement, il avait dû dormir car, quand il se réveilla, quelque chose avait changé. Le rectangle de ciel avait disparu. La seconde suivante, il prit conscience que quelqu'un était penché sur lui. Sûrement le garde, venu rigoler un coup.

James jura puis réalisa qu'il ne pouvait s'agir du garde. La silhouette était bien trop fluette, et ses mouvements trop vifs et trop furtifs. Une bête sauvage ? Il tira douloureusement sur ses paupières et entrouvrit péniblement les yeux, essayant tant bien que mal de sortir du brouillard où il se trouvait. Quand ses rétines eurent accommodé, quelle ne fut pas sa surprise de découvrir le visage d'une fille !

Elle avait la peau très mate et de brillants yeux noirs encadrés d'une épaisse masse de cheveux en désordre. Il faillit dire quelque chose. Elle l'en dissuada en posant un doigt sur sa bouche et en le fixant d'un air brut et renfrogné, comme un animal.

Il se tint coi.

Un couteau brillait dans sa main noire, une lame d'une douzaine de centimètres, longue et fine comme une aile d'oiseau au long cours et terminée par une pointe effilée au-delà du raisonnable. Mauro lui en avait montré un similaire : un *resolza*. Le couteau traditionnel des bergers. Mortel.

D'une main experte et rapide, elle coupa les sangles et l'aida à se relever. Il était à l'agonie, mais se retint de pleurer. Il était raide comme un manche à balai et sa peau lui faisait un mal de chien à chaque mouvement.

Une fois de plus, elle lui fit signe de garder le silence, puis elle l'invita à la suivre. Petite et nerveuse, elle se déplaçait avec la même agilité qu'un chat, regardant partout autour d'elle à chaque instant, prête à bondir, tous les sens en alerte. Elle avançait au pas de course, pieds nus, sans le moindre bruit, même quand elle passait dans l'eau.

Soudain, James se figea. Dans le brouillard face à lui, il distingua la silhouette un peu floue du jeune garde qui les attendait, assis sur sa souche, parfaitement immobile. Il voulut prévenir la fille, mais celle-ci avait déjà dépassé la sentinelle. Elle était passée sous son nez sans lui accorder le moindre regard. James comprit bientôt pourquoi elle l'avait ignoré et pourquoi lui n'avait pas esquissé le moindre geste.

Il était assis dans l'eau, adossé à un rocher lisse et visqueux, la tête rejetée en arrière, les yeux écarquillés et la bouche ouverte en un silencieux cri de terreur.

Sous le menton, au niveau de la gorge, il avait une plaie qui lui faisait comme une seconde bouche.

La fille l'avait égorgé purement et simplement.

James eut un haut-le-cœur, accompagné d'un instinctif mouvement de recul.

Il chercha la fille des yeux et la distingua tout juste, de l'autre côté du marais, courbée en deux, avançant à la hâte et déjà engagée dans la gorge.

D'un pas vacillant, il se hâta de la rejoindre. Quand il

arriva près d'elle, elle tourna la tête et lui lança un large sourire. Deux rangées de dents très blanches illuminèrent son visage.

Et puis elle repartit. Accroché à ses talons, James accueillait le frottement des branches sur sa poitrine nue et son visage presque comme un soulagement. Tout était préférable à la sensation des moustiques sur sa peau.

La fille le conduisit hors des marécages, puis ils descendirent jusqu'à la rivière, qu'ils traversèrent à gué en prenant appui sur de grosses pierres glissantes. Arrivés sur l'autre rive, ils s'engagèrent sur un abrupt petit chemin de pierre qui grimpait à flanc de montagne. James devait se battre pour suivre le rythme. Ne voyant pas à plus d'un mètre devant lui, il devait calquer ses pas sur ceux de la fille s'il ne voulait pas trébucher ou glisser. Mais, toute vêtue de noir, elle était très difficile à distinguer.

James transpirait à grosses gouttes tout en frissonnant. Sa vue vacillait et se voilait. Il aurait voulu dire à la fille de s'arrêter, ou au moins de ralentir, mais il était terrorisé de ce qui pourrait advenir s'ils le faisaient.

Finalement, il vacilla et s'écroula sur le sol. Incapable de se relever.

– S'il vous plaît…, appela-t-il. Attendez-moi…

Il entendit la fille qui s'arrêtait et faisait demi-tour. Elle s'accroupit par terre, l'examina, déposa sur sa bouche un furtif baiser, et déguerpit en courant.

James resta étendu par terre, haletant, la tête posée contre la roche froide. Tout ça n'était peut-être qu'un rêve, une nouvelle évasion fantasmée. Peut-être que cette jeune meurtrière n'avait jamais existé.

Il demeura un moment allongé là, à reprendre son souffle, trop faible pour bouger, indifférent à l'inconfort des pierres, si pointues fussent-elles, quand il entendit des voix d'hommes.

Les gardes d'Ugo ? Que se passait-il ? Il se sentait si faible et si fragile.

Au prix d'un lourd effort, il se remit debout, prêt à se cacher si nécessaire, mais il ne voyait que la fille, avec son étincelant sourire.

Elle était accompagnée de deux gaillards à la peau burinée, vêtus du gilet hirsute des bergers, et qui le fixaient sans ciller de leurs yeux noirs comme du charbon. L'un d'eux était petit et râblé, avec les jambes arquées, tandis que l'autre était immense, avec un torse aux allures de tonneau et d'énormes bacchantes tombantes.

– S'il vous plaît…, balbutia James avant de perdre connaissance.

L'armoire à glace attrapa James et le souleva de terre aussi aisément que s'il avait été un jeune agneau. Après quoi, il le posa sur ses épaules et démarra au petit trot.

*

En dépit des cahots de la course, James n'était que partiellement conscient d'être ainsi transporté à dos d'homme à travers la montagne. Le gilet sur lequel reposait sa tête sentait fort le mouton mais, peu importe, c'était la première fois qu'il se sentait en sécurité depuis deux jours.

Le voyage ne semblait jamais devoir finir. Ils gravirent des crêtes où le vent était froid ; ils cheminèrent dans les vallons ; ils se firent tout petits pour emprunter d'étroits défilés ; et ils avancèrent à pas de loup dans d'épaisses forêts. À l'aube, James ouvrit les yeux et découvrit qu'ils marchaient sur un sentier à flanc de montagne – bordé par un précipice à couper le souffle –, et qui, au loin, ouvrait sur une vallée.

Ils arrivèrent dans un village qui paraissait vouloir se

fondre dans la montagne : une succession de cubes de pierre empilés les uns sur les autres à flanc de falaise, comme le *palazzo* d'Ugo.

De vieilles femmes aux robes écarlates et aux cheveux pris dans des foulards passaient la tête à leur porte sur leur passage. Elles regardaient James avec des yeux parfaitement impassibles et une mine figée. Sur une minuscule place, deux vieillards à longues barbes blanches et au regard vitreux et larmoyant des victimes de la malaria fumaient assis sur des marches.

La misère du lieu lui sauta au visage. Tout le monde semblait épuisé. Les faces étaient creuses, aussi émaciées que les blocs de granite qui les avaient vues naître. L'abattement se lisait dans tous les regards qu'ils croisaient, comme si chaque geste était un effort insurmontable – pourtant James savait ce qu'il en coûtait d'arracher de quoi vivre à une terre aussi ingrate.

Les bergers s'arrêtèrent et échangèrent quelques mots avec les gens du village. James reçut de l'eau et du pain. Après quoi le géant le souleva à nouveau et ils quittèrent les lieux, poussant plus haut dans la montagne.

James somnola longtemps. Il se réveilla au moment où on le posait délicatement sur un lit, dans la douceur de peaux animales. Sa dernière pensée, avant de définitivement sombrer dans l'oubli du sommeil, fut pour la peau noire du visage penché sur lui et pour les yeux, à l'éclat minéral, plantés dans les siens.

La Danse du sang

C'est l'enfer des démangeaisons qui réveilla James. Durant un instant, il ne sut pas où il se trouvait, sinon sur un lit de douleur. Pas un carré de peau qui ne lui fît mal, son corps tout entier était boursouflé. Il sut immédiatement qu'il ne pourrait pas bouger d'un pouce. Il sentait encore les courtes lanières de cuir couper ses chevilles et ses poignets. Il se rappela un rêve étrange. On le transportait à dos d'homme, la nuit. C'est là seulement qu'il réalisa qu'il se grattait. Sa main était libre. Il la passa sur sa poitrine, cloutée de furieux boutons enflammés. Il en griffa quelques-uns du bout de l'ongle, jusqu'à ce que quelqu'un attrape son bras et l'en empêche. Il ouvrit les yeux. Une fille était penchée sur lui. Ses cheveux noirs tombaient sur son visage. Son regard était intense et compatissant.

– Non, dit-elle en secouant doucement la tête.

Alors ce n'était pas un rêve. Peu à peu, les détails de la nuit dernière lui revinrent en mémoire. L'arrivée de la fille, le jeune garde à la gorge tranchée, la course pour suivre la fille hors du marais, puis la chute et le trajet sur les épaules du berger, d'abord jusqu'à un village et, finalement, ici.

Il se redressa dans son lit et jeta un regard circulaire à la pièce.

Il était allongé sur une paillasse de paille recouverte de peaux d'animaux, dans une vaste grotte au plafond voûté. Au fond, une courte volée de marches de pierre, usées par les siècles, menaient à une haute crevasse dans la roche laissant entrer un puissant rai de soleil. Quatre hirondelles passèrent la faille à tire-d'aile, virevoltant en vives esquives, tombant en piqué dans la grotte, sans quitter une seule seconde leur formation. James les regarda monter à la verticale vers une ouverture dentelée et vaguement arrondie, dans la voûte de la caverne. La faible lumière qui filtrait baignait les restes d'un village nuragique. À la vue des petits murets de pierre qui zébraient encore le sol de l'immense salle, James estima qu'il avait dû y avoir au moins une cinquantaine de huttes ici et qu'il se trouvait donc sur le site d'une colonie de belle taille.

Un groupe de Sardes avaient installé le camp. Ils avaient allumé un feu sous le trou du plafond, pour éloigner les insectes, et les hommes, assis en rond autour du foyer, discutaient à voix basse. Ils portaient le costume noir et blanc traditionnel, avec les laineux gilets sans manches en mouton retourné chers aux bergers et l'habituel bonnet de laine noire avec son long rabat.

Pas un homme qui n'eût un fusil auprès de lui.

James tourna la tête. De l'autre côté, le mur de la grotte était partiellement ouvert sur le monde extérieur. Une longue et basse déchirure rocheuse laissait entrevoir les couleurs chatoyantes d'une intense végétation, accablée par la fournaise.

Il sentit quelque chose de froid sur sa peau et se tourna vers la fille. Elle était assise sur un minuscule tabouret de bois, un bol sur les genoux, et étalait lentement une épaisse

311

pâte gris-vert sur lui, massant la chair meurtrie avec une délicatesse dont on aurait pu croire ses mains, fermes et rustres, incapables.

James se rallongea, tentant désespérément de rester immobile. C'était très difficile. Une furieuse envie de se gratter le démangeait. Pourtant, à chaque fois qu'il avançait la main, elle la repoussait d'une petite chiquenaude autoritaire accompagnée d'une œillade réprobatrice.

La jeune fille disposait de son propre petit foyer où crépitaient des brindilles de plantes aromatiques qui répandaient dans l'air une fumée fortement parfumée. Accrochée à son trépied, une petite bouilloire pendait au-dessus des flammes. La fille cessa ce qu'elle était en train de faire et souleva le couvercle, après quoi elle concassa des bouts d'écorce, des baies et des feuilles d'armoise sur une pierre plate avant de les glisser dans le récipient. Elle mélangea la mixture, attendit quelques instants, puis en versa dans une tasse en fer-blanc, à l'attention de James.

L'odeur était infecte, mais il ne voulait pas l'offenser, aussi en avala-t-il une gorgée. Au goût, c'était encore pire qu'au nez. Atrocement amer et plein de petits morceaux solides. Il réprima difficilement son envie de vomir. Il croisa les yeux de la fille qui, d'évidence, attendait de lui qu'il vide entièrement sa tasse. Il prit son courage à deux mains et fit descendre quelques rasades supplémentaires avant de lui rendre le récipient en secouant lentement la tête de droite à gauche.

Elle parut fâchée puis retourna avec une concentration intense à sa première occupation : badigeonner les piqûres d'onguent. La pommade était froide et apaisante, mais elle ne réduisait que modérément les horribles démangeaisons.

Au bout d'un moment, la fille en eut assez de le voir se trémousser et elle partit.

James en profita pour se gratter un peu partout, même s'il était parfaitement conscient qu'il ne devait pas le faire.

C'étaient ses bras qui étaient le plus touchés. Il les gratta jusqu'au sang.

Soudain, la fille réapparut, lui criant d'arrêter. Elle était accompagnée de l'homme-tonneau qui avait trimballé James la nuit dernière. Il lissa sa longue moustache noire, lui lança un large sourire puis, en un éclair, lui attacha les bras le long du corps à l'aide de cordelettes pour qu'il ne puisse plus bouger ses mains. L'homme lui lança un regard amical et plein d'excuses, puis alla se rasseoir autour du feu.

Il avait beau savoir que c'était pour son bien, James se sentit humilié et impuissant.

Il se débattit pour prendre la position assise. La fille lui fit boire un peu d'eau, au gobelet, comme à un bébé. Il en avala quelques gorgées et bava le reste, laissant l'eau couler sur son torse.

Elle éclata de rire et, soudainement, elle lui parut beaucoup plus jeune, retrouvant un visage enjoué d'enfant, tout le contraire de la mine d'assassin renfrogné qui l'avait secouru la nuit dernière.

Quelques minutes plus tard, la grotte résonna d'un puissant cri de joie et Stefano se présenta aux bas des marches. James était si ému de découvrir un visage familier qu'il sentit des larmes monter à ses yeux.

– Que s'est-il passé ? demanda James quand Stefano fut arrivé près de lui. Qui sont ces gens ?

– La fille, c'est Vendetta. La sœur de Mauro. Elle est folle, mais elle prendra bien soin de toi. Sa mère lui a appris les remèdes par les plantes. Les hommes viennent de partout. Orgosolo, Oliena, Fonni. Le grand, celui qui t'a amené ici, c'est Calogero. Le chef de mon village. Un grand guerrier. Craint dans toute la Sardaigne. Il t'a porté ici pour que tu sois en sécurité. Notre clan est toujours venu se réfugier ici en cas de danger. Même avant les Romains.

Stefano marqua une pause puis reprit sur un ton solennel et funèbre.

— Excuse-moi, James. Je me suis enfui. Je t'ai laissé.

— Ce n'est rien.

— Si, c'est quelque chose. J'ai entendu les gardes et j'ai été lâche. Je n'aurais pas dû m'enfuir.

— Si tu ne l'avais pas fait, tu ne serais pas ici pour en parler, répliqua James.

— Ta bravoure t'honore. Dès que j'ai entendu dire que tu avais été fait prisonnier, j'ai commencé à imaginer des plans pour m'échapper du *palazzo*.

— Je n'ai rien dit à Ugo.

— Je sais, répondit Stefano. Je te dois la vie.

— Pas du tout, corrigea James, magnanime. Tu ne me dois rien. Considérons que nous sommes quittes. Mais ces hommes-là, eux, ne me doivent rien.

— Tous haïssent Ugo. Beaucoup ont travaillé pour lui, à la construction du *palazzo* et n'ont jamais été payés. Alors même qu'il est comme nous, James. Un des nôtres, rien de plus. Il a tué Mauro. Maintenant, il est notre ennemi. Mauro n'avait ni frères, ni père, seulement Vendetta, donc ce sont ces hommes qui vont laver l'honneur.

— Mais que peuvent-ils faire ? Ils ne vont tout de même pas attaquer le *palazzo*. L'endroit est beaucoup trop bien gardé. Ugo possède une vraie petite armée là-haut.

— Vendetta veut se glisser à l'intérieur et égorger Ugo.

— Elle ne réussirait pas à l'approcher.

— Je sais, acquiesça Stefano, mais c'est trop peu pour l'empêcher d'essayer. En plus, peut-être qu'il faut effectivement qu'on aille le battre sur ses terres, sinon, Ugo va faire des problèmes chez nous. Il va te rechercher, James.

Et il va me rechercher moi, et aussi les gens qui t'ont aidé à t'évader.

— Je ferais mieux de partir, répondit James. Je ne tiens pas à être la cause de quelque problème que ce soit ici.

— Non, l'arrêta Stefano. Ce n'est pas toi qui as commencé ça. C'est Ugo. En tuant Mauro. Et quoi qu'il arrive, il viendra, que tu partes ou que tu restes. Il hait les gens de la Barbagia. Parce qu'ils savent qui il est vraiment.

— Il faut que je retourne chez Victor, déclara James en se relevant, grimaçant. Il saura quoi faire.

— D'abord tu dois te reposer, répondit Stefano en le repoussant sur les peaux de bêtes. Tu n'as pas dormi depuis longtemps, et puis... La médecine de Vendetta va te rendre malade.

Stefano avait raison. James ressentit bientôt une violente migraine et des crampes d'estomac, suivies d'un engourdissement et d'une sensation de brûlure sous-cutanée. Chair dolente, il s'allongea en gémissant et commença sa longue dérive, aux limites de la conscience, avant de sombrer dans des délires murmurés à voix basse où résonnaient parfois les noms de Victor, d'Amy et d'Ugo.

Pendant deux jours, Vendetta le veilla. Apportant à boire et à manger et appliquant sans relâche la pâte grise sur ses plaies. Graduellement, il reprit des forces. Elle guetta le premier signe de fièvre, mais par bonheur aucun ne survint. À croire qu'il avait échappé à la malaria. La chance ou la médecine de Vendetta ? Il ne le saurait sûrement jamais, quoi qu'il en soit il décida d'en garder une reconnaissance éternelle envers la jeune vestale sarde.

Au bout du compte, elle le libéra et il se sentit bientôt assez solide pour tenter une sortie. Il accueillit avec un grand soulagement l'intense lumière du soleil et l'air frais du dehors, loin des attentions permanentes de cette fille au mutisme énigmatique, loin de l'atmosphère lourde qui régnait dans la caverne.

Les guenilles qu'il portait en arrivant lui avaient été retirées et avaient été brûlées. Stefano lui avait apporté de vieux vêtements à lui, une immense chemise blanche et un pantalon ample, doux et confortable.

Il n'était plus fatigué. L'air de la montagne était pur et, à cette altitude, on n'était pas incommodé par les moustiques. Il partit en reconnaissance aux abords de la grotte, sur un terrain accidenté, couvert de lentisques et de rochers pointus qui émergeaient du sol. Physiquement, il se sentait beaucoup mieux mais, mentalement, il était à cran, anxieux. Il fallait qu'il parte d'ici.

Quand il revint à la caverne, il vit débarquer de nouveaux arrivants. Des femmes qui portaient des paquets de nourriture et des hommes en armes, casquettes plates vissées sur le crâne et vêtus d'épais costumes.

Ils lui rappelèrent les invités de marque d'Ugo, pendant le carnaval car il y avait quelque chose de similaire sur ces visages impassibles découpés à la serpe. Ils étaient durs et menaçants. Comme il eût été facile, pensa James, qu'en d'autres circonstances ces hommes fussent ses ennemis plutôt que ses alliés.

— Ils se préparent à la guerre, expliqua Stefano quand James l'eut rejoint. Ce sont des bandits.

— Il faut que je parte d'ici. Je dois aider Amy. Demain matin à la première heure il faut que j'aille à la maison de Victor à Capo d'Orso. Tu peux m'y emmener ?

— *Sì*, acquiesça Stefano. Mais c'est pas une mince affaire. Nous n'avons pas de transport. Bon, je pourrais toujours dégotter un âne. On mettra trois ou quatre jours.

À la nuit tombante, deux agneaux furent sacrifiés et plantés sur des broches au-dessus des flammes. Une fête débridée ne tarda pas à gagner la grotte. Il y eut de la musique, des chants, des séances de lutte et les cris des bandits, engagés dans un incompréhensible jeu de pari qui, apparemment, consistait à se hurler des chiffres à la tête en montrant ses doigts.

Une quantité impressionnante de vin fut avalée. Et James se rappela le mot d'Ugo lors du combat de catch.

Prima bevono, poi stringono.

D'abord on boit, ensuite on se bat.

Il dévisagea l'assemblée de guerriers, une trentaine d'hommes, d'adolescents de l'âge de Stefano jusqu'à de grisonnants vieillards dont les doigts noueux enserraient la crosse de leur fusil à la manière de racines courant à la surface de la terre.

Trois d'entre eux apportèrent une souche du dehors et l'installèrent contre un mur. Ils y peignirent une sommaire figure d'homme et griffonnèrent les trois lettres U, G, O, au bas. Après quoi les bandits lancèrent leurs couteaux à tour de rôle pour voir qui était le plus précis. Calogero l'emporta haut la main en plantant son gros couteau de chasse en plein dans l'œil de la silhouette. Il éclata d'un rire triomphant et leva les poings comme un gamin qui marque un but dans la cour de récréation.

Ses amis le gratifièrent de quelques claques dans le dos puis lui versèrent à boire, encore et encore. Ensuite, le visage fermé, impénétrable, il esquissa les premiers pas d'une danse bizarre et mélancolique, aux accents cérémoniels, qui fit prendre conscience à James qu'il assistait à un rituel. Un rituel accompli ici depuis des milliers d'années.

– *La Danza di Sangue*, murmura Stefano à l'oreille de James.

– La Danse du sang ?

– *Si.*

James observa le cercle d'hommes qui entouraient Calogero, les visages rougis par le vin et la chaleur des flammes. Ils hurlaient, tapaient dans leurs mains et poussaient d'étranges cris discordants pour accompagner la musique. Ils semblaient au sommet du bonheur, brûlant d'une sauvage soif de vivre, comme si la guerre était le seul moyen dont ils disposaient pour s'extraire un temps de leur monde de privation et de pauvreté.

Assises dans l'ombre, légèrement en retrait du cercle des hommes avinés, se tenaient les femmes, le visage éclairé par la lueur vacillante des flammes. Elles étaient impassibles et résignées, comme d'antiques bas-reliefs de pierre qui ont déjà vu tout ce qu'il était possible de voir.

Une fois de plus, leurs hommes se préparaient à combattre. Qui reviendrait, qui ne reviendrait pas ?

La réponse était entre les mains de Dieu dorénavant.

Perdu dans ses pensées, James se leva et quitta la fête. Il se demandait s'il arriverait à temps chez Victor. L'image d'Amy, séquestrée dans sa cellule, ne le quittait pas. Si ces hommes attaquaient Ugo, elle serait en grand danger.

Vendetta apparut à ses côtés et le regarda de ses brillants yeux noirs.

Elle ne le quittait pas d'une semelle. Cela lui rappela M. Cooper-ffrench et la façon dont il l'avait suivi partout, comme un petit chien, suite à l'incident de la tour. Chacun à leur manière, tous deux avaient tenté de le protéger, pourtant, James se sentait aussi mal à l'aise avec cette fille minuscule et impénétrable qu'avec le corpulent et ronchon Cooper-ffrench.

Elle le prit par la manche et lui demanda quelque chose d'une voix basse et enrouée.

James secoua la tête. Son débit était si rapide, son accent

si prononcé et son dialecte si spécifique qu'il n'avait pas saisi le moindre mot.

– Désolé, Vendetta. Je voudrais bien, mais je ne comprends pas un traître mot de ce que tu dis.

Une fois encore, un flot rocailleux de sarde sortit de sa bouche sur un ton encore plus décidé. James libéra son bras et accueillit l'arrivée de Stefano près d'eux avec soulagement.

– Tu peux m'aider ? Elle essaie de me dire quelque chose.

– Elle veut savoir si tu as une fiancée, là-bas, en Angleterre, répondit Stefano en riant.

– Dis-lui que non, répondit James avant de rapidement ajouter : Et dis-lui que je n'en cherche pas.

Stefano fit l'interprète auprès de Vendetta, mais celle-ci le rembarra.

– Qu'est-ce qu'elle dit ? demanda James.

– Que tu es un menteur. Qu'un beau garçon comme toi ne peut pas ne pas avoir de fiancée.

– Et pourtant si…

– Ben, maintenant tu en as une, le coupa Stefano.

– Non, non, non, objecta James en retournant hâtivement dans la grotte.

Une fois à l'intérieur, il essaya de s'installer pour la nuit. Vendetta vint le rejoindre et s'assit près de son lit. Elle l'observait.

– Bonne nuit, dit-il en fermant les yeux.

Vendetta fit une vaine tentative pour répéter ce qu'elle venait d'entendre, mais sa prononciation était désastreuse.

James fouilla sa mémoire à la recherche du mot en italien et, finalement, se souvint.

– *Buona notte*, murmura-t-il. *Grazie…*

Il entrouvrit un œil. Elle était toujours assise là.

– S'il te plaît, Vendetta, laisse-moi seul. Je ne peux pas dormir avec toi qui me regardes.

À ces mots, il se retourna ostensiblement sur son lit, lui donnant le dos. Mais il sentait qu'elle continuait à l'observer. Finalement, il fit volte-face et s'assit.

– Allez ! Va-t'en. Oust ! Fiche le camp. Du balai, énuméra James avec un explicite geste de la main.

Pour seule réponse, Vendetta éclata de rire et l'embrassa.

– J'aimerais que tu arrêtes de faire ça. C'est très embarrassant.

Après quelques minutes d'élans et de rebuffades, d'éclats de voix et de gestes mimés, Vendetta finit par se retirer de quelques pas et s'installer dans une des huttes néolithiques. Mais cela ne suffit pas à lui faire trouver le sommeil. La fête semblait devoir se poursuivre une bonne partie de la nuit et, en outre, James n'était pas si fatigué que ça. Il avait dormi tout son saoul au cours des deux derniers jours.

Parfaitement immobile sur son lit, il attendit d'être sûr que Vendetta dorme puis il se leva, enfila prestement sa chemise et sortit de la grotte.

Une fraîche brise venue du nord soufflait sur la montagne. Sous le clair de lune, les arbustes rabougris baignaient dans un halo argenté. Mais, sous les grands arbres, l'obscurité était presque totale, aussi avança-t-il à tâtons dans les bois jusqu'à la crête d'une falaise surplombant une large vallée.

En contrebas, les taches noires des massifs boisés n'étaient rompues que par la luminescence d'énormes rochers blancs qui luisaient dans la nuit.

La Sardaigne était belle. Difficile d'imaginer qu'elle ait été le théâtre de tant de combats meurtriers à travers les âges, qu'elle ait vu tant d'hommes tomber, et que le sol de ces montagnes ait pu être souillé de tant de sang. Sous ses pieds gisaient les ossements de Carthaginois, de Phéniciens, d'Italiens, d'Espagnols ainsi que ceux des innombrables Sardes qui s'étaient battus pour les repousser.

Il demeura assis là un long moment, jusqu'à ce que les échos de la fête, dans le lointain, déclinent puis s'éteignent totalement, laissant place à un merveilleux calme nocturne. Finalement, lui aussi finit par avoir sommeil.

Il bâilla et se remit debout. Il n'était pas encore totalement redressé qu'il entendit des voix et le bruit de gens se déplaçant dans le sous-bois.

Il s'aplatit sur le sol et, prudemment, prit la direction de la grotte. Sûrement une sentinelle que les bandits avaient envoyée faire une ronde. Mais mieux valait s'en assurer.

Alors qu'il approchait de la grotte, il leva les yeux et vit trois hommes en uniforme violet qui avançaient dans les rochers à pas de loup, en direction de l'entrée.

Le cœur de James se mit à battre la chamade.

Ugo était bel et bien venu.

Tommy gun

James en oublia toute prudence. Il débusqua et courut plein pot vers la caverne où il entra en trombe, criant à tue-tête.

– Attention ! Levez-vous ! *Attenzione !* Levez-vous !

Des visages abrutis par l'alcool se tournèrent lentement vers lui, clignant des yeux.

C'était un cauchemar. James ne pouvait leur faire comprendre ce qui se tramait. Il ne parlait pas italien.

– Ugo ! hurla James. Ugo est là !

Quelques bandits, ceux qui avaient le moins bu, posèrent une main engourdie sur leurs fusils, les autres se contentant de se retourner dans leur sommeil en grommelant. Pourtant, l'instant d'après, les mots de James prirent tout leur sens.

Il y eut un énorme bang, puis une explosion de lumière. On venait de lâcher une fusée éclairante par le trou du plafond. La grotte baignait dans une surnaturelle lumière jaune. James entendit des cris. Une fusillade éclata. D'instinct, il se jeta au sol, les impacts des balles se multipliant dans la terre autour de lui.

Un groupe d'hommes en uniforme avaient descendu les

escaliers au fond de la grotte. Ils avançaient en tirant dans toutes les directions. Certains villageois furent fauchés par les balles sans même avoir compris ce qui leur arrivait, d'autres furent abattus alors qu'ils tentaient de se lever. Néanmoins, quelques-uns ne tardèrent pas à répliquer si bien que l'air grouilla bientôt de projectiles que James entendait siffler et crépiter au-dessus de lui.

Sous la voûte de la grotte, le bruit des détonations était insupportable. Abasourdi, James sentait physiquement l'espace confiné de la grotte se comprimer à chaque fois qu'un coup était tiré. C'était comme être enfermé dans un gros bidon en ferraille pendant que quelqu'un s'amuse à cogner dessus.

En rampant, il alla rapidement se mettre à l'abri dans une des maisons en ruine. Une balle se planta dans le mur, juste au-dessus de sa tête. Un nuage de poussière et de graviers tomba sur lui. D'autres balles ricochèrent sur la roche et allèrent se ficher dans le sol en chantant.

Un officier armé d'un pistolet lança un assaut depuis l'entrée principale. Un tir nourri lui répondit. L'officier s'écroula, ses hommes battirent en retraite. Sous les hourras des paysans, Calogero se redressa et hurla une bordée de jurons à l'adresse des gardes qui fuyaient. Sa rodomontade fut de courte durée. La manœuvre n'était qu'une diversion et un autre groupe avait fait irruption dans la grotte par l'entrée du fond, y compris un homme équipé d'un redoutable Tommy gun.

L'arme s'anima entre les mains du soldat. La grotte fut littéralement arrosée de projectiles.

Debout et fier, le fusil en joue, Calogero répliqua. Six coups rapprochés. Sa précision était supérieure à celle de la mitraillette. Sa dernière balle trouva sa cible. Le garde s'écroula, laissant échapper son arme.

Un autre homme courut pour la ramasser, mais Calogero l'attendait. Il visa, appuya sur la détente et… rien. Il était à court de munitions.

Il jura, jeta son fusil à terre et sortit son couteau de sa ceinture.

Il le lança au moment précis où le garde mettait en joue et faisait feu.

Une balle de calibre 45 tirée par une Thompson ? Environ 300 mètres/seconde. Un couteau lancé par un homme costaud ? Environ 30 mètres/seconde.

Calogero n'avait aucune chance.

James était horrifié. Une seconde auparavant, la caverne résonnait encore du rire de ce gaillard jovial et démonstratif, maintenant, il n'était plus qu'un ballot sans vie, écroulé sur le sol, et il ne rirait plus jamais.

Le manche de son couteau ne dépassait pas moins de la poitrine de l'assaillant. Une fois de plus, la Thompson s'était tue.

La fusée s'étant entièrement consumée, il était difficile de voir ce qui se passait. Seuls le feu mourant et les courts éclairs à la bouche des fusils apportaient un peu de lumière.

James attrapa l'arme de Calogero. Il savait pertinemment qu'elle était vide, mais ça le rassurait de tenir quelque chose entre ses mains moites – au moins cela les empêcherait de trembler. Une peur sourde, qui prenait à la gorge, s'était emparée de lui. Un sentiment inconnu de lui jusqu'alors. Il ne savait plus où regarder. Le chaos était total. Partout régnait une horrible confusion, déchirée par d'assourdissantes détonations, des flashs de lumière aveuglants et des hurlements. Avoir la vie sauve n'était plus qu'une question de chance.

Un troisième garde ramassa la redoutable automatique et ouvrit le feu, clouant tout le monde au sol. Une poignée d'attaquants en profita pour s'infiltrer par l'entrée principale. Heureusement, l'artilleur n'était pas un expert. L'arme sursautait et ruait entre ses bras, crachant de longues salves au petit bonheur. Il effrayait presque autant ses frères d'armes que les bandits tapis sur le sol.

L'homme à la Thompson avança lentement vers le centre de la caverne, ne tirant plus que de sporadiques rafales, tant son œuvre de déstabilisation de l'ennemi avait été efficace. Personne n'osait plus lever la tête, de peur de croiser une ligne de feu aussi fatale qu'imprévisible.

James remarqua Vendetta, tassée dans une des huttes toutes proches. Elle avait son *resolza* à la main, déplié, et avançait sur l'homme en armes.

James bondit hors de sa cachette, sauta sur elle et la fit tomber sur le sol grâce à un plaquage à l'académisme discutable tandis qu'une bourrasque de balles passait en sifflant quelques centimètres au-dessus de leurs têtes.

Ils roulèrent derrière un muret. James la maintint au sol de tout son long pour la protéger. Vendetta le regardait avec de grands yeux terrorisés. Elle se cramponna à lui et, un instant, il eut le sentiment qu'ils allaient tous deux mourir là, ainsi enlacés.

Il sentit une main sur son dos et comprit qu'ils n'étaient pas les seuls à avoir trouvé refuge à l'abri de ce muret. Stefano était lui aussi recroquevillé derrière ce modeste rempart, aux côtés du petit berger trapu et aux jambes arquées qui avait secouru James avec Calogero. Malgré la délicate situation où se trouvaient les siens, le berger regarda James et lui fit un sourire niais. D'évidence, il était encore saoul.

Soudain, le berger bondit sur ses pieds et se lança à l'assaut, à découvert, armant et déchargeant son fusil sans cesser d'avancer. Un, deux, puis trois hommes d'Ugo mordirent la poussière. Le paysan pataud beugla victoire, mais, derrière lui, quelqu'un pointa calmement un Luger sur sa nuque.

Smiler.

En une seule décharge, le Luger détermina l'issue du combat.

Il n'y avait plus assez de villageois pour résister. Les rares survivants baissèrent leurs armes et sortirent de leurs cachettes les mains levées.

Smiler, qui apparemment dirigeait l'attaque, aboya un ordre aux gardes en violet, rassemblés au centre de la grotte.

Le balafré avança jusqu'à l'endroit où James et les autres étaient retranchés et leur fit signe de sortir d'un petit mouvement de son pistolet.

La tête baissée, ils se levèrent et rejoignirent en traînant les pieds les hommes d'Ugo qui les attendaient près du feu.

Un sourire carnassier se dessina sur le visage de Smiler quand celui-ci remarqua la présence de James.

– James Bond ! s'exclama-t-il en souriant de toutes ses dents jaunes et baissant un œil brillant et amusé sur sa proie. Comme on se retrouve ! Ugo va être très heureux quand je lui rapporterai tes oreilles.

Ses yeux se posèrent sur Stefano, à qui il adressa une exclamation désapprobatrice, comme s'il grondait un bambin.

– Stefano. Tu as fait une grosse bêtise. Mais qu'est-ce qui t'est passé par la tête ?

Stefano ne répondit rien.

Smiler leva son Luger sur le petit groupe.

– À votre avis, vous irez au ciel ou en enfer ? demanda-t-il en gloussant. J'aurais bien dit une petite prière, mais… – il haussa les épaules – je n'ai pas fini ma formation de prêtre. Bon. Qui veut commencer ? Hein ? Je sais déjà qui sera le dernier. James Bond. Toujours garder le meilleur pour la fin. Stefano ! Il est temps de dire au revoir, mon enfant.

Il leva son Luger et pointa le cœur de Stefano, que James entendait psalmodier une prière à voix basse.

– Économise ta salive, railla Smiler. De toute façon, il n'écoute pas.

Il éclata de rire et stabilisa son arme.

Sans faire jamais feu.

Alors qu'il s'apprêtait à appuyer sur la gâchette, Smiler toussa, grogna et s'écroula à genoux. Un énorme harpon de baleinier – dont on voyait poindre l'aiguille perverse à hauteur du plexus – lui avait transpercé la poitrine.

Pris au dépourvu, ses hommes jetaient des regards paniqués autour d'eux, tandis que, debout au sommet des marches, Tree-Trunk, le lieutenant maori de Zoltan, les dominait de toute sa monumentale stature.

L'instant suivant, une nouvelle détonation retentit dans la grotte et une phalange de combattants se déploya en passant par l'ouverture du plafond, glissant à toute allure sur des cordes, telles des araignées noires suspendues à un fil.

Une autre grêle de balles en provenance de l'entrée principale finit d'emporter la décision. Les hommes de Smiler jetèrent leurs armes par terre et levèrent les mains en l'air.

Un combattant émergea du nuage de poudre, Beretta au poing.

Zoltan le Magyar avança et s'arrêta un instant sur le corps sans vie de Smiler.

– Eh ben au moins il est mort avec un vrai sourire sur le visage…

Après quoi il salua James avant de poursuivre :

– Toujours dans les embrouilles, hein, James ? Mais qu'est-ce qu'on va faire de toi ?

Quelques heures plus tard, au matin, James était assis sur une souche à l'extérieur de la grotte. Il se sentait amorphe, dans un état proche de la catatonie. La folle explosion de terreur, brève et sauvage, qui avait accompagné l'assaut l'avait vidé de toute émotion.

Il avait dû dormir dehors, à la belle étoile. L'odeur de sang était insoutenable à l'intérieur.

— Tiens, James, je t'ai apporté ça, déclara Zoltan en jetant sa vieille valise toute cabossée aux pieds du garçon. J'ai pensé que tu aurais besoin de vêtements.

— Merci, répondit-il d'une voix éteinte.

— Tu l'avais oubliée dans le vestiaire du stade, après le combat. Je l'ai gardée pour te la rendre.

— Comment avez-vous su où j'étais ?

— On a suivi les hommes d'Ugo. La rumeur de ton évasion s'est vite répandue. J'espérais pouvoir te rattraper avant eux, mais Smiler nous a surpris. Il a attaqué durant la nuit, pendant que vous dormiez. On l'a su dès qu'on a entendu la fusillade. Dommage que nous n'ayons pu arriver plus vite, nous aurions fait cesser ce bain de sang plus tôt. Tes amis ont perdu beaucoup des leurs. Je suis désolé. Encore heureux qu'ils n'aient pris qu'un seul de ces engins.

James lança un regard à Zoltan et constata qu'il portait la Thompson.

— Ugo est tellement radin, poursuivit le pirate. Je lui ai donné une pleine caisse de ces trucs et il envoie ses hommes en mission avec un seul, au cas où ils les perdraient.

Il s'assit et passa doucement son doigt sur le canon de métal et le bois blond verni de la crosse.

— C'est beau, non ? Diaboliquement beau même. Une vraie machine à tuer. Et tellement simple avec ça. Le gaz produit par l'explosion de la balle tirée fait reculer la culasse, éjectant la douille vide à l'aller et chargeant une balle neuve au retour. Tout le mécanisme repose sur l'explosion de poudre. Brillant ! Et mortellement efficace.

À ces mots, il tira une rafale dans un arbre tout proche puis regarda tomber une pluie de feuilles déchiquetées et de brindilles cassées.

– Elle a été inventée pendant la guerre par un Américain : John T. Thompson. Tu sais comment il l'appelait ? La balayette à tranchée. Parce qu'elle faisait le ménage dans les goulets de boue où les hommes se terraient. Dégueulasse. Je préfère mon Beretta. Il est petit et pas très puissant, mais je l'aime bien. Et puis je trouve qu'il me va bien. Rapide et fiable. Je peux le cacher n'importe où.

– Que s'est-il passé avec Ugo ? demanda James qui avait eu son compte d'armes à feu et de scènes de guerre.

– Tu avais vu juste, répondit Zoltan. Je ne peux pas lui faire confiance. Après ton évasion, il est venu me trouver. Il était très en colère et affirmait que je t'avais aidé. On s'est engueulés. Je l'ai traité de crétin et lui m'a accusé d'être un traître. Il a dit qu'il ne me paierait jamais ce qu'il me devait. J'ai eu l'impression de revivre toute l'histoire depuis le début. C'est un escroc. Et moi, je me retrouve sans rien. Si je n'avais pas eu mes hommes avec moi, je suis sûr qu'il aurait essayé de me dessouder.

Une seconde, James se sentit coupable. En mentant à Ugo, il avait monté les deux hommes l'un contre l'autre. Mais, sans ce mensonge, il serait probablement mort à l'heure qu'il est.

Sans oublier que Zoltan n'était pas un ami, mais un meurtrier sanguinaire.

Le Magyar alluma une cigarette. Il semblait fatigué et tremblait de tous ses membres.

– Ne dis jamais à mes hommes que tu m'as vu dans cet état, déclara-t-il en baissant les yeux sur sa main valide dont il tentait vainement d'arrêter les tremblements. Ils penseraient que j'ai peur. Tu vois, je ne peux pas m'arrêter et le moindre mouvement m'épuise.

– Qu'allez-vous faire maintenant ? demanda James, sans émotion.

– Ces gens savent ce que la vengeance veut dire. Je vais me venger d'Ugo. Je vais le détruire.

– Vous allez retourner là-bas ? Mais vous n'êtes pas assez nombreux.

– Depuis hier soir, le rapport de force s'est équilibré. Il a perdu des hommes alors que moi j'ai tous mes marins plus les bandits qui ont survécu à l'attaque.

– Même, le coupa James. Vous n'avez pas une chance.

– J'ai un plan, poursuivit Zoltan. C'est ton cousin qui m'en a donné l'idée. On récupère des outils de forage dans la mine et je fais écrouler sa maison sur sa tête.

– Et Amy ?

– Ah ! Amy…, dit Zoltan, les yeux au ciel et soupirant profondément. C'est elle qui est la cause de tout ça. Je vais essayer de la libérer avant la fin mais, si je ne peux l'avoir, alors Ugo non plus.

– C'est ça le sens de toute cette affaire, n'est-ce pas ? Ugo et vous rivalisant pour savoir qui des deux a le plus gros flingue. Vous vous disputez la prise comme deux chiens, un lapin. Vous oubliez qu'Amy n'est pas un trophée, mais une jeune fille de quatorze ans, terrorisée. Vous la laisseriez mourir, n'est-ce pas ? Juste pour le plaisir de battre Ugo.

– Non, trancha Zoltan. Je ne veux pas qu'elle meure. C'est d'ailleurs la raison pour laquelle j'ai besoin de ton aide, James. Tu es le seul à savoir où elle est. Ce *palazzo* est un vrai dédale. Jamais je ne pourrai la trouver à temps.

James se massa doucement les tempes. Il ne pouvait pas libérer Amy au profit de ce pirate.

– Je ne peux pas vous aider.

– Il semblerait qu'on soit trois à la vouloir… Et, comme tu dis, quand des hommes se disputent quelque chose, en général, ils le cassent, dit Zoltan en se redressant pour écraser le mégot de sa cigarette sous son talon. Réfléchis, James. Je suis le seul à pouvoir libérer Amy. Et si tu ne me dis pas où elle se trouve, Stefano le fera.

Zoltan s'éloigna, laissant James seul avec ses pensées. Voilà qui changeait tout. Il n'avait pas le temps d'aller chez Victor. Il fallait revoir les plans. Il ouvrit la valise et en examina le contenu : tout le bric-à-brac qu'il avait ramassé sans y penser quand il avait précipitamment quitté la Casa Polipo après le cambriolage. Sa trousse de toilette, une chemise propre, des sous-vêtements et là, coincés dans un coin, le masque, le tuba et les palmes que Victor lui avait donnés. Le cœur serré, il se remémora les moments qu'il avait passés à la plage avec Mauro.

Mauro qu'il ne reverrait jamais.

Il se sentit soudain submergé par une profonde tristesse. Tous les sentiments qu'il avait refoulés depuis qu'il avait appris la mort de son ami refirent surface. Il pleura en silence.

Quelques minutes plus tard, il entendit un bruit de pas. C'était Stefano qui lui apportait quelque chose à manger. Il sécha rapidement ses joues, essuya ses yeux et baissa la tête, prétendant faire le tri dans sa valise.

– J'ai parlé à Zoltan, déclara Stefano en tendant à James un morceau de pain et du fromage. Il veut que je l'amène là-bas et que je lui montre où est Amy. Si je lui dis pas, je ne sais pas ce qu'il va faire. C'est pas bon, James. Je crois qu'il faut que tu oublies pour cette fille.

– Non, répondit-il d'un ton catégorique. Je ne peux pas la laisser. Je lui ai fait une promesse.

– On n'a plus le temps d'aller chez ton cousin maintenant.

– Je sais. Au lieu de ça, il faut que je retourne au *palazzo* et que j'essaie de la tirer de là moi-même.

– Impossible. Trop dangereux.

– Pas obligatoirement. Parfois, un homme seul peut faire plus qu'une armée entière. Je sais où elle est…

– Oui, mais tu ne peux pas entrer dans le *palazzo*. Il n'y a que trois accès : descendre du barrage, monter par le funiculaire ou par les tunnels de la mine, et tous sont lourdement gardés.

– Et l'aqueduc ? Je pourrais passer par là.

– Tu serais vu, objecta Stefano.

– Pas s'il fait noir et que je nage.

– Même…

– Ne t'inquiète pas, je connais un moyen, conclut James. Maintenant écoute. Zoltan prépare une attaque. Si je peux arriver là-bas avant lui, libérer Amy et me tenir prêt, on pourra peut-être s'en sortir en profitant de la confusion générale.

Stefano étudia silencieusement la question pendant un moment avant de brusquement déclarer :

– Zoltan ne connaît pas le chemin pour retourner au palais. On peut facilement se perdre dans les montagnes. Je le guiderai, et je lui ferai faire un long détour. Quelqu'un d'autre t'emmènera à l'aqueduc par un chemin plus direct.

James accueillit la proposition de son ami avec un grand sourire, accompagné d'un « merci Stefano » qui venait du fond du cœur.

Stefano l'enlaça et le serra dans ses bras.

– Tu es brave, James. Ce sera un honneur de mourir à tes côtés !

– Souhaitons qu'on n'en arrive pas à ces extrémités.

Ce soir-là, tandis qu'il accrochait sa moustiquaire sous un arbre, James entendit une sourde rumeur venant de la grotte. Les hommes préparaient l'assaut du lendemain.

Zoltan avait décidé d'attaquer le palais aux premières lueurs du jour. S'il voulait arriver avant lui, James ne disposait que de quelques heures, qu'il fallait mettre à profit en se reposant – tant qu'il le pouvait encore.

Il n'était pas sûr de pouvoir trouver le sommeil. Il avait trop côtoyé la mort au cours des dernières heures et, demain, il y aurait encore certainement d'autres vies perdues.

Il n'en pouvait plus. Il voulait que ça s'arrête.

Mais il ne pouvait abandonner Amy.

Il lui avait promis.

C'est avec une certaine angoisse qu'il regardait l'intense bleu du ciel baisser, tourner au violet, au pourpre et finalement au noir. Le vacarme des insectes emplissait la nuit. Depuis l'épisode du marais, James n'ignorait plus les insectes. Ils étaient partout. Des millions et des millions d'insectes.

Les hommes pensent qu'ils sont une espèce avancée, supérieure, alors que ce sont les insectes qui dominent le monde. Ils sont là depuis bien plus longtemps que l'*Homo sapiens* et le seront encore longtemps après que celui-ci aura disparu de la surface du globe.

James se demanda comment un géant aurait vu la bataille d'hier. Une masse informe d'hommes en colère qui se battent et meurent, exactement comme deux colonies de fourmis concurrentes.

Les yeux entrouverts sur une constellation d'étoiles apparaissant à travers les branches des arbres, il sombra lentement dans un sommeil agité, peuplé de fusillades et de sang écarlate flottant dans les airs comme une épaisse brume rouge.

Plus tard, il sentit qu'on le secouait pour le réveiller. Ouvrant les paupières, il découvrit le visage familier de Vendetta, penché sur lui. Elle était entièrement vêtue de noir et portait une courte chemise sur un pantalon et un foulard noué autour de la tête.

Elle lui sourit et l'embrassa avant qu'il ait eu le temps d'esquiver, puis elle lui fit signe de la suivre en agitant un long doigt fin et noueux. Il se leva précipitamment et maladroitement du fait des raideurs qui engourdissaient ses membres.

Il se sentait épuisé et aurait bien aimé dormir quelques heures de plus, mais il savait que c'était impossible. Il attrapa le sac à dos que Stefano lui avait préparé, et qui contenait les quelques objets dont il pourrait avoir besoin, le jeta sur son épaule, puis suivit Vendetta à l'intérieur de la grotte où il chercha du regard l'homme qui allait le conduire au palais.

Personne. Les hommes de Zoltan et les quelques bandits qui l'accompagnaient avaient déjà levé le camp.

– Qui m'emmène ? murmura James.

Pour seule réponse, Vendetta se précipita au sommet des marches où elle s'immobilisa, jambes fléchies, plus féline que jamais. James remarqua qu'elle portait une gourde et une petite besace de cuir et comprit à cette occasion qui serait son guide.

– Non, explosa-t-il à haute voix. C'est pas vrai. Pas toi !

C'est juste avant l'aube
qu'il fait le plus noir

Bras tendu, Vendetta indiquait un endroit en contrebas, dans la descente. Mais James eut beau scruter la colline, il ne vit rien. Il releva la tête en faisant la grimace.

– Zoltan, chuchota-t-elle à voix basse en pointant à nouveau la pente du doigt, cette fois avec plus d'insistance.

James finit par apercevoir les masses sombres de plusieurs hommes qui avançaient à grands pas entre les arbres.

Le plan fonctionnait donc. Ils étaient devant Zoltan.

Un sourire triomphant illumina le visage de la jeune Sarde. Aussitôt après elle se remit en route, James sur ses talons.

D'après ses calculs, il estimait qu'ils marchaient depuis plus de deux heures et jamais l'allure de Vendetta n'avait faibli. Vu l'assurance de son pas, ils suivaient sûrement une sorte de sente – même si, pour un œil non averti, aucun signe de chemin n'était visible. Et elle marchait pieds nus. James, dont le talon le lançait encore, à l'occasion, quand il était fatigué, n'osait imaginer à quoi devait ressembler la plante de ses pieds. Cette fille aurait aussi bien pu marcher sur un oursin et ne rien remarquer.

James était épuisé. Il mourait d'envie de s'arrêter un moment, de faire une pause. Mais la vision de Zoltan et de ses hommes était là pour lui rappeler qu'il n'en était pas question.

Avant le départ, il avait essayé de dissuader la fille. Il avait posé la main sur son épaule, mais elle l'avait vivement repoussée et lui avait lancé un regard méprisant avant de continuer à monter les marches de la grotte.

– Je t'en prie, avait crié James dans son sillage. C'est trop dangereux…

Mais ses mots furent perdus. Trop dangereux ? Sans blague ! N'était-ce pas cette fille qui l'avait libéré – et avait tué le garde ? N'était-ce pas elle qui connaissait ces montagnes comme sa poche ? Non, il ne fallait pas se méprendre. C'était lui qui était en danger. Pas elle. Elle, elle était parfaitement capable de se sortir de là.

Aussi avait-il seulement haussé les épaules avant de lui emboîter le pas.

Le voyage avait été laborieux. Sans incident. La seule chose qui était venue rompre la monotonie de la marche était un mouflon qui, sans crier gare, avait traversé le sentier d'un bond, provoquant, de la part de James, une plongée au sol quasi instantanée. Vendetta s'était moquée de lui, mais il s'en fichait. Il avait eu une de ces frousses. Et puis il était dans un tel état de nerfs que ses réactions étaient légèrement disproportionnées. Enfin, il valait mieux être prudent et en vie qu'intrépide et mort.

Ils s'arrêtèrent enfin pour une pause casse-croûte. Vendetta sortit de sa besace un gros morceau de pain.

James n'avait aucune notion de l'heure. Le disque blanchâtre de la lune était encore bien visible dans le ciel et aucune lueur ne montait de l'est. Mais l'aube se levait vite par ici.

336

Il s'était accroupi dans la pénombre pour manger. Vendetta ne le quittait pas des yeux, telle une mère qui surveille son enfant. Il mâcha indéfiniment son morceau de pain, incapable de déglutir sous l'emprise de cet étrange regard.

Ils entendirent des bruits dans les fourrés. L'instant d'après, ils étaient entourés de cochons sauvages. Les bêtes, pas effrayées pour un sou, approchèrent d'eux en grognant doucement et en poussant de petits cris aigus, leurs naseaux humides et inquisiteurs flairant l'air en tous sens.

James se demanda par quelle farfelue conjonction de planètes ou par quel improbable coup de dés cosmiques il s'était retrouvé ici, sur une montagne sarde, au milieu de la nuit, partageant son petit déjeuner avec une redoutable fille et une horde de cochons sauvages.

Il se demanda aussi comment la partie allait se terminer.

Enfin, de ce côté-là, il serait fixé avant la fin de la journée.

Sans un mot, Vendetta se remit en route. James jeta le reste de son quignon de pain aux cochons, soupira, puis se releva – au grand dam de ses articulations endolories. La fille était déjà loin devant. Il tenta de la rattraper, mais elle était bien plus rapide que lui, sans compter qu'apparemment elle était capable de voir dans le noir. À la traîne, essayant désespérément de forcer l'allure, il n'arrêtait pas de glisser et de trébucher.

Ils marchèrent pendant des heures. James commençait à sérieusement se demander s'il était capable de faire encore un pas de plus quand il aperçut un pic rocheux qui ne lui était pas inconnu. Il comprit alors qu'ils arrivaient aux abords du bastion d'Ugo. D'ailleurs, Vendetta ralentissait l'allure maintenant. Ils avancèrent en redoublant de prudence. Finalement, James remarqua la longue courbure du barrage. Ils s'arrêtèrent. Ils se trouvaient au sommet d'un à-pic, légèrement en contrebas de l'ouvrage. De l'autre côté du ravin se trouvait le *palazzo*. Vendetta se cacha derrière un rocher et, d'un geste du menton, indiqua l'aqueduc, une vingtaine de mètres sous eux.

Des gardes patrouillaient autour du barrage et James savait que d'autres étaient stationnés à la cabine du funiculaire, mais aucun ne semblait surveiller l'aqueduc. Restait à savoir comment il allait descendre dans le goulet.

Vendetta coupa court à toute tergiversation. Passant prestement par-dessus le roc, elle entama la descente sans se retourner. James n'eut d'autre choix que de la suivre. Il se sentait dangereusement exposé sur cette pente rocheuse. Il suffisait qu'un garde se penche par-dessus le parapet du barrage pour qu'ils soient repérés. Ils descendirent aussi rapidement qu'ils le purent.

Heureusement, tous deux parvinrent sans encombre au pied de la falaise et atteignirent bientôt des broussailles dans lesquelles ils purent se mettre à couvert. Ils reprirent leur souffle un moment puis avancèrent en rampant sous les arbustes jusqu'à atteindre le bord d'un chemin de terre battue. Une construction de brique était adossée à la colline face à eux. Devant l'entrée, un garde endormi somnolait dans un abri de béton.

Qu'est-ce qu'Ugo avait dit déjà ? Au cours du dîner à la Casa Polipo ? Que l'eau descendait de ce côté-ci de la montagne jusqu'aux turbines, alimentant aussi l'aqueduc qui traversait jusqu'au palais. Le bâtiment de brique accueillait donc certainement la machinerie de la centrale électrique.

Vendetta leva le menton en direction du garde. James se demanda si elle avait l'intention de pénétrer dans le bâtiment et d'atteindre l'aqueduc depuis l'intérieur. Si oui, la manœuvre était atrocement risquée. Ils n'avaient aucune idée de ce qu'ils allaient trouver dans la bâtisse et, en plus, il fallait éviter le garde.

James chercha des yeux une autre voie d'accès. Il en était là de ses réflexions quand il remarqua Vendetta, le couteau entre les dents, qui se glissait hors des fourrés, les yeux braqués sur le garde.

Il l'attrapa comme il put et la tira en arrière. Quand elle fut à nouveau à l'ombre du fourré, il lui fit un non catégorique de la tête. Il n'y aurait plus de tué s'il pouvait l'éviter. Et puis, il avait remarqué quelque chose. À flanc de montagne, un gros tuyau de tôle rivetée descendait jusqu'à l'aqueduc.

Il l'indiqua en silence à sa complice puis fit mouvement, suivant le chemin de terre avant de le traverser en courant dès qu'il fut hors de vue de la sentinelle.

Vendetta le suivit à contrecœur. Ce n'était pas son plan. Pourtant, quand James lui eut montré à quel point il était facile de se laisser glisser le long du tuyau en utilisant les raccords entre chaque section pour reposer ses pieds, elle eut un large sourire et le suivit sans rechigner.

À la base de la conduite, l'eau se jetait en bouillonnant et en gargouillant dans le canal de l'aqueduc.

Tous deux parcoururent le long goulet des yeux, jusqu'à l'autre rive. L'aqueduc était largement exposé sur toute sa longueur, mais James avait confiance. Il était persuadé de pouvoir atteindre le palais sans être repéré.

Il retira son sac à dos et l'ouvrit, toujours sous l'œil noir et brillant de Vendetta qui suivait chacun de ses faits et gestes. Toutefois leur expression changea quand elle vit ce qu'il avait apporté avec lui et elle les écarquilla encore davantage quand il plaça le masque de plongée devant ses yeux et qu'il referma la bouche sur l'embout de son tuba. Effrayée, elle ne put refréner un pas en arrière. James éclata de rire et remonta son masque sur son front.

— Bon. J'y vais. Toi tu m'attends ici, dit-il les deux mains tendues vers le sol. *Aspetta…*

– Non, répliqua-t-elle en s'avançant vers l'aqueduc. *Vengo con voi.*

– Pas question, coupa James d'un ton tranchant. Je ne peux pas t'emmener avec moi. Et puis j'ai besoin que tu sois là quand je reviendrai. Tu assureras notre retraite.

– *Vengo con voi,* répéta-t-elle, déterminée.

James la poussa violemment en arrière.

– Tu attends, dit-il, comme s'il s'était adressé à un chien et regrettant dans l'instant de ne pas savoir parler italien correctement.

Il remit ses lunettes de plongée, attrapa ses palmes et se dirigea vers le canal. Il sentit que quelque chose bougeait dans son dos. Il fit volte-face et constata qu'elle le suivait.

– Je t'en prie, supplia-t-il. Tu ne peux pas venir. C'est mon problème, pas le tien.

Il la repoussa à nouveau, plus doucement cette fois et reprit son chemin, mais, soudain, elle se rua sur lui et le fit tomber. Handicapé par le masque de plongée, il ne voyait pas bien ce qui se passait, il s'écroula par terre lourdement et se cogna la tête sur la roche. Il se débattit, parvint à se remettre sur le dos en se tortillant et tenta de lui faire lâcher prise. Mais elle l'immobilisait fermement. Elle était souple et musclée. C'était comme essayer de se battre avec un animal sauvage. En outre, il ne voulait pas lui faire mal, il se contenta donc de protéger son visage des deux mains pendant qu'une pluie de gifles s'abattait sur sa tête.

Puis il y eut un éclat lumineux au moment où elle leva sa lame avant de la poser sur sa gorge.

Ils demeurèrent un moment ainsi, enlacés dans cette étreinte guerrière, avant que James ne réalise qu'elle pleurait. Une larme salée tomba de la joue de Vendetta et vint mourir sur les lèvres de James. Il retira son masque puis leva la main et sécha les pleurs qui mouillaient ses joues.

340

– Amy, murmura-t-elle simplement avant de relâcher son étreinte.

Elle se releva et lui tourna ostensiblement le dos, l'air maussade.

– Oui, Amy. Et après ? C'est pour ça que tu fais tout ce cirque ? demanda James durement. Je vais la chercher. Un point c'est tout. Je n'y vais pas parce que c'est ma fiancée ou un truc de ce genre, mais parce que je lui ai promis. Je ne suis pas amoureux d'elle. Pas plus que de toi d'ailleurs. Mais j'ai besoin de ton aide, que tu m'attendes ici, et bien vivante. Alors tu restes là. – Il se leva et reprit d'un ton plus conciliant : Écoute, je sais bien que tu ne comprends pas ce que je dis. Mais je te serai reconnaissant toute ma vie de bien vouloir faire ce que je te demande. Si tu viens avec moi, tu vas me rendre la tâche deux fois plus difficile.

Il saisit ses palmes et posa une main sur l'épaule de Vendetta.

– Ne t'inquiète pas, je vais revenir. Attends-moi.

Il fit quelques pas puis se ravisa. Il fit demi-tour, se précipita vers elle et l'embrassa violemment sur la bouche. Il la laissa là, figée de surprise, bouche bée, les yeux écarquillés. Il avait atteint l'aqueduc avant qu'elle ait réalisé ce qui lui était arrivé et esquissé le moindre geste.

Il enleva ses chaussures, les fourra dans son sac à dos qu'il attacha ensuite sur son ventre pour qu'il ne dépasse pas. Ensuite il enfila ses palmes, mit son masque et se laissa glisser dans le canal.

L'eau était froide, mais James était si excité qu'il n'y prêta aucune attention. Il plongea et se mit à nager avec le courant. Il voyait tout juste assez, sous la lumière de la lune, pour ne pas se cogner sans arrêt aux parois. Il prit rapidement de la vitesse, poussant fort sur ses palmes.

Quiconque eût regardé dans cette direction n'eût rien

remarqué d'anormal. Seule l'extrémité de son tuba, qui glissait sans bruit à la surface de l'eau, était visible.

Il ne prit pas le risque de relever la tête pour voir combien de chemin il lui restait à parcourir, mais la traversée lui parut beaucoup plus longue que prévu. Il lui sembla nager des heures. Il était sur le point de lever les yeux pour évaluer rapidement la situation quand il entendit un grondement sourd qui s'amplifiait à mesure qu'il avançait. Bientôt, il vit une masse d'eau bouillonnante devant lui. Soudain, le courant se fit plus fort et il se retrouva entraîné vers l'avant à toute allure, incapable de ralentir sa course. Il tenta de s'agripper aux parois, mais avant qu'il ait pu saisir une prise, il se retrouva violemment plaqué contre une grille métallique. Il était coincé, cloué sur place par la force du courant, et son tuba était submergé. Il lutta contre la panique, s'accrocha à la grille et se hissa vers le haut, le corps à l'horizontale.

Enfin il émergea de l'eau furieuse et reprit son souffle. Soulagé, il découvrit qu'il se trouvait sous une sorte de saillie, à l'abri des regards. Il grimpa sur le rebord de béton et s'écroula sur le sol rugueux.

Il retira son sac à dos détrempé, en sortit ses chaussures ainsi que deux bobines de cordes et fourra à leur place le masque, les palmes et le tuba. Il cacha ensuite le sac dans un coin sombre, enfila ses chaussures et passa les cordes autour de son épaule.

Il leva prudemment la tête au-dessus de la plate-forme et jeta un œil alentour. Il se trouvait juste en dessous de la cabine du funiculaire, sur la *piazza*. Aucun garde n'était en vue – probablement en train de jouer aux cartes dans leur cahute.

Il rampa au-dehors jusqu'à trouver la cabine, vérifiant plutôt deux fois qu'une qu'il n'y avait personne.

« Jusqu'ici tout va bien. »

Il jeta un regard le long des rails. À la faveur du clair de lune, il constata que le tunnel creusé dans le gros rocher était encore à bonne distance. Heureusement, les murs du *palazzo* jetaient une ombre noire comme l'encre sur les rails.

Il fallait tenter le coup.

Il traversa les rails en courant et se jeta dans l'ombre, longeant le mur.

Il se remémora la longue et difficile ascension du gros rocher et de son à-pic quasi vertical, l'autre nuit. Il commença à craindre d'arriver trop tard. Il leva les yeux vers le ciel, toujours pas le moindre signe de l'aube, mais il savait qu'elle ne tarderait pas.

Le temps d'arriver au tunnel, la chaleur de son corps, conjuguée à la douceur de l'air nocturne, avait séché ses vêtements. Mais il était éreinté, plus fatigué que jamais.

Pourtant, il ne pouvait rien y faire. Il était acculé. Il devait continuer, pousser ses muscles perclus de douleurs en avant, et rejoindre Amy, avant qu'il ne soit trop tard.

Il contourna le rocher puis l'escalada jusqu'à la base de la façade où il emprunta l'échafaudage de bois pour se retrouver sur le toit du bâtiment en cours de construction. Tout était comme il l'avait laissé, à un détail près. Comme il l'avait pressenti, si la plupart des outils étaient toujours là, les cordes, elles, avaient disparu.

Qu'à cela ne tienne, il avait apporté les siennes. Il déroula une corde, attacha une pioche à son extrémité puis arrima la seconde au poteau que Stefano avait utilisé. Il noua ensuite les deux cordes à sa taille, prit une profonde inspiration, et passa l'arête du toit, la pioche qui pendait sous lui cognant contre le mur. Il s'arrêta à la première fenêtre, détacha la pioche et la posa délicatement sur le sol de la pièce vide.

Une minute plus tard, il était debout sur le rebord de fenêtre de la cellule d'Amy, appelant doucement son nom.

– James ? lui répondit la voix d'Amy, incrédule.

Son visage diaphane apparut bientôt à la fenêtre.

– Je t'avais dit que je reviendrais te chercher.

– Merci, mon Dieu, répliqua-t-elle, des sanglots dans la voix. Qui est avec toi ?

James hésita un instant avant de répondre.

– Personne… Il n'y a que moi.

– Ah ! murmura Amy, tentant tant bien que mal de dissimuler sa déconvenue.

– Ne t'inquiète pas, reprit James aussitôt. J'ai un plan. Écoute-moi, d'une minute à l'autre, ça va être l'enfer ici. Dès que ça commencera, poste-toi près de la fenêtre et attends-moi. Si quelqu'un se présente à ta porte, crie au secours.

– Entendu.

– Fais-moi confiance, ajouta James avant de remonter à l'étage supérieur.

Là, il dénoua la corde et attrapa la pioche.

Il était prêt. Il n'avait plus qu'à attendre l'aurore. Assis près de la fenêtre, il contempla le ciel, à la recherche des premières lueurs du jour. Il se sentait très loin de chez lui.

Il aurait aimé être en Angleterre. Il en avait assez des frayeurs. Pourtant au-delà de la peur, il y avait aussi ce frisson qui courait dans ses veines et qui l'électrisait. Si proche de la mort, il se sentait vraiment vivre.

Après tout, n'était-il pas membre du club du Danger ?

Il se demanda ce que Pritpal et Tommy Chong faisaient en ce moment même. Le seul fait de penser à eux le fit sourire. Mais l'image de Mark Goodenough se substitua bientôt à la leur. Il se souvint de son visage dans la voiture, dévasté par la douleur et la peine, fou de chagrin.

Mentalement, James remonta ainsi aux responsables de toute cette affaire, à ceux qui étaient la cause de tout ce mal : Ugo, Zoltan et Peter Haight.

Il avait promis à Mark de faire tout ce qui était en son pouvoir pour arranger les choses.

Il n'allait pas tarder à en avoir l'occasion.

Stefano aussi regardait intensément le ciel, comme s'il avait voulu retenir l'astre du jour et donner ainsi à James plus de temps pour pénétrer dans le *palazzo*. Il pria de toutes ses forces pour que son ami soit déjà en place car il n'y avait plus rien qu'il puisse faire pour retarder les hommes de Zoltan.

Ils étaient descendus de la montagne par un ancien chemin muletier puis avaient traversé la rivière à gué. Maintenant, ils étaient tapis à l'ombre de grands arbres, non loin de l'entrée de la mine. Les hommes parlaient à voix basse, vérifiant leurs armes et contrôlant les goupilles de leurs grenades.

Une heure plus tôt, ils avaient laissé Zoltan et Tree-Trunk là-haut au barrage. Avant de se séparer, le Magyar avait rappelé ses instructions.

Dès que les premiers rayons du soleil passeraient la crête des montagnes, le commandant en second du *Charon*, Davey Day, conduirait l'attaque des mines. À la grenade et à la sulfateuse à camembert, ils devaient prendre le poste de sentinelle puis rejoindre le *palazzo* par les tunnels en éliminant toute résistance éventuelle et en créant par la même occasion autant de confusion que possible.

— Tu sais ce que tu auras à faire une fois au palais, n'est-ce pas, Davey ? avait demandé Zoltan.

— Je prends deux hommes avec moi et je vais chercher la fille. Quand on l'aura retrouvée, on la fait sortir par le chemin qu'on a pris en entrant.

— Bon garçon. Quand tout ceci sera terminé, vous pourrez piller et emporter avec vous tout ce que vous réussirez à porter.

Stefano frissonna. Il redoutait de pénétrer à nouveau dans le *palazzo*. Ses chances de s'en sortir vivant étaient plus que minces.

Il sursauta quand une main se posa sur son épaule. Mais ce n'était que Davey Day. Son visage luisait d'un éclat pâle et gris sous le clair de lune.

— Bon boulot, petit, déclara-t-il sur un ton amical. On a le plan que tu nous as fait. Grâce à toi, on sait où on va. Inutile que tu ailles plus loin. Ça risque de chauffer là-dedans.

— Merci, répliqua Stefano, sentant des larmes de soulagement monter à ses yeux ; pour un peu, il aurait presque embrassé le bonhomme. Bonne chance, finit-il par ajouter après un moment.

— On va en avoir besoin, concéda Davey.

Stefano abandonna les pirates et fila à toutes jambes vers la rivière et le chemin muletier.

Il allait remonter sur la montagne et retrouver Vendetta.

Finalement, il n'allait pas mourir.

Il espérait que les choses allaient tourner aussi bien pour James.

Il s'arrêta et jeta un œil au *palazzo*, accroché au flanc de la montagne, derrière lui. Puis il ferma les yeux et psalmodia silencieusement une prière pour que James s'en sorte sain et sauf.

Le feu de l'action

C'était un beau lever de soleil. Un halo pâle vint crever l'obscurité à l'est, et, bientôt, toute la voûte du ciel ne fut qu'un dégradé vaporeux allant de l'or le plus chatoyant au bleu le plus profond. À travers la fenêtre, James regarda l'ombre des montagnes avancer au creux de la vallée tandis que la campagne passait lentement du gris au vert. Finalement, les premiers rayons du soleil apparurent au-dessus des crêtes, les oiseaux se mirent à chanter dans les arbres.

Le jour était levé.

Tout était parfaitement calme et paisible. L'air sentait bon le frais. Un jour comme celui-ci, il ne pouvait se passer que de bonnes choses.

Une puissante explosion vint soudain rompre l'harmonie du paysage, provoquant l'envol d'un groupe de colombes blanches qui s'élevèrent dans le ciel comme du duvet échappé d'un oreiller qu'on tape pour le regonfler.

L'explosion fut suivie de détonations et de cris de panique qui résonnèrent dans le lointain.

Acte I, scène I.

James se mit rapidement à l'ouvrage. Il leva sa pioche et l'abattit de toutes ses forces au centre du plancher. Il s'arrêta,

347

tendit l'oreille pour vérifier qu'Amy n'appelait pas au secours, mais tout ce qu'il percevait était le vacarme grandissant de la fusillade et la confusion qui s'emparait du palais. Il cogna à nouveau, une fissure apparut. Il piocha encore et encore, jusqu'à ce qu'un gros morceau de béton se détache et aille s'écraser sur le sol de la pièce en dessous. Deux coups de plus et il avait ouvert un trou de bonne taille. Il vit Amy qui le regardait depuis le bas, de la poussière plein les cheveux.

– Ça va ?

– Je crois que oui, répondit-elle, hésitante.

– Aucun signe des gardes ?

– Non.

– Bon. Recule-toi, ordonna James, et essaie de te tenir aussi près du mur que possible.

Il releva sa pioche et continua à creuser. Quelques minutes plus tard, l'ouverture dans le sol était assez grande pour permettre à un homme de passer. Mais, soudain, il y eut un énorme craquement et la moitié du plancher s'écroula. Il lança la corde à Amy.

Attrape ça, dit-il en s'arc-boutant sur ses jambes.

Amy grimpa, James tira, et, quelques instants plus tard, elle se retrouvait dans la pièce. Elle était couverte de poussière blanchâtre. Son regard était vitreux tellement elle avait peur. Elle prit James dans ses bras et l'étreignit violemment. Le contact lui fit du bien à lui aussi.

– Il faut qu'on parte d'ici, dit-il. En vitesse. Tu sais nager ?

– Oui.

– Suis-moi, on y va.

James était déjà en train d'escalader le rebord de la fenêtre quand il entendit une clé dans la serrure. Suivant la première idée qui lui passa par la tête, il tendit un bout de la corde à Amy et lui indiqua d'un signe de tête l'autre côté de la porte. Heureusement, elle parut aussitôt comprendre ce qu'il attendait d'elle et tous deux se mirent en position, collés au mur.

La porte vola et un garde fit irruption dans la pièce. Ils tirèrent la corde ensemble. Le garde trébucha et tomba tête la première dans le trou, se cognant violemment le crâne sur le bord au passage.

— Sortons d'ici, dit James.

Amy ne discuta point. Ils sortirent en courant par la porte que le garde avait déverrouillée et se retrouvèrent dans un long couloir sombre et sinueux qui les mena jusqu'à un patio ensoleillé.

La panique et la confusion étaient totales. Les gens couraient dans tous les sens en hurlant. Les domestiques pour fuir, les gardes pour tenter d'organiser leur défense, alors même qu'ils ne comprenaient pas vraiment d'où provenait l'attaque. Au milieu du chaos ambiant, James et Amy passèrent totalement inaperçus et réussirent à traverser le *palazzo* en direction de l'aqueduc sans encombre.

Après quelques tentatives infructueuses les menant à des voies sans issue, James repéra la statue équestre.

— Par ici ! cria-t-il en s'engageant à toutes jambes dans une allée.

Le bruit des détonations approchait.

— Il faut qu'on évite de se trouver mêlés à la bataille, hurla-t-il, sinon on n'a aucune chance de s'en tirer.

Amy, trop effrayée pour parler, se contenta de lui répondre par un rapide hochement de tête, le visage fermé, les lèvres pincées. James lui prit la main et l'entraîna au sommet d'une volée de marches. Dans leur précipitation, ils faillirent entrer en collision avec Jana Carnifex qui, accompagnée d'une petite troupe de suivants, faisait route inverse.

Elle parut tellement surprise de tomber sur eux qu'elle n'eut pas le temps de réagir et avant qu'elle ait pu dire ou faire quoi que ce soit, James et Amy avaient pris la poudre d'escampette. James sentit seulement son parfum planer dans l'air immobile du petit matin.

Une odeur qu'il n'oublierait certainement jamais.

La terrasse devant le temple était parfaitement déserte, si on exceptait un homme d'Ugo, étendu sur le sol. De loin, on aurait pu croire qu'il dormait, tranquillement allongé sur la pierre. Rien ne permettait de dire comment il était mort. C'était un homme jeune, avec un doux visage qui, dans la mort, avait pris une expression contrariée.

James se sentit envahi d'une immense compassion pour cet inconnu, parfaitement étranger au combat qui l'avait terrassé. James eut une pensée pour tous ces soldats tombés sur les champs de bataille d'innombrables guerres sans même savoir pourquoi.

Alors qu'il contemplait le cadavre en silence, il sentit quelque chose tirer sur sa manche, une fraction de seconde avant qu'une détonation ne déchire l'air. La balle arracha un bout de sa chemise et érafla sa peau. Il n'avait aucune idée d'où venait le coup, encore moins de qui avait tiré. Il n'attendit pas de connaître la réponse. Attrapant Amy par le bras, il courut se mettre à couvert avant qu'une nouvelle balle, cette fois, ne fasse mouche.

Ils avancèrent en silence dans le dédale de couloirs, d'allées et d'escaliers qui menaient à la *piazza* principale. Quand ils l'eurent atteinte, ils s'aperçurent qu'entre l'aqueduc et eux se trouvaient les hommes de Zoltan, engagés dans une furieuse fusillade avec les gardes du *palazzo*.

Pourtant, le déséquilibre était flagrant. Les gardes avaient l'avantage du nombre. Les pirates ne tarderaient pas à être complètement submergés.

— Suis-moi et baisse-toi.

Sans lui laisser l'occasion de soulever la moindre objection, James tira Amy sur la *piazza*.

Ils avancèrent en martelant le pavé et plongèrent sans hésiter dans la fontaine où ils se traînèrent à reculons jusqu'à se retrouver adossés à l'élément central, cachés derrière un rideau d'eau.

— On va attendre et, dès que l'occasion se présentera, on ira à l'aqueduc, dit James.

— Je t'en prie, dis-moi ce qui se passe, répliqua Amy.

— Zoltan est en train d'attaquer Ugo.

— Mais pourquoi ? demanda Amy. C'est perdu d'avance. Qu'est-ce qu'il essaie de prouver ?

— Il m'a dit qu'il avait un plan pour détruire le *palazzo*... Que c'était mon cousin Victor qui lui avait soufflé l'idée.

— Quel plan ? Qu'est-ce que ton cousin a dit ?

— Je ne sais pas, répondit James. J'ai eu beau chercher, je n'ai rien trouvé. Tout ce que je sais c'est qu'on était en train de descendre du barrage en funiculaire.

— Et vous parliez de quoi ?

— Du barrage...

James n'avait pas fini sa phrase qu'une horrible image s'imposa à lui. Les mots restèrent un instant coincés dans sa gorge puis, la voix tremblante, il déclara :

— Il va essayer de percer le barrage.

— Non ! Il ne ferait pas ça, répliqua Amy, abasourdie. Tous ces gens...

— Qu'est-ce que ça peut lui faire ?

— Non, il ne ferait pas ça, répéta Amy doucement.

— Nous devons l'en empêcher, dit James, déterminé.

Un des hommes de Zoltan passa devant eux en courant. Il y eut une détonation, l'homme fut coupé net dans son élan. Il chancela, puis bascula dans la fontaine. Son sang se répandit rapidement dans le bassin et, quelques instants plus tard, le rideau d'eau qui tombait en cascade devant Amy et James vira au rose. L'un comme l'autre eurent un instinctif mouvement de recul. Ils voulaient quitter cet endroit aussi vite que possible.

– Qu'est-ce qu'on va faire ? demanda Amy.

– On pourrait essayer de monter au barrage en suivant les rails du funiculaire.

– On tente ? proposa la jeune fille qui, d'évidence, avait retrouvé une partie de son courage.

La fusillade s'était déplacée. Les hommes de Zoltan avaient battu en retraite à l'intérieur du *palazzo*, les gardes d'Ugo accrochés à leurs basques.

– De toute façon, on ne peut pas rester plantés là toute la journée, dit James. Allez, on y va !

Ils se précipitèrent hors de la fontaine et piquèrent un sprint sur la *piazza*, luttant désespérément contre le manque d'adhérence de leurs pieds mouillés sur le sol de marbre poli. Tandis qu'il courait, James sentait tout son corps se contracter. Il s'attendait à chaque instant à être fauché par une balle. Contre toute attente, ils parvinrent indemnes de l'autre côté. James jeta un rapide coup d'œil derrière lui. Personne.

Ils grimpèrent dans la cabine du funiculaire et refermèrent la porte derrière eux. Ils demeurèrent un moment allongés là, ruisselants d'eau, reprenant lentement leur souffle. Finalement, James se redressa et jeta un œil à l'extérieur, juste à temps pour voir un garde terrifié se ratatiner à l'ombre d'un mur, à quelques mètres d'eux. La Thompson qu'il tenait entre ses mains ne l'empêchait nullement de trembler de tous ses membres. Manifestement, il n'avait aucunement l'intention de s'en servir.

James hurla dans sa direction.

– Va-t'en ! Déguerpis.

Le garde n'y réfléchit pas à deux fois. Oubliant sa mitraillette – qu'il laissa choir par terre sans même s'en rendre compte –, il bondit sur ses pieds et détala à toute vitesse loin du théâtre des opérations, tel un lapin de garenne levé par quelque chien de chasse.

James étudia les commandes de la cabine sans comprendre à quoi elles correspondaient.

– Comment ça marche ? demanda Amy.

– C'est un système de contrepoids, répondit James. Les deux cabines sont reliées par un câble qui tourne autour d'un énorme tambour là-haut, au barrage. Celle qui se trouve au sommet est remplie d'eau jusqu'à être plus lourde que celle du bas. La gravité lui fait ensuite descendre la pente et ainsi remonter celle qui se trouve en bas. Dès qu'elle arrive, le réservoir est vidangé et ainsi de suite.

– Donc il ne nous reste plus qu'à trouver comment on vide l'eau...

– C'est un de ces leviers, répondit James en actionnant et en tournant toutes les manettes qu'il pouvait trouver.

Amy l'imita et, bientôt, ils entendirent un violent bruit d'eau, sous la cabine. Le réservoir venait de se vider dans le canal de vidange.

Il y avait un gros levier dont James supposa qu'il s'agissait de la commande de frein. Il l'actionna, mais rien ne se passa.

– Merde.

– Que se passe-t-il ? Pourquoi est-ce qu'on ne bouge pas ? demanda Amy.

– Apparemment, il faut que quelqu'un mette en route la cabine du haut. Il faut certainement remplir le réservoir d'eau et relâcher les freins. J'ai bien peur qu'on soit coincés ici.

Une seconde plus tard, la cabine s'ébranla au moment où ils s'y attendaient le moins et, après une série de cahots, ils entamèrent l'ascension de la falaise.

Amy éclata de rire.

– Comment as-tu fait ça ?

– Je ne sais pas, répondit James. C'est un miracle.

À mi-parcours, le « miracle » trouva son explication. En effet, quand, dans un concert de cliquetis métalliques, ils croisèrent l'autre cabine, qui descendait du barrage, ils purent constater qu'elle était pleine de gardes déconcertés et apeurés se préparant à contrecœur à entrer dans le feu de l'action. La surprise sur leurs visages au moment où ils virent les deux adolescents tranquillement installés dans le funiculaire opposé eût été presque comique si, quelques instants plus tard, réalisant ce qui se passait, ils n'avaient décidé d'ouvrir le feu.

Un vacarme assourdissant résonna dans la cabine au moment où une volée de plomb s'abattit sur la carrosserie. James et Amy se jetèrent au sol qui, bientôt, fut recouvert d'une épaisse couche de bois et d'éclats de verre. Heureusement, les cabines s'éloignèrent rapidement l'une de l'autre, empêchant les tireurs de trouver leur cible. Ni l'un ni l'autre n'était touché. Une fois la tempête passée, ils se redressèrent prudemment et époussetèrent leurs vêtements couverts de débris.

Le reste de l'ascension se déroula sans incident, exception faite de l'arrêt final, rendu particulièrement brutal du fait qu'ils avaient oublié d'actionner les freins à leur arrivée dans le débarcadère. La cabine cogna violemment les heurtoirs, les propulsant une nouvelle fois au sol. James était couvert de petites coupures, mais il ne sentait rien. Son taux d'adrénaline était tel qu'il annihilait la douleur.

Ils se remirent péniblement debout et jetèrent un œil à

l'extérieur. L'endroit était désert. James empoigna la mitraillette à camembert que le garde avait oubliée dans sa fuite. Elle était lourde et sentait la graisse.

Ils sautèrent hors de la cabine. James fit quelques pas en arrière, les yeux rivés sur le câble qui supportait le funiculaire.

Il leva la bouche de son canon et appuya sur la gâchette, certain que rien ne se passerait. Au lieu de ça, l'arme se mit à tressauter dans ses mains, à hoqueter en tous sens. Le vacarme était impressionnant. Après une première rafale aléatoire, il parvint néanmoins à maîtriser suffisamment l'engin pour atteindre le câble qui, après un grincement nasillard, céda sèchement, libérant la cabine qui alla s'écraser dans la pente, où elle prit de la vitesse.

— Comme ça, personne ne pourra nous suivre ici, déclara fièrement James.

— D'accord, répliqua Amy, mais comment est-ce qu'on va descendre ?

— On verra ça plus tard.

Le bruit de la fusillade qui se poursuivait en bas n'était plus qu'une faible grêle assourdie par la distance, rien de plus inquiétant que les craquements d'un feu de bois dans la cheminée. Ici, au bord du lac, l'atmosphère était calme et sereine. La crête des montagnes se parait d'une teinte mordorée sur le bleu du ciel. Pourtant, James savait que quelque part, non loin d'ici, se terrait un tueur sanguinaire bien décidé à transformer cette idyllique image de carte postale en vision d'horreur.

— T'es sûr qu'il est là ? demanda Amy.

— Je ne sais pas. Peut-être que je me suis trompé, répondit James en jetant un regard circulaire au lac.

Sur la rive gauche, on distinguait un petit alignement de baraques. Rien n'indiquait que Zoltan s'y trouvait. Mais où était-il passé ?

– Qu'est-ce que ton cousin a dit exactement ? demanda Amy.

– Il lui semblait que ce gros rocher, en surplomb du lac, était instable.

– Alors c'est là qu'il a dû aller.

– En effet, on peut le penser. Allons vérifier.

La vedette d'Ugo était amarrée non loin de la silhouette pataude du gros hydravion, le long de la jetée. James s'y précipita et sauta à bord.

– Tu sais comment manœuvrer un de ces engins ?

– Pas de problème, répondit fièrement Amy en rejoignant James d'un bond, la corde d'amarrage à la main. J'ai passé la moitié de ma vie sur des bateaux.

Elle s'activa autour du moteur, heureuse de pouvoir enfin concentrer son esprit sur quelque chose d'utile et, du même coup, oublier non seulement le danger qu'ils couraient, mais aussi la violence dont ils avaient été témoins.

Bientôt, la vedette à moteur filait sur les flots, crevant la tranquillité transparente de la surface d'une profonde entaille bouillonnante et blanchâtre. Amy tenait la barre tandis que James, bras tendu, lui indiquait une zone située près de la rive droite du lac. Arrivés près de la saillie rocheuse, ils ralentirent et poursuivirent leur route au pas, les yeux fixés sur la berge, à la recherche du moindre indice qui pourrait leur indiquer où Zoltan se trouvait.

James remarqua une tache noire, l'entrée d'une grotte.

– Par là, ordonna-t-il aussitôt.

Amy approcha la vedette. L'embouchure de la grotte avait été agrandie et ses bords consolidés afin d'en faciliter l'entrée.

Amy manœuvra l'embarcation. Ils passèrent sous la voûte et se retrouvèrent dans un goulet éclairé par une série d'ampoules au plafond. Ils suivirent les lumières, passèrent un angle et débouchèrent dans une petite grotte ténébreuse et lugubre. Il faisait froid là-dessous. L'humidité glaçait les os. Des filets d'eau coulaient le long des parois et gouttaient du plafond. Toutes les roches étaient couvertes d'une épaisse couche de matière visqueuse et verdâtre.

James détailla rapidement l'endroit. Il y avait un petit ponton pour amarrer des canots ainsi qu'un quai en bois, en état de putréfaction avancé, posé sur des poteaux de béton d'où partait un escalier métallique qui disparaissait dans une faille. Des tonneaux pourris étaient empilés sur le quai. Alors que James amarrait la vedette, Zoltan apparut derrière les barils. Son visage était trempé de sueur. Ses yeux rougis par la fièvre brillaient d'un éclat inquiétant.

– James, murmura-t-il d'une voix cassée et enrouée. Tu es vraiment un garçon brillant. Tu m'as trouvé. Bien joué. Et tu m'as amené Amy. Gentil de ta part.

La jeune fille eut un vif mouvement de colère et posa sur James un regard accusateur. L'avait-il trahie ? L'avait-il trompée en l'amenant ici ?

James lui prit la main et la serra de manière rassurante, priant pour qu'elle ne se méprenne pas.

Il baissa les yeux sur la mitraillette, posée sur le fond de la vedette. Zoltan la vit aussi.

– Si tu fais le moindre geste dans cette direction, j'ai bien peur de n'avoir d'autre choix que de te tuer, dit-il en sortant son Beretta de sa tunique.

D'un petit mouvement du canon, il leur ordonna de quitter le canot et de le rejoindre sur le quai.

Au moins cela devrait-il convaincre Amy que James était de son côté.

En traversant le quai, James remarqua un faisceau de fils électriques qui disparaissaient dans un trou. Tree-Trunk, accroupi dans l'ombre, était occupé à tirer d'autres lignes depuis une grosse bobine.

357

– Que faites-vous ? demanda James, sa voix se répercutant en écho dans la grotte.

– Je t'en prie, n'essaie pas de m'arrêter, s'exclama Zoltan. Il faut que je fasse ça.

– Vous allez faire sauter la montagne ?

– Seulement rayer de la carte Carnifex et son empire de carton-pâte, répondit Zoltan.

– Il faut que vous renonciez, tenta James. Vous ne pouvez pas faire une chose pareille. Pensez à tous ces innocents qui vont mourir.

– Innocents ? Qui donc est innocent ici ? Tous des chiens et des porcs. De la racaille… Non, croyez-moi, en les faisant périr, je rends service à l'humanité.

– Et vos hommes, là, en bas ?

– Ils sont probablement déjà tous morts, rétorqua Zoltan dans un haussement d'épaules. Ils n'étaient pas assez nombreux – une simple diversion – j'en trouverai d'autres.

James essaya de protester, mais le géant maori le fit taire en le soulevant de terre d'un seul bras. De l'autre, il fit de même avec Amy et les tint ainsi, aussi solidement que s'ils avaient été mis aux fers.

– On les emmène avec nous, ordonna Zoltan.

– Non ! hurla James. Je vous en prie, ne faites pas ça.

– C'est trop tard, confia le Magyar à voix basse. Le sort en est jeté.

À ces mots, il attrapa la bobine de câble et déroula une ligne derrière lui tandis qu'il emboîtait le pas de son lieutenant, parfaitement insensible à son fardeau. James tenta bien de se débattre, mais c'était sans espoir.

Ils émergèrent au soleil, en surplomb du lac, et continuèrent à grimper à flanc de montagne jusqu'à un belvédère où un détonateur les attendait.

Zoltan s'assit lourdement sur la dalle de béton. Ce petit

exercice avait suffi à l'épuiser. Il respirait difficilement. D'une main tremblante, il enroula le bout des fils à deux plots de cuivre au sommet du détonateur, maudissant à haute voix sa maladresse. D'évidence, il était très malade et il devait s'arrêter constamment pour éponger la sueur qui poissait son visage et brouillait ses yeux.

Une fascination horrifiée se lisait sur les visages de James et d'Amy tandis qu'ils fixaient du regard les mains du Magyar, tournant une manivelle sur le côté de la boîte pour charger la batterie puis posant sa paume sur le piston.

– Carnifex n'aurait jamais dû croiser ma route. Bon, maintenant on va voir si Victor Delacroix avait raison... À la revoyure, l'empereur, dit Zoltan en accompagnant ses mots d'un salut théâtral en direction du barrage.

Il enfonça le piston. Une explosion sourde ébranla les entrailles de la montagne... et le cœur de James. Il en était malade. Il se sentait prêt à éclater en sanglots. Cela n'aurait jamais dû arriver. Il avait échoué.

Quelques cailloux se détachèrent du surplomb rocheux et tombèrent dans le lac en piteuses gerbes. Et puis, plus rien.

Un lourd silence s'abattit sur la montagne.

James reprit soudain courage. Croisant le regard d'Amy, il y perçut la même lueur d'espoir.

Zoltan éclata d'un rire hystérique.

– Il avait tort, hurlait-il. Victor avait tort. Finalement, c'est Carnifex qui est le meilleur ingénieur. On dirait bien que son royaume d'opérette est là pour rester.

Puis il éclata de rire à nouveau et jura en hongrois, maudissant les eaux plates du lac d'un chapelet d'injures.

C'est alors que James sentit le sol bouger sous ses pieds, comme s'il était assis sur le dos d'une bête gigantesque qui aurait soudain émergé d'un profond sommeil. Un craquement inquiétant, comme de la glace qui se brise, monta des profondeurs de la montagne, l'air autour d'eux sembla s'ouvrir en deux, comme déchiré par une onde de choc. James la sentit taper contre sa poitrine avant de s'insinuer dans tous ses membres.

Un autre craquement, plus long, résonna à nouveau sous leurs pieds, puis un autre et un autre, comme les grondements du tonnerre. C'était stupéfiant. Le bruit d'une déchirure, d'une fracture, à une échelle inimaginable. La terre trembla de nouveau. Un vertige malsain s'insinua dans les têtes. James vit des rides courir sur le sol.

Et puis le silence se fit à nouveau.

Le temps semblait s'être arrêté. Le monde entier semblait s'être arrêté, en attente d'une catastrophe imminente. La montagne tout entière s'était tue. Pas un insecte ne bourdonnait, pas un oiseau ne gazouillait. Soudain, James réalisa que lui-même retenait son souffle.

La revanche du Magyar

Plus bas, dans son palais, Ugo avait non seulement entendu un grondement, mais aussi senti le sol qui tremblait. D'instinct, il jeta un œil inquiet au barrage, dont la masse blanche se détachait majestueusement sur fond de ciel bleu.

– *Ita fua cussu ?* (Que se passe-t-il ?) s'exclama-t-il, fronçant ses pâles sourcils.

La question n'était destinée à personne en particulier, aussi chacun s'abstint-il d'y répondre.

Il plissa à nouveau les yeux, l'air soucieux, et renifla l'air. Probablement rien de bien méchant.

Il y avait moult choses à faire. Ses gardes avaient fait prisonniers les quelques survivants de l'escouade d'assaillants et les avaient rassemblés sur la *piazza*, le long des rails du funiculaire, rendu hors d'usage par James quelques minutes plus tôt.

– Quand vous aurez terminé, débarrassez-vous des corps et lavez le sol, dit Ugo en se tournant vers le capitaine du peloton d'exécution. Lavez tout le palais. Je ne peux pas supporter ces immondices.

Il fit un pas en avant et leva le bras.

– Messieurs, en joue. Quand j'abaisserai le bras, ouvrez le feu.

Stefano et Vendetta avaient eux aussi entendu l'explosion. Et une sorte d'instinct leur avait aussitôt commandé de partir en courant.

– *Aio caida !* (Viens vite !) hurla Stefano en attrapant la fille par le bras et en la tirant vers le haut de la montagne aussi vite que possible, loin de l'immense crevasse où ils se trouvaient.

Perry Mandeville et les autres élèves d'Eton jouaient au foot quand l'explosion avait retenti. Ils se trouvaient alors dans un champ, juste à côté des arènes d'Ugo. Simultanément, tous s'immobilisèrent et, protégeant leurs yeux du plat de la main, scrutèrent la montagne pour essayer de comprendre ce qui venait de se produire.

En l'absence conjuguée de Peter Haight et de Cooper-ffrench, c'était Quintino, le guide italien, qui les surveillait. Laissés à eux-mêmes, ils avaient fait ce que les garçons font partout dans le monde, c'est-à-dire taper dans une balle. Tout au long de la matinée, ils avaient perçu d'étranges bruits en provenance du *palazzo* et en avaient déduit qu'il s'agissait des derniers soubresauts du carnaval, mais cette dernière explosion, par son intensité exceptionnelle, était différente.

– Je me demande ce qu'ils fabriquent là-haut, dit Tony Fitzpaine, en parlant du nez à cause du gros bandage qui ornait son visage depuis le combat contre James.

– B-bah, t'inquiète, répliqua Perry. Ces Italiens sont dingues. Complètement à la masse…

James était toujours en apnée. Une insupportable tension contractait sa poitrine. Zoltan se tenait debout, les yeux rivés sur le lac, le poing droit toujours crispé dans un geste de défiance.

– Allez, murmura-t-il sans quitter l'eau des yeux. Vas-y, bon Dieu de toi.

James vit alors les volutes de la plus douce et de la plus fine des poussières monter innocemment de l'énorme rocher et danser nonchalamment dans l'air. Une seconde bouffée ne tarda pas à suivre, ainsi qu'une troisième, plus conséquente, qui courut le long de l'affleurement comme si un animal invisible avait, dans une fuite éperdue, soudain traversé le roc. L'apparition de ce dernier nuage s'accompagna d'un souffle sourd, au moment où une longue crevasse obscure s'ouvrait à la surface de l'énorme masse minérale.

– Oh mon Dieu, marmonna Zoltan. Ça y est. C'est parti.

Et il avait raison. L'intégralité du bloc de roche commença à vaciller, doucement au début puis en une fraction de seconde, tout se précipita. La moitié de la montagne se fractura, s'écroula, se désintégra.

C'était dantesque. Cent mille tonnes de roche tombaient dans le lac en grondant, déclenchant des gerbes d'eau si hautes qu'un instant elles masquèrent le soleil. Une minute auparavant, c'était une journée calme et ensoleillée, la suivante, James se retrouvait sous un déluge infernal, si épais qu'il ne voyait plus sa main, devant son visage. L'eau s'abattait sur son crâne avec une telle force que ça lui faisait mal. Quand les gerbes et la poussière furent retombées, James vit une chose qu'il eut d'abord peine à croire : une vague gigantesque, de six mètres de haut, courant à la surface du lac.

Face à la puissance du flot, les bords du bassin offrirent une résistance dérisoire. La vague les submergea instantanément avant de déraciner les arbres qui se trouvaient sur son passage et de réduire en miettes les bâtiments construits sur la rive opposée. Après quoi elle s'empara du gros hydravion, le souleva dans les airs comme un vulgaire jouet et le précipita du haut du barrage.

James regarda l'avion qui plana un instant au-dessus de la vallée avant de piquer du nez et de s'abîmer sur le sol.

Figé dans une posture improbable sur la *piazza*, le bras toujours levé, prêt à donner l'ordre de faire feu à ses hommes, Ugo comprenait de moins en moins ce qui se passait alors que, incrédule, il suivait son cher Sikorski qui dégringolait du barrage et fondait droit sur lui.

Derrière l'avion, une masse compacte d'eau enflait dans les airs.

– Non ! hurla-t-il en levant encore plus haut sa main ouverte, comme si cela eût pu retenir la catastrophe annoncée. Noooon !

Mais il ne pouvait rien faire contre l'inévitable. Après deux derniers virages hésitants dans les airs, l'avion s'écrasa sur son propriétaire, le clouant au sol comme une mouche sous une tapette. L'instant suivant, un flot furieux s'abattit sur le *palazzo*, balayant tous les hommes de la surface de la *piazza*.

La vague avait totalement submergé le barrage, endommageant gravement l'ouvrage où de nombreuses fissures étaient apparues. Malgré cela, l'ensemble était encore debout.

Pour autant, la réaction en chaîne suscitée par la destruction de l'énorme surplomb rocheux n'était pas encore arrivée à son terme. En effet, en heurtant l'eau, le roc avait envoyé des ondes de choc dans les profondeurs du lac artificiel qui, bien qu'invisibles aux yeux de James et des autres, avaient fatalement endommagé l'ouvrage. Le barrage ne tenait plus qu'à un fil, que l'extraordinaire pression de l'eau menaçait à tout instant de rompre.

Sans compter qu'un autre phénomène était à l'œuvre : le reflux. Ainsi une deuxième vague avait-elle traversé le lac en sens inverse de la première. Arrivée au fond, elle fit ce que font les remous dans une baignoire, elle reflua dans la direction opposée.

Elle avait beau être bien moins haute que la précédente, elle possédait encore une belle puissance. Quand elle heurta le barrage, celui-ci céda.

Cent millions de litres d'eau s'engouffrèrent dans la faille et, les lois de la physique se chargeant du reste, se ruèrent avec une violence inouïe hors de leur prison de béton. Le siphon de la baignoire avait sauté. Le lac se vidait et rien ne pouvait plus l'arrêter.

L'aqueduc ne résista pas plus d'une fraction de seconde à la puissance des flots. Un amas de briques et de béton fut précipité au bas de la vallée. Le *palazzo* n'avait pas la moindre chance de résister à pareille avalanche. Un incroyable torrent d'eau, de béton et de roches s'abattit sur les constructions. Colonnes et piliers furent emportés comme de vulgaires allumettes. Des bâtisses entières étaient arrachées de leurs fondations et jetées au bas de la montagne, balcons monumentaux, coursives, patios et petites cours intérieures sombrant dans l'oubli en un instant.

Les gens qui étaient restés à l'intérieur étaient condamnés. Quand bien même ils auraient été prévenus ou auraient eu quelques instants pour fuir, ils n'avaient nulle part où aller. L'impitoyable déluge s'engouffrait partout, n'épargnant rien ni personne. Quelques toits semblèrent vouloir faire de la résistance, mais ne tardèrent pourtant pas à s'écrouler, emportant avec eux les derniers murs encore debout. Tapisseries, peintures, sculptures, meubles anciens, argenterie et candélabres de vermeil furent systématiquement réduits en miettes et balayés au bas du gouffre.

Après l'eau vint la boue. Toute la vase qui se trouvait au fond du lac se transforma en une dévastatrice coulée noire et puante. Elle s'insinua dans les quelques ruines encore accrochées à flanc de montagne, recouvrant tout d'une épaisse couche de limon. Il n'y eut bientôt plus la moindre trace du palais d'Ugo, comme s'il n'avait jamais existé.

— Qu'avez-vous fait ? déclara James, atterré.

Zoltan n'avait pas quitté des yeux le lac qui d'un instant à l'autre était passé d'une retenue d'eau calme et lisse comme l'huile à une furieuse rivière dévalant la montagne.

— Le voilà noyé dans la bouillasse, déclara Zoltan sur un ton goguenard. Ce maniaque de la propreté qui s'inquiétait constamment de la saleté dans son précieux palais... Eh bien, cette fois, il n'aura pas assez de mille ans pour tout nettoyer.

La comtesse Jana Carnifex avait atteint la vallée. Elle leva les yeux vers l'horrible coulée de boue noirâtre qui dévalait la montagne comme une froide coulée de lave. Elle sut d'emblée qu'elle avait tout perdu. Sa maison, ses vêtements magnifiques, ses bijoux d'or et d'argent, tout avait disparu.

Née démunie, elle avait connu l'opulence et se retrouvait à nouveau sans rien. Rien, sinon un sombre et impérieux désir de vengeance. Elle était de la Barbagia. Elle avait grandi avec le code d'honneur et la vendetta. Dût-elle y laisser sa vie, elle ne connaîtrait plus le repos avant d'avoir causé la perte des responsables de cette catastrophe.

Quand la fusillade avait éclaté, elle se trouvait à l'infirmerie du *palazzo*. Une fois par semaine, elle voyait le docteur pour une visite de contrôle. En effet, son cœur malade l'obligeait à suivre un traitement. La prescription comprenait des pilules ainsi que des injections hebdomadaires. Le médecin était justement en train de tapoter sur sa seringue renversée pour éliminer les bulles de sa solution quand ils avaient entendu les premiers coups de feu et les premiers cris.

Le praticien avait aussitôt regardé par la fenêtre. Au bout de quelques secondes, il s'était retourné vers Jana, l'air inquiet. Sans un mot, celle-ci s'était levée et l'avait poussé sans ménagements pour se rendre compte par elle-même de la situation.

La plus profonde confusion régnait dans le *palazzo*. Des hommes couraient en tous sens, des détonations résonnaient un peu partout, les domestiques hurlaient de panique. Une explosion retentit non loin de l'infirmerie, incroyablement puissante. Le docteur suggéra aussitôt de quitter les lieux. Courant dans les couloirs et filant dans les coursives, ils avaient traversé le palais avant de s'échapper par la mine.

Dans sa fuite, elle avait croisé le jeune Anglais, James Bond, avec la fille, Amy.

Tout le temps qu'avait duré sa course éperdue aux côtés des domestiques terrifiés dans les galeries de la mine, elle n'avait cessé de penser à lui.

Émergeant à la lumière, au pied du massif, elle avait entendu de terribles explosions, sur les hauteurs, et s'était retournée au moment précis où le barrage avait cédé, emmenant la moitié de la montagne avec lui.

La plupart des gens qui se trouvaient dans la vallée avaient eu le temps de se mettre à l'abri en grimpant sur des endroits surélevés pour éviter d'être emportés par le flot grondant au moment où celui-ci s'abattit sur Sant'Ugo. Immédiatement après, les habitants du bourg allèrent à la rencontre du flot continu de rescapés qui sortaient de la mine. Parmi eux, Jana reconnut les écoliers anglais, les camarades de James Bond. Son sang ne fit qu'un tour. Un fiel amer se répandit dans son cœur, hurlant vengeance. Sa décision était prise. Elle ne connaîtrait plus le sommeil tant qu'elle ne serait pas vengée. Et elle savait par qui elle allait commencer.

Par James Bond et les siens.

Bas les masques

Tous les chiens de la vallée aboyaient. Ils avaient senti qu'une chose terrible venait de se produire. Stefano et Vendetta les entendaient même de là où ils se trouvaient, perchés sur un rocher surplombant les restes du barrage et l'énorme balafre en forme de croissant que l'eau avait creusée en s'échappant.

– James Bond, dit Vendetta d'une voix tremblante en jetant un œil aux ruines du *palazzo*.

– *Mortu est* (Il est mort), répondit Stefano. Tu ne le reverras jamais.

Vendetta ne pleura pas. Elle n'avait plus de larmes. Une page était tournée. L'honneur était sauf. Mauro était vengé. Ugo n'existait plus et son palais était détruit. Maintenant elle pouvait retourner à sa vie dans les montagnes. Elle avait toujours eu un cœur de pierre, dorénavant il serait encore plus dur.

Elle détourna les yeux du carnage.

Elle ne pourrait pas avoir James. Il en était ainsi. Dieu lui avait réservé un autre sort. Mais il restait toujours Stefano…

James, Zoltan, Tree-Trunk et Amy étaient passés de l'autre côté de la montagne et descendaient à cheval en direction du golfe d'Orosei. Ils avaient trouvé les montures dans une écurie située à quelques centaines de mètres derrière le barrage. En l'absence de tout chemin carrossable dans les environs, c'était la seule manière de se déplacer pour les hommes d'Ugo.

James était assis derrière la masse imposante du Samoan tatoué, quant à Amy, elle s'accrochait à Zoltan autant pour l'empêcher de tomber lui que pour garder son propre équilibre.

En effet, le Magyar semblait sur le point de s'écrouler, comme si, ayant réalisé ce qu'il avait à faire, il renonçait à se battre contre la maladie. Il se laissait ballotter sur sa selle en dodelinant de la tête.

James eût été incapable de dire si Amy et lui étaient prisonniers ou si tous s'échappaient ensemble. La seule chose dont il était certain, c'était qu'il avait hâte de quitter cette maudite montagne et de retourner en un lieu sûr et civilisé, familier et protecteur.

Il se sentait engourdi du calme souverain qui suit les tempêtes. Il était incapable de regarder Amy dont les yeux étaient rouges à force de pleurer.

Quand ils avaient quitté les décombres du barrage, des hommes d'Ugo qui se trouvaient à bonne distance avaient tiré sur eux, sans grande conviction. Zoltan avait répliqué en vidant son Beretta dans leur direction pour les effrayer et ils avaient disparu.

Depuis, ils n'avaient pas croisé âme qui vive.

Il faisait très chaud et James n'avait rien pour se couvrir la tête. Les yeux perdus dans les complexes entrelacs d'encre que Tree-Trunk portait sur son dos, il se laissait bercer par l'incessant clop-clop-clop des sabots du cheval sur la roche.

Il trouvait ce bruit obsédant et particulièrement irritant. Même quand les montures faisaient une halte, le bruit continuait dans sa tête. Clop-clop-clop...

Au bout d'une heure environ, ils parvinrent à un petit ruisseau et mirent pied à terre. Étirant ses jambes endolories par la monte, Amy fit quelques pas vers l'eau vive pour se désaltérer. James s'approcha de Zoltan qui, assis à l'ombre d'un arbre, tripotait son Beretta d'un air absent.

– Qu'allez-vous faire ?

– Je retourne à mon bateau, répondit Zoltan. Là où est ma place.

– Et nous ? demanda James.

– Tout ce qui est arrivé est à cause de cette fille, déclara doucement Zoltan en levant vers James des yeux embués et larmoyants.

– Alors laissez-nous partir.

– Je ne peux pas. Elle est tout ce qui me reste.

– Maudit barbare ! hurla James. Puissiez-vous pourrir en enfer !

Un éclair furieux passa dans le regard de Zoltan, mais disparut rapidement. Il soupira et posa son pistolet à côté de lui.

– Je suis déjà damné, finit-il par répondre. J'espérais qu'Amy pourrait me sauver. Elle est une des rares bonnes choses qui me soient arrivées tout au long de ma vie.

– Je crains qu'elle ne puisse pas en dire autant.

– Tu as raison... Comme d'habitude...

Il marqua une pause et baissa les yeux sur sa main gauche, inerte et inutile, qui pendait lamentablement au creux de son aine. Finalement, il cracha. James remarqua que sa salive était jaunâtre et sèche.

– Crois-tu au pardon ? demanda Zoltan à voix basse.

– Je ne sais pas.

– Dans ma vie, je me suis souvent mal comporté. J'ai fait pas mal de choses dont je ne suis pas fier. Mais, pour une fois, je vais faire une bonne action.

Zoltan se remit péniblement debout et avança en chancelant vers son cheval.

– Je sais que je dois m'éloigner d'elle, sinon, elle sera la cause de ma mort. Tiens, prends ça, dit-il en lançant un sac de pièces à James. Dirige-toi vers l'est. Va droit devant toi jusqu'à la côte. Là, tu pourras louer un bateau et rentrer chez toi. Prends bien soin d'Amy pour moi.

– Quoi ? Attendez… Non…

Mais rien ne pouvait plus retenir Zoltan. Il bougonna quelque chose à Tree-Trunk en hongrois et tous deux remontèrent en selle avant de s'éloigner au triple galop.

Amy se précipita vers James.

– Où vont-ils ?

– On ne peut plus compter que sur nous-mêmes, maintenant.

– On est libres ?

– Il semblerait, répondit James, maussade. Libres de crever là comme des chiens et de sécher au soleil ensuite.

Ils se sentirent soudain tout petits, perdus et seuls.

– Qu'est-ce qu'on fait ? demanda Amy.

– On marche.

Après une demi-heure de marche pénible à travers le maquis dont les riches senteurs ne contrebalançaient que partiellement les éraflures et les écorchures que ses plantes infligeaient à leurs jambes déjà meurtries, James et Amy débouchèrent sur un chemin de terre qu'ils prirent en direction de la mer.

Trop éreintés pour parler, ils avançaient en silence, d'un pas lourd, le regard baissé sur leurs pieds battant la poussière.

De temps à autre, James avait encore l'impression d'entendre le clop-clop d'un cheval. Il se demanda si ce n'étaient pas là les signes avant-coureurs de l'insolation.

De fait, le soleil était impitoyable. James sentait ses rayons brûlants sur sa nuque. Amy souffrait également. Des gouttes de sueur tombaient régulièrement de son nez et de son menton. Pour finir, elle déchira des lambeaux de tissu de sa robe jaune abhorrée et ils les nouèrent autour de leurs têtes. Cette solution de fortune, pour inélégante qu'elle soit, leur apporta un soulagement bienvenu en se révélant relativement efficace contre les aiguillons d'un soleil de plomb.

Ils traversèrent une gorge étroite et débouchèrent dans une large plaine aride et rocheuse bordée par un massif de chênes-lièges d'un côté et par d'abruptes falaises de l'autre.

Aux yeux de James, il n'y avait pas sur terre d'endroit plus inhospitalier. Autant marcher sur le fond d'une poêle posée sur un feu vif.

— On est stupides, déclara-t-il en se tournant vers Amy. On ferait mieux de se mettre à l'abri en attendant qu'il fasse un peu moins chaud. On va griller comme des saucisses là-dedans.

Amy acquiesça d'un hochement de tête. Ils quittèrent le chemin et se dirigèrent vers les arbres.

Le bosquet d'arbres était plus loin qu'ils ne l'avaient imaginé en l'observant depuis la route. Cette plaine leur parut interminable. Ils avaient beau marcher et marcher encore, la ligne sombre des arbres, brouillée par les volutes de chaleur montant du sol, était toujours aussi lointaine.

Amy s'assit.

— J'en peux plus. Et si on s'arrêtait là ?

— Non, répliqua James. Il faut qu'on se mette à l'abri.

— Tu entends ? demanda Amy en levant vivement la tête.

– On dirait le pas d'un cheval. Peut-être que Zoltan revient nous chercher.

James tendit l'oreille. Ce qu'il avait pris pour un début d'hallucination était réel. Un cheval les suivait bien. Il regarda autour de lui, tentant de déterminer d'où venait le bruit.

Amy se redressa et lui saisit le bras.

– James. Regarde.

Dans les vapeurs caniculaires, il vit apparaître la silhouette ondoyante d'un cavalier avançant lentement vers eux.

Il plissa les paupières pour mieux voir. Cette fois, aucun doute, il souffrait d'insolation. Le cavalier semblait porter le fameux costume de carnaval, avec le masque de femme à la pâleur cadavérique.

Et il tenait une épée argentée au côté.

Le cheval se mit au trot puis au petit galop et enfin au galop tout court, fondant à toute allure droit sur eux.

Le cavalier leva son épée, pointe tendue vers la poitrine de James. Celui-ci voulut fuir, mais il n'avait nulle part où aller. Il n'y avait pas le moindre abri sur cette étendue exposée à tous vents, aucun recoin où courir se cacher.

Il s'immobilisa, les yeux rivés sur la pointe de l'épée. Le regard du cavalier était caché derrière son masque. Les sabots du cheval martelaient le sol. L'air était lourd. Pas un souffle de vent. James attendit que l'animal soit sur lui puis il se jeta sur le côté. L'épée siffla à ses oreilles en le frôlant. Les sabots imprimèrent une traînée floue et marron sur sa rétine.

James utilisa l'énergie de sa roulade pour se relever aussitôt. Déjà, le cheval faisait demi-tour pour revenir à la charge. Mais il n'avait pas assez d'élan pour reprendre beaucoup de vitesse, aussi James attendit-il qu'il approche encore un peu avant de bondir vivement sur le côté opposé à l'épée.

Voyant cela, le cavalier changea de direction, jetant soudain son dévolu sur Amy. Pétrifiée, celle-ci regardait, sans bouger, le cheval qui fonçait sur elle. Pourtant, au dernier moment, elle ramassa une poignée de poussière et la jeta en l'air, effrayant l'animal, qui fit un brusque écart.

Pour autant, James savait qu'ils ne résisteraient pas longtemps.

Le cavalier s'éloigna au galop, calma sa bête puis entama une longue courbe, préparant l'assaut suivant.

– On se sépare, dit James. Je vais servir d'appât pendant que toi tu essaies d'atteindre les arbres.

– Non, répliqua vivement Amy. On a commencé ensemble, on reste ensemble jusqu'au bout.

Elle n'avait pas terminé sa phrase que le regard de James fut attiré par quelque chose qui bougeait, à la lisière des arbres. Stupéfait, il vit deux nouveaux cavaliers apparaître dans la cuvette.

Zoltan et Tree-Trunk. L'immense Maori galopait en tête, tenant son harpon comme une lance, un gros cigare coincé entre les dents.

Le cavalier masqué éperonna son cheval et chargea vers eux.

Tree-Trunk avait beaucoup d'avance par rapport à Zoltan. Il se dirigeait droit sur son adversaire.

Ils se rapprochèrent l'un de l'autre et, au dernier moment, le Samoan lança son harpon.

Le cavalier masqué se plia en deux, évitant la flèche de justesse, avant de se redresser et de lancer son bras armé sur Tree-Trunk en un habile mouvement d'épée, vif comme l'éclair. Les chevaux se heurtèrent. Tree-Trunk s'écroula au sol, sous sa monture.

L'animal se releva, pas Tree-Trunk.

Le cavalier masqué parvint à rester en selle, mais dut se battre pour maîtriser son cheval qui ruait et donnait des coups de tête nerveux.

Zoltan dépassa James et Amy au triple galop.

James eut le temps d'apercevoir son visage. Il grimaçait de douleur.

– Non, hurla James. N'y va pas.

Le pistolet de Zoltan ne lui serait d'aucune utilité. Il avait vidé toutes ses cartouches en tirant sur les gardes, près du barrage. Alors que le cavalier masqué était toujours occupé à reprendre le contrôle de sa monture, Zoltan le dépassa au galop puis, couché sur sa selle, ramassa le harpon de Tree-Trunk, planté dans le sol. Dès qu'il l'eut en main, il stoppa son cheval et fit volte-face.

L'homme masqué hésita entre James et Zoltan, son regard allant de l'un à l'autre sans qu'il soit possible de dire vers qui il allait se ruer d'abord.

Le Magyar coupa court à sa réflexion.

Attrapant le harpon de sa main droite, il le cala sous son bras et éperonna son cheval en poussant un puissant cri de guerre avant de charger à pleine vitesse, tel un chevalier du Moyen Âge muni d'une lance de tournoi.

L'homme masqué allongea le bras et pointa son épée. Il poussa lui aussi un petit cri avant de démarrer au triple galop vers le Magyar.

James agrippa Amy sans quitter des yeux les deux cavaliers qui fondaient l'un sur l'autre. De la poussière volait dans leurs sillages, leurs chevaux écumaient de transpiration. Plus ils se rapprochaient et plus il paraissait évident que ni l'un ni l'autre n'était disposé à abandonner le combat avant d'avoir terrassé son adversaire. C'était épée contre harpon, et James n'osait penser à l'issue de la bataille, imaginer qui allait sortir vainqueur de cette joute cruelle. Avec son harpon, Zoltan disposait de la meilleure allonge, mais il était malade et faible. La pointe de son arme vacillait mollement devant lui. À l'inverse, l'homme masqué tenait son sabre d'une main de fer. L'implacable lame fine où le soleil venait jouer fendait l'air avec une droiture et une fermeté parfaites.

— Je ne peux pas voir ça, dit Amy en cachant son visage dans ses mains.

Finalement, ils se touchèrent. Le choc s'accompagna d'un grincement aigu. Les deux hommes furent désarçonnés et s'écroulèrent lourdement sur le sol. Livrés à euxmêmes, leurs chevaux ralentirent, puis s'éloignèrent d'un pas nonchalant vers un parterre d'herbe où ils se mirent à brouter comme si de rien n'était.

Assis dans la poussière, le tronc basculé en avant sur le manche du harpon qui sortait de sa poitrine, le cavalier masqué crispa un instant ses doigts sur le sol, tandis que, de son autre main, il tenait toujours fermement l'épée, dont le bout était cassé.

Il se raidit dans un dernier sursaut puis s'immobilisa.

James courut jusqu'à lui et ôta le masque.

Peter Haight. Son visage aux traits fins et harmonieux était aussi pâle que le masque qu'il portait.

Il était mort.

— James ! À l'aide ! hurla Amy, penchée sur Zoltan, la main posée sur la blessure qu'il avait à la poitrine. Il est blessé.

James se précipita. Son premier geste fut de déchirer la chemise du Magyar.

La pointe de l'épée était profondément enfouie entre ses côtes. Le sang jaillissait de la plaie en bouillonnant à chaque fois qu'il respirait.

– Doit-on essayer de l'extraire ? demanda Amy.

– Non, répondit Zoltan en entrouvrant les yeux, dont le blanc était aussi rouge que le sang qui coulait sur son torse. N'y touche pas.

Puis, se tournant vers James, il ajouta :

– Toujours fourré dans les embrouilles, hein, James…

– N'essayez pas de parler, rétorqua le garçon en déchirant une manche de sa chemise pour faire un bandage.

Zoltan s'agrippa à son bras.

– Je t'en prie, dit-il, je ne veux pas mourir ici. Emmène-moi sur mon bateau. S'il te plaît, fais que je meure en mer…

Juste un gamin

Un soleil ardent accablait le minuscule esquif qui glissait à la surface des eaux turquoise de la Méditerranée. Une main sur la barre, James fixait l'horizon qui oscillait en dents de scie à la proue du bateau. Il avait la gorge sèche et ses lèvres étaient craquelées par les brûlures du soleil. Amy était encore plus mal que lui. Sa peau d'albâtre, adoucie par les jours qu'elle avait passés enfermée dans une cellule obscure, était toute rouge et pelait par endroits. Ils avaient le vent dans le dos, pourtant ils progressaient à faible allure.

Zoltan était couché dans le fond du bateau. Il tremblait. Un filet de sang coulait de sa bouche et maculait son menton. Ses yeux étaient vitreux et troubles. Les gargouillis dans ses poumons étaient insupportables. Il marmonna quelque chose en hongrois. Amy se baissa près de lui.

– Que dites-vous ?

Zoltan battit des paupières.

– J'ai cru que tu étais ma *anyám*, balbutia-t-il. Ma mère.

– Non, je ne suis pas votre mère, répondit gentiment Amy.

– Un instant, je me suis vu dans ma maison, poursuivit Zoltan dans un filet de voix qui semblait venir de très loin. La mer… C'était une mer d'herbe verte. Tu aimerais bien mon pays, Amy. La Grande Plaine s'étend à l'infini. L'hiver, ça gèle et, l'été, c'est brûlant. On avait une ferme, perdue au milieu de nulle part. Il y avait des vaches à longues cornes dans les prés, des oies dans la cour et des mûriers autour de la maison. Rien d'autre. Où que tu tournes ton regard, il n'y avait rien que des champs et du bétail. C'est là que j'ai grandi. Pour moi, le monde entier se réduisait à ça. Je n'aurais jamais dû quitter mon monde.

– Vous pouvez encore retourner chez vous, dit Amy, le cœur serré.

– Non, je ne peux pas… Je suis en train de me noyer, déclara Zoltan au prix de lourds efforts. Je me noie dans mon propre sang…

Il s'agrippa à la chemise d'Amy de sa main valide.

– J'ai toujours su que tu me noierais, ajouta-t-il. J'aurais dû te laisser là où je t'ai trouvée.

– Vous allez vous en sortir, répondit-elle.

Zoltan ne put s'empêcher de rire. Le spasme le fit s'étrangler. Il toussota puis cracha sur le pont un gros caillot de sang coagulé.

– Je ne vais pas m'en sortir… Oh ! comme j'aimerais être chez moi, ajouta-t-il en sanglotant. Dans les bras de ma mère…

Il s'arrêta. James vit qu'il pleurait.

– Vous allez vous en sortir, répéta Amy en prenant le Magyar par les épaules.

James se demanda lequel des deux soutenait l'autre.

– Au moins suis-je en mer, poursuivit Zoltan. Pas sur mon bateau… Mais au moins en mer…

Après avoir enfoui les corps de Tree-Trunk et de Peter Haight sous des pierres, ils avaient rejoint la côte à cheval, Zoltan attaché à sa selle.

Finalement, ils avaient trouvé un hameau de pêcheurs

dont aucun ne possédait un véhicule, mais un vieux pêcheur leur avait vendu au prix fort un petit voilier probablement encore plus ancien que son propriétaire. Ils avaient alors aussitôt pris la mer, cap plein nord. Mais plus ils voguaient, plus l'état de Zoltan empirait.

– C'est fini, dit-il en levant des yeux vides et absents vers le ciel. Je ne veux pas étouffer dans mon sang.

– Je ne permettrai pas que quelqu'un d'autre périsse, dit James d'un ton déterminé.

– Ce n'est pas de ton ressort, petit, répondit Zoltan. Tu n'es pas Dieu. Juste un gamin, certes extraordinaire, mais rien de plus qu'un gamin. Tu n'as aucun pouvoir sur la vie et la mort.

– Tenez bon, ordonna James avec colère. Vous ne devez pas mourir.

Zoltan parlait très bas, chaque mot lui était une douleur.

– Toute ta vie… Les gens que tu aimes mourront. Et tu ne pourras rien y faire. La colère n'est d'aucun secours. Car ainsi va le monde. On naît, on souffre et on meurt. Mais, Dieu, je ne veux pas mourir ainsi. Jette-moi à l'eau.

– Mais vous ne savez pas nager, laissa naïvement échapper Amy.

– Qui a parlé de nager ? répondit Zoltan. Je veux seulement mourir… Mourir en paix.

– Jamais je ne ferai une chose pareille, coupa James, intransigeant. Je vais vous ramener à votre bateau et puis on trouvera quelqu'un pour vous aider. On peut retirer la lame, vous recoudre…

– Toi-même, tu n'y crois pas, murmura Zoltan dans un souffle. Mais merci quand même. Maintenant, balance-moi par-dessus bord. J'ai trop mal.

– Non ! rétorqua James en serrant les dents et en baissant les yeux sur ses pieds.

Le fond du bateau baignait dans deux centimètres d'une eau rougie par le sang de Zoltan, duquel montait une horrible puanteur, comme s'il était déjà mort... et putride. C'était intolérable. James ne pouvait plus supporter cette horreur. Il inclina la tête, enfonçant son menton sur son torse, ferma les yeux et, de sa main libre, frotta ses paupières entre le pouce et l'index.

– *Anyám*, entendit-il Zoltan soupirer, *édesanyám*. Serre-moi, j'ai peur...

Plouf.

Quand James rouvrit les yeux, Zoltan n'était plus là et Amy pleurait en silence.

Il ne lui demanda jamais si c'était elle qui avait poussé le Magyar agonisant à l'eau ou si, dans un dernier sursaut, il avait lui-même trouvé la force de se jeter par-dessus bord.

Elle ne parla plus jamais de lui.

Amy sécha ses larmes.

– On fait quoi maintenant ?

– On rentre à la maison, répondit James. À la villa de mon cousin... On peut y aller avec le bateau.

Amy avança d'un pas lourd jusqu'à la proue du bateau. Arrivée à hauteur de James, elle l'enlaça et ils restèrent ainsi un long moment sans dire un mot.

Ils passèrent au large de Terranova et poursuivirent leur route, cap nord-ouest, gardant toujours la côte sur leur gauche. Ce n'est qu'en fin d'après-midi que les îles Maddalena apparurent devant eux. James reconnut aussitôt la masse rocheuse de Capo d'Orso, surmontée de son roc érodé par les vents et qui évoquait la silhouette d'un ours couché.

Il se sentit tout de suite mieux, comme si la vue de ce paysage familier et rassurant avait suffi à jeter un voile d'oubli sur les horreurs qu'il venait de traverser : les figuiers de Barbarie, les pins parasols, les petites criques inaccessibles, les roches roses et, dominant tout ça, l'ours qui veillait sur ce détroit depuis des milliers d'années, étranger aux insignifiantes allées et venues des humains à ses pieds.

Ils virèrent en direction du cap et, bientôt, la plage de sable, d'un blanc immaculé, où James s'était baigné avec Mauro se dessina à l'avant du bateau.

Les moments partagés avec Mauro lui semblèrent très lointains, comme surgis d'un passé depuis longtemps révolu. Amy et lui avaient finalement pu échapper à cette folie. Ils s'en étaient sortis sains et saufs.

Ils manœuvrèrent l'embarcation à l'ombre d'un gros rocher et affalèrent la voile. Le bruit continu du vent qui avait soufflé toute la journée dans la toile laissait place au silence et au doux clapotis des vaguelettes venant mourir contre la coque.

Les cheveux de James étaient collants de sel et sa peau lui donnait l'impression d'avoir été passée au papier de verre. Ses lèvres étaient râpeuses et enflées. Il n'aspirait qu'à une chose : plonger dans la fraîcheur de l'eau.

– Allez viens, dit-il en retirant prestement les guenilles qu'il portait.

Et il plongea.

Amy ne tarda pas à le rejoindre, ni l'un ni l'autre ne se souciant une seule seconde de sa nudité.

James accueillit la douce caresse de l'eau avec extase, une caresse apaisante qui emportait avec elle toutes les souffrances d'un corps exténué de soleil. Il s'y abandonna avec délices, nageant en tous sens, tournoyant, plongeant puis remontant à la surface où il se laissait doucement bercer par les flots, sans bouger. Finalement, il rejoignit le rivage d'une lente brasse et s'allongea à la lisière de l'eau, laissant la moitié de son corps doucement ballotté par le flux et le reflux des vagues.

Il aurait pu rester là et dormir mille ans.

Amy vint s'étendre à côté de lui et ils s'immobilisèrent en un long face-à-face silencieux, les yeux dans les yeux, communiant en silence dans le souvenir de tout ce qu'ils avaient enduré.

James trouva le premier la force de relever la tête.

– On devrait amarrer le bateau et monter à la villa, dit-il d'une voix enrouée.

– Encore un peu, non ? bougonna Amy. C'est divin.

– Cinq minutes alors.

Quand ils s'en sentirent enfin la force, ils retournèrent au bateau à la nage et grimpèrent à bord. À l'occasion de cette manœuvre, pourtant anodine, James réalisa à quel point il était exténué. C'est tout juste s'il parvint à se hisser sur le voilier. Lentement, avec des gestes lourds, ils se rhabillèrent et attrapèrent les deux petites rames qui se trouvaient sous le banc.

Péniblement, ils ramèrent jusqu'à la rade naturelle où amarrer le bateau. Tout était exactement comme James l'avait laissé, avec le dinghy de Victor oscillant doucement à la surface des flots, prêt à partir.

Victor ?

Était-il là ?

Est-ce que tout allait bien ?

Qu'allaient-ils trouver là-haut, dans la maison ?

James se remémora le braquage. À quoi ressemblerait la villa amputée de toutes ses toiles ? Une nouvelle désolation ?

Jusqu'ici, il était parvenu à éluder la question, se contentant d'imaginer une scène idyllique, Victor tranquillement assis sur la terrasse à siroter du vin en compagnie de Poli-

poni, au doux son d'un air de jazz provenant du gramophone.

Amy sauta dans l'eau. James lui lança la corde, qu'elle
noua à un anneau d'acier, puis la rejoignit.

Silencieusement, ils gravirent d'un pas lent les marches
taillées à même la roche. James n'avait plus qu'une idée en
tête : dormir, se coucher dans un lit et reprendre des forces.

Jamais la perspective de se glisser dans des draps ne lui
avait semblé aussi délectable. Suivant le fil de sa pensée,
une autre image apparut devant ses yeux : celle d'un lit
paré d'un coton blanc et raide, avec une moustiquaire
ondoyant doucement dans la brise.

Il esquissa un sourire.

Il y était presque.

Bientôt, tout serait terminé.

Victor apparut en haut des marches, vêtu d'une de ses
inimitables gandouras marocaines. James lui sourit, mais
nota aussitôt que son cousin avait l'air inquiet... et qu'il
avait un gros bleu sur le front.

– Victor ! lança James. Tout va bien ?

Pour toute réponse, Victor émit un court gémissement et
s'écroula sur le côté.

Quelqu'un l'avait frappé à la nuque.

Jana Carnifex fit quelques pas en avant, ses talons grinçant
sur la tommette comme les griffes d'un chien. Son maquillage
avait coulé. Sa perruque était accrochée de guingois sur son
crâne et des mèches blanches tombaient en désordre autour de
son visage. Sa robe en lamé doré était poussiéreuse et tachée.
Dans sa main à la peau mate et aux doigts bagués d'argent, elle
tenait un pistolet. Ses longs ongles se refermaient sur la crosse
à la manière des serres d'un rapace. Elle avait sûrement obligé
Victor à venir se poster en haut des marches sous la menace de
son arme avant de l'assommer d'un coup de crosse.

James jeta un regard inquiet à son cousin qui, les mains attachées dans le dos, avait perdu connaissance.

– James Bond, dit Jana d'un ton menaçant. Justement, je vous attendais.

Un éclair de pure folie brillait dans ses yeux, laissant clairement entendre qu'elle n'hésiterait pas à faire usage de son arme. Que faire ? Amy et lui étaient piégés sur l'escalier. S'ils se ruaient sur elle, il y avait une chance pour que l'un d'eux puisse atteindre la comtesse sans prendre de balle, mais c'était beaucoup trop périlleux.

Quoi qu'il arrive, il devait protéger Amy.

Peut-être pourraient-ils essayer de sauter à la mer ? James savait que l'eau offrait une bonne résistance aux balles et qu'il était difficile de toucher quelque chose sous la surface.

Pour mince qu'il soit, c'était leur seul espoir.

James jeta un œil derrière lui. Ils n'étaient pas aussi haut que le rocher duquel il avait plongé l'autre jour, sous les yeux de Mauro. Mais il faudrait faire attention aux oursins accrochés aux rochers un peu partout et qui faisaient un noir tapis sous l'eau.

Une question restait en suspens. Comment faire comprendre à Amy ce qu'il avait planifié ? Il n'en aurait jamais le temps.

Il s'approcha d'elle. Des gouttes de sueur perlaient sur son cou. Elle tremblait un peu.

– Laissez Amy en dehors de ça, cria James, tentant ainsi de gagner un peu de temps. Elle n'a rien à voir là-dedans.

– Vraiment ? ricana Jana. Quoi qu'il en soit, je m'en moque. Rien ne m'empêchera de vous tuer tous les deux. Vous avez détruit ma vie, tué mon frère et enfoui mon palais sous une épaisse couche de boue puante. Je vais vous abattre et ensuite vous irez nourrir les crabes, pour qu'ils dévorent vos belles petites gueules d'anges. Après quoi je tuerai votre cousin ainsi que tous les autres occupants de cette villa.

Victor bougea, essayant de se redresser.

— Pas un geste, siffla Jana en se tournant vers lui, sinon je vous abats tout de suite.

C'était plus qu'il n'en fallait à James. L'attention de Jana avait été détournée assez longtemps pour qu'il attrape Amy par la taille et l'oblige à plier les jambes.

— On saute, murmura-t-il à son oreille avant de se détendre aussi puissamment qu'il le put.

Amy eut juste le temps de fléchir les genoux et de pousser. Ils décrivirent une douce arabesque puis filèrent vers l'eau, au ras des rochers.

Ils heurtèrent violemment la surface et plongèrent.

Hurlant de rage et de dépit, Jana tira deux coups qui se perdirent dans la mer, à bonne distance de leurs cibles.

Elle jura et se précipita dans les escaliers, pour avoir un meilleur angle de tir. Malheureusement pour elle, ses talons hauts n'étaient pas conçus pour ce genre d'exercice. Elle dérapa sur une marche et perdit l'équilibre. Sa cheville tourna sous son poids. Elle tomba en avant, sur les genoux, dont la peau ne résista pas à l'impact. Elle étendit un bras, tentant désespérément de se raccrocher à la pierre lisse et polie, mais ses longs ongles manucurés l'empêchèrent de trouver quelque prise que ce fût. Elle dégringola encore quelques marches puis, glissant toujours, passa par-dessus l'escalier et dévala l'abrupte paroi rocheuse qui surplombait la mer. Pistolet depuis longtemps lâché et oublié, elle laboura le roc, s'arrachant les ongles en tentant vainement de ralentir sa chute.

Au pied de l'à-pic, elle fut accueillie par un lit d'oursins où elle s'empala sur le flanc. Beuglant de douleur, elle tenta de se redresser et de sortir de l'eau, mais partout où elle prenait appui, d'autres épines. Ses mains furent bientôt criblées de pics cassés, hérissées d'aiguilles noirâtres, comme si elle avait soudain enfilé des gants à clous.

Incapable de se relever, piégée dans sa longue robe trempée qui s'était prise dans les rochers, elle s'affola et, dans un ultime effort pour sortir de l'eau, rampa sur quelques centimètres avant de glisser une nouvelle fois et de tomber, la tête la première, sur un nouveau lit d'oursins.

James se força à détourner les yeux quand il la vit porter les mains à ses joues en un geste fou et pincer la chair de façon hystérique dans l'espoir d'en retirer les aiguilles avec, pour seul résultat, de les enfoncer plus profondément. Elle mugissait comme un animal sauvage pris au piège. Elle coula sous l'eau et réapparut quelques secondes plus tard, crachant et toussant, réprimant de justesse un puissant haut-le-cœur.

James nagea vers elle pour tenter de l'aider, mais elle se débattait et hurlait comme une folle, ne lui laissant pas l'occasion d'approcher.

Dans un éclair, il aperçut son visage dévasté. Une paupière était clouée à son globe oculaire par une épine.

Il n'osait imaginer la souffrance qu'elle endurait. Il n'avait marché que sur un seul oursin et ça avait été l'enfer.

Enfin, elle poussa un horrible râle étouffé et serra les mains autour de son cou avant de se rouler en boule et de s'effondrer en arrière. Sa tête heurta violemment un rocher qui affleurait la surface. Elle ne bougeait plus.

James fit tout son possible pour éviter de la regarder pendant qu'il aidait Amy à sortir de l'eau et à monter sur les marches.

– Merci, dit-elle en l'étreignant.

Puis, posant le pied par terre, elle se raidit, haleta et grimaça.

– Qu'y a-t-il ? demanda James, inquiet.

– J'ai des épines dans le pied. J'ai dû marcher sur un oursin.

James la regarda dans les yeux en souriant.

– Ne t'inquiète pas, dit-il en rabattant d'une caresse la courte mèche de cheveux qui tombait sur son front. Je sais exactement ce qu'il faut faire…

Table des matières

L'auteur

Charlie Higson est né en 1958 en Grande-Bretagne. Après avoir fondé un groupe de musique dans les années 1980, il se tourne vers l'écriture. Auteur de scénarios, et interprète, de séries pour la télévision, Charlie Higson écrit également des romans à suspense pour adultes.

Mise en pages : Maryline Gatepaille

Loi n° 49-956 du 16 juillet 1949
sur les publications destinées à la jeunesse
ISBN 2-07-057325-4
Numéro d'édition : 139185
Numéro d'impression : 81368
Dépôt légal : septembre 2006
Imprimé en France sur les presses
de la Société Nouvelle Firmin-Didot